# 이동기 영어
## 신경향 ALL IN ONE

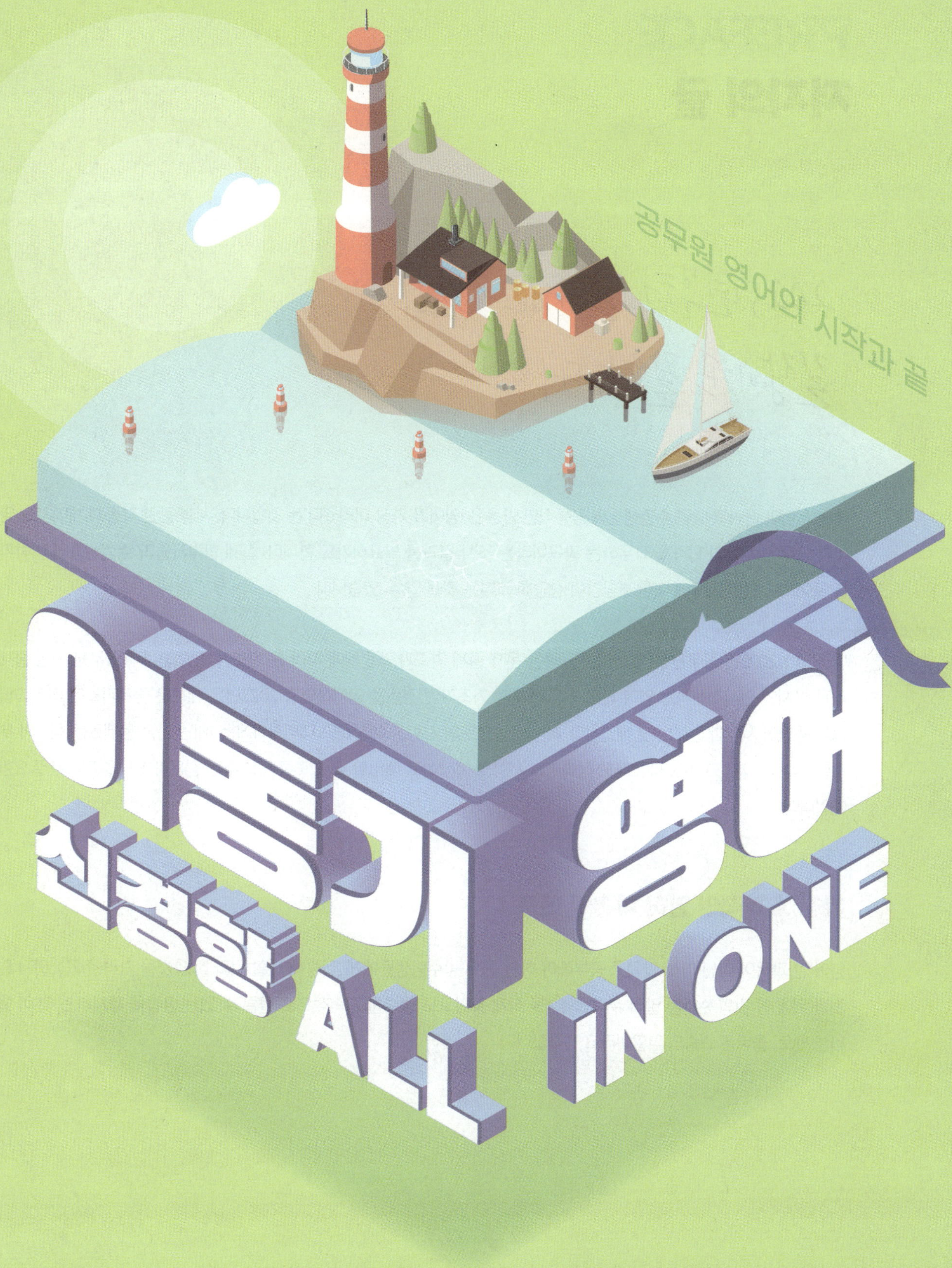

2026 New Trend | 문법·구문

# PREFACE
## 저자의 글

*2025년부터 달라진 시험!*
*길잡이가 필요하다!*

매번 시험이 끝나고 나면 수험생들의 공통적인 반응은 '영어가 가장 어려웠다'는 것입니다. 시험 관련 각종 매체에서도 영어가 공무원 시험의 합격을 좌우하는 과목이라는 조사 결과를 발표하기도 합니다. 실제 합격자들과 수험생들의 이야기를 들어봐도 영어 과목에 대한 부담감이 상당히 크다는 것을 알 수 있습니다.

더군다나 2025년 공무원 시험의 영어 과목은 문제 출제 기조가 개편됨에 따라 큰 변화가 있었습니다. 공무원 시험 출제 소관 부서인 인사혁신처는 영어 과목의 문제 출제 기조가 변경됨을 공지하였고 2025년은 새로운 출제기조에 따라 9급 공무원 영어 시험이 출제된 첫 해입니다. 하지만 앞으로의 시험을 예상하고 대비하기에는 1개년 기출 문제로는 턱없이 부족합니다. 따라서 그 어느 때보다도 정확하게 시험을 예상하고 대비할 수 있도록 도와주는 전문가이자 길잡이가 필요한 때입니다.

### 가장 효과적인 영어 학습의 멘토

영어 한 과목이 아닌 다섯 과목을 공부해야 하는 공무원 수험생들에게 '집중해야 할 것과 버릴 것을 가려 주고', '먼저 할 것과 뒤에 할 것의 순서를 알려 주며', '시간을 적게 들이고도 점수를 지속적으로 올릴 수 있는 방법을 제시하는 것'이 올바른 멘토, 올바른 스승의 역할이라고 생각합니다

**"이동기 영어"**

내 이름을 걸고, 수험생들이 합격으로 가는 길에 열심히 노력한 만큼 그에 합당한 결과를 받을 수 있도록 돕는 가장 효과적인 영어 학습 멘토임을 자부합니다.

10년간 공무원 영어 1위라는 수치 또한 수많은 합격생을 통해 검증된 신뢰와 이름임을 증명합니다.

강의와 시험 분석을 통해 쌓인 영어 학습에 대한 모든 노하우와 지식을 쏟아 공무원 영어 시험의 전 영역에 걸쳐 꼭 필요한 모든 지식을 담은 이 교재가 지금까지 그랬듯 2025년 시험 개편 이후에도 합격으로 가는 길에 훌륭한 길잡이가 될 것임을 확신합니다.

마지막으로 더 좋은 교재와 강의를 위해 늘 고생해 주는 '이동기 영어교육연구소' 연구원들에게 깊은 감사의 말을 전하고 싶습니다.

2025년 5월
노량진 연구실에서
이동기

# 2026
# 이동기 영어 커리큘럼

변화를 선도하는 新경향 공무원 영어,
2026 이동기 영어가 이번에도 트렌드를 리드합니다.

### 정규 커리큘럼

| | | |
|---|---|---|
| **STEP 1**<br>기본심화 | 新경향 공무원 영어 All-In-One<br>문법·구문 　 독해 　 어휘·생활영어 | |
| **STEP 2**<br>문제풀이 | 新경향 실전 문제풀이 N제<br>독해 　 문법 　 어휘·생활영어 | |
| **STEP 3**<br>파이널 | 기적의 특강 | 동형모의고사 시리즈 |
| **新경향 하프**<br>(매일 학습지) | Foundation<br>(영역별 강화) | Completion<br>(실전) |

### 선택 커리큘럼

| | |
|---|---|
| 기초 | 친절한 꿀문법 & 친절한 꿀독해 |
| 입문 | 新경향 공무원 영어 [문법·구문] |
| 어휘 | 新경향 이동기 공무원 VOCA |

# GUIDE
# 공무원 영어 시험 가이드

## 공무원 영어 문제 구성

각 시험별로 다소 차이가 있긴 하지만 공무원 시험은 크게 4가지 영역으로 구성되며, 그 문항 수와 영역별 비중은 다음과 같다.

| 영역 | | 문항수 | 출제 비중 | |
|---|---|---|---|---|
| 비독해 | 어휘 | 2 | 10% | 35% |
| | 생활영어 | 2 | 10% | |
| | 문법 | 3 | 15% | |
| 독해 | | 13 | 65% | |
| 총계 | | 20 | 100% | |

공무원 영어 시험에서 독해는 거의 70%라는 매우 높은 비중을 차지하지만 문법과 어휘, 생활영어라는 나머지 35%를 득점하지 못하면 절대 합격 평균 점수인 80점 이상을 거둘 수 없다. 주로 수능 시험에만 익숙한 공무원 시험 준비생들이 이 점을 제대로 파악하지 못하고 학창 시절 가지고 있던 독해력에 의존해서 영어 시험을 봤다가 큰 코를 다치는 일이 많다. 문법, 어휘에서 득점을 하지 못한 데다가 독해의 지문 유형도 수능과 공무원 시험은 큰 차이가 있기 때문에 독해 문제도 결국 거의 찍다시피 정답을 고르고 낙제점을 받는 경우도 매우 흔하다. 이는 어휘, 문법, 독해라는 전 영역의 균형 잡힌 학습의 필요성을 잘 보여 주며, 학습의 순서 또한 매우 중요하다는 것을 보여 준다.

### 예시 1 | 공무원 영어 문법 문제 (1)

**1.** 밑줄 친 부분에 들어갈 말로 가장 적절한 것은?

> Whitworths, a retailer offering online grocery shopping, says it has discovered that some staff members who are paid a salary _____ paid enough in recent years.

① may not have been  ② should not have
③ would not be  ④ will not be

**분석** 인사혁신처에서 발표한 출제기조 전환에 따라 2025년도에 등장한 新유형의 문법 문제이다. 매 시험에 1문제 정도 출제될 것으로 예상되며, 빈칸의 앞뒤에서 문장의 시제, 문장의 구성, 품사별 단어의 쓰임새 등을 근거로 삼아 올바른 문장이 되도록 빈칸을 완성해야 한다.

**예시 2**    **공무원 영어 문법 문제 (2)**

1. 밑줄 친 부분 중 어법상 옳지 않은 것은?      `2025 국가직 9급`

> The city opened the Smart Senior Citizens' Center, a leisure facility that offers ① <u>customized</u> programs for the elderly. It ② <u>features</u> virtual activities such as silver aerobics and ③ <u>laughter</u> therapy, monitors health metrics in collaboration with public health centers, and ④ <u>including</u> indoor gardening activities.

**[분석]** 제시된 네 개의 선택지 중 문법적으로 바른 또는 틀린 것을 선택하는 문제이다. 해당 부분에서 시험에 출제될 만한 '문법 포인트'를 파악하고 정확한 판단을 해야 한다는 점에서 충분한 학습과 대비가 필요한 문제이다.

---

**예시 3**    **공무원 영어 어휘 문제 (빈칸)**

1. 밑줄 친 부분에 들어갈 말로 가장 적절한 것은?      `2025 국가직 9급`

> All international travelers must carry acceptable _____ when entering Canada. For example, a passport is the only reliable and universally accepted document when traveling abroad.

① currency      ② identification
③ insurance      ④ luggage

**[분석]** 빈칸에 들어갈 단어를 유추하는 문제로서 올해부터 매 시험에 2문제 정도 출제된다. 지금까지의 어휘 문제가 단순 암기를 기반으로 했다면 2025년도부터는 문장의 의미를 이해하고 빈칸의 앞뒤 맥락을 파악하는지를 묻는 유형으로 달라졌다. 따라서, 어휘의 정확한 뜻을 암기하는 것은 물론이고 문장 전체의 의미를 파악할 줄 아는 이해력도 길러야 한다.

# GUIDE
## 공무원 영어 시험 가이드

**예시 4**  공무원 영어 생활영어 문제

1. 밑줄 친 부분에 들어갈 말로 가장 적절한 것은?  `2025 국가직 9급`

**Alex Brown**
Hello. Do you remember we have a meeting with the city hall staff this afternoon?
10:10 am

**Cathy Miller**
Is it today? Isn't it tomorrow?
10:11 am

**Alex Brown**
I'll check my calendar.
10:11 am

I'm sorry, I was mistaken.
The meeting is at 2 pm tomorrow.
10:13 am

**Cathy Miller**
Yes, that's right.
10:13 am

**Alex Brown**
You know we don't have to go to city hall for the meeting, right?
10:15 am

**Cathy Miller**
_____
It's sometimes more convenient.
10:16 am

**Alex Brown**
I agree. Please share the meeting URL. Also, could you send me the ID and password?
10:19 am

**Cathy Miller**
Sure, I'll share them via email and text.
10:19 am

① Yes, it's an online meeting
② Yes, be sure to reply to the email
③ No, I didn't receive your text message
④ No, I don't have another meeting today

> **분석** 인사혁신처에서 발표한 출제기조 전환에 따라 2025년도부터 메신저상에서 이루어지는 대화 문제가 새롭게 출제되었다. 즉, 매 시험에 일반적인 대화 및 메신저를 활용한 대화를 다루는 총 2개의 생활영어 문제가 출제된다. 다양한 상황별 주요 표현들을 암기해둔 다음, 빈칸 앞뒤의 내용을 근거로 삼아 대화의 전체적인 흐름이 자연스럽게 이어지도록 빈칸을 완성하면 된다.

**예시 5**    공무원 영어 독해 문제 (1)

**1. 다음 글의 목적으로 가장 적절한 것은?**    2025 국가직 9급

---

**To:** citycouncil@woodvile.gov
**From:** headcouncil@woodvile.gove
**Date:** April 3, 2025
**Subject:** Attention Council

---

Dear Members of the Woodville City Council,

I am writing to inform you of several issues in our community that need attention. A resident, John Smith, of 123 Elm Street, has reported problems with the road conditions on Elm Street, especially between Maple Avenue and Oak Street. There are many potholes and cracks that have worsened after recent heavy rain, causing traffic disruptions and safety hazards. Even though temporary repairs have been made, the problems continue.

The resident is also concerned about poor lighting in Central Park, especially along Park Lane, because broken or missing streetlights have led to minor accidents and lowered property values. He requests that the Council repair Elm Street and improve the lighting in the park.

I urge the Council to address these issues for the safety and well-being of our community. Thank you for your attention to these matters. I trust we will work together to resolve these issues effectively.

Sincerely,

Stephen James
Head of Woodville City Council

---

① to express gratitude to the Council for their efforts
② to invite the Council to visit Central Park
③ to solicit the Council to deal with the community problems
④ to update the Council on recent repairs made in the area

---

**분석** 인사혁신처에서 발표한 출제기조 전환에 따라 2025년도에 등장한 新유형의 독해 문제이다. 위와 같이 이메일 지문을 제시하고 글의 목적을 묻는 문제가 출제되는 유형과, 공지문을 제시하고 글의 제목과 내용의 일치/불일치를 묻는 2개의 문제가 출제되었다. 즉, 하나의 지문에 2개의 문제가 딸린 유형의 문제가 새로 등장한다. <u>글의 유형별 특징을 파악해서</u> 체계적으로 문제를 해결할 수 있도록 해야 한다.

## GUIDE
공무원 영어 시험 가이드

**예시 6**  공무원 영어 독해 문제 (2)

1. 주어진 글 다음에 이어질 글의 순서로 가장 적절한 것은?  `2025 국가직 9급`

> The idea that society should allocate economic rewards and positions of responsibility according to merit is appealing for several reasons.

> (A) An economic system that rewards effort, initiative, and talent is likely to be more productive than one that pays everyone the same, regardless of contribution, or that hands out desirable social positions based on favoritism.
>
> (B) Rewarding people strictly on their merits also has the virtue of fairness; it does not discriminate on any basis other than achievement.
>
> (C) Two of these reasons are generalized versions of the case for merit in hiring—efficiency and fairness.

① (A) – (C) – (B)
② (B) – (C) – (A)
③ (C) – (A) – (B)
④ (C) – (B) – (A)

**분석** 공무원 영어 시험에서 다뤄지는 중요한 문제 유형에는 글의 주제 묻기, 빈칸 완성하기, 어색한 문장 제거하기, 글의 순서 배열하기, 주어진 문장 삽입하기 등도 포함된다. 이런 유형은 주로 과학기술, 의학, 경제, 사회, 문화, 예술 등을 소재로 한 수준 높은 학술 지문이 주어지므로 지문과 선택지를 단순히 해석하는 방식으로는 정해진 시간 내에 문제를 풀기 어렵다. 따라서 효율적인 독해 스킬을 사용하여 시간을 줄이고 정확한 근거를 찾아 정답을 선택해야 하며, 이를 위해 다양한 유형과 글의 소재에 두루 익숙해질 수 있도록 꼼꼼히 준비해야 한다.

GUIDE
공무원 영어 시험 가이드

## 공무원 영어 학습 순서

독해의 비중이 크다고 해서 영어에 대한 기본적 이해가 갖춰지지 않은 상태로 무턱대고 독해 문제를 푸는 데 많은 시간을 들여도 들이는 시간에 비해 독해 실력이 크게 향상되지 않을 뿐만 아니라 문법과 어휘라는 중요한 영역을 놓치게 되는 우를 범하게 된다. 독해 지문에 등장하는 문장들은 수많은 단어가 원칙에 기반해서 구성된다는 점을 생각해 보자. 따라서 어휘력을 갖추고 실용적인 문법에 대한 이해가 충분할수록 독해력은 함께 상승하게 된다. 즉, 우선 문법과 어휘의 학습을 통해 이 두 영역의 점수 상승뿐만 아니라 독해력의 기본 실력을 쌓는 것이 가장 우선시되어야 한다. 이후 독해력 향상이 필요한데, 무턱대고 문제를 푸는 방식으로는 절대 점수가 오르지 않는다. 아는 단어를 제멋대로 조합해서 의미를 상상해 내고 시간은 들일대로 들여도, 결국 근거 없이 대충 답을 고르고 운을 바라는 비효율적인 영어 학습이 되는 것이다. 따라서 각 영역별로 가장 효율적인 학습법을 가지고 학습을 해야만 영어 한 과목이 아닌 5과목으로 평가하는 공무원 시험에서 단기 합격이라는 목표를 성취할 수 있다.

## 공무원 영어 영역별 학습법

**[문법]**

### 시간 효율적 학습법  '이해'하는 빠른 이론 정리 → 지속적인 문제풀이

영문법에 대한 거부감과 낯선 느낌을 깨뜨리기 위해서는 우선 영문법을 '이해'하는 것이 필요하다. 시험에 나오지도 않는 방대한 문법 이론을 학습하거나 모든 문법 사항을 암기하는 학습은 절대 피해야 한다. 결국 공무원 시험 문제는 이론을 묻는 것이 아니라 이론의 적용을 묻는 것이다. 모든 이론 사항을 달달달 암기한다고 해도 문제에 적용하지 못한다면 시간만 낭비하는 셈이다. 이론은 핵심 위주로 빠르게 정리하고 지속적으로 문제를 풀며 문제풀이 능력을 키워 나가야 고득점을 할 수 있다.

**[어휘·생활영어]**

### 기출 단어로 집중하여 반복 암기  반복만이 살길이다!

우선 수능 어휘를 기본으로 습득해야 한다. 그러나 그것만으로는 절대 합격을 위한 고득점을 할 수 없다. 반드시 수능 어휘보다 수준이 높은 공무원 기출 어휘를 학습해야 한다. 어휘 학습에는 왕도가 없다. 절대 포기하지 말고 반드시 5번 이상 반복해서 암기하는 것을 목표로 해야 한다. 매일 빠짐없이 어휘를 학습하고 가능한 빠른 시간 내에 5회 반복을 마쳐야 한다.

**[독해]**

### 최고의 독해법  정답률은 높이고 속도는 빠르게 → 독해법만이 속독을 가능케 한다

무턱대고 지문을 다 읽고 적당한 답을 고르는 방식은 시간은 시간대로 들고 정답의 정확성도 낮다. 지문의 모든 문장의 내용을 알아야 하는가? 아니다. 문제 유형별로 문제가 원하는 정답에 대한 근거는 지문의 일부에 이미 있다. 정답에 대한 근거 부분은 꼼꼼히 읽고 나머지 부분은 빠르게 읽는 문제풀이법만이 결국 시간 싸움인 공무원 영어 독해 문제를 해결하는 유일한 방법이다.

# STRUCTURE
## 구성과 특징

### PART 1 | 문법과 구문

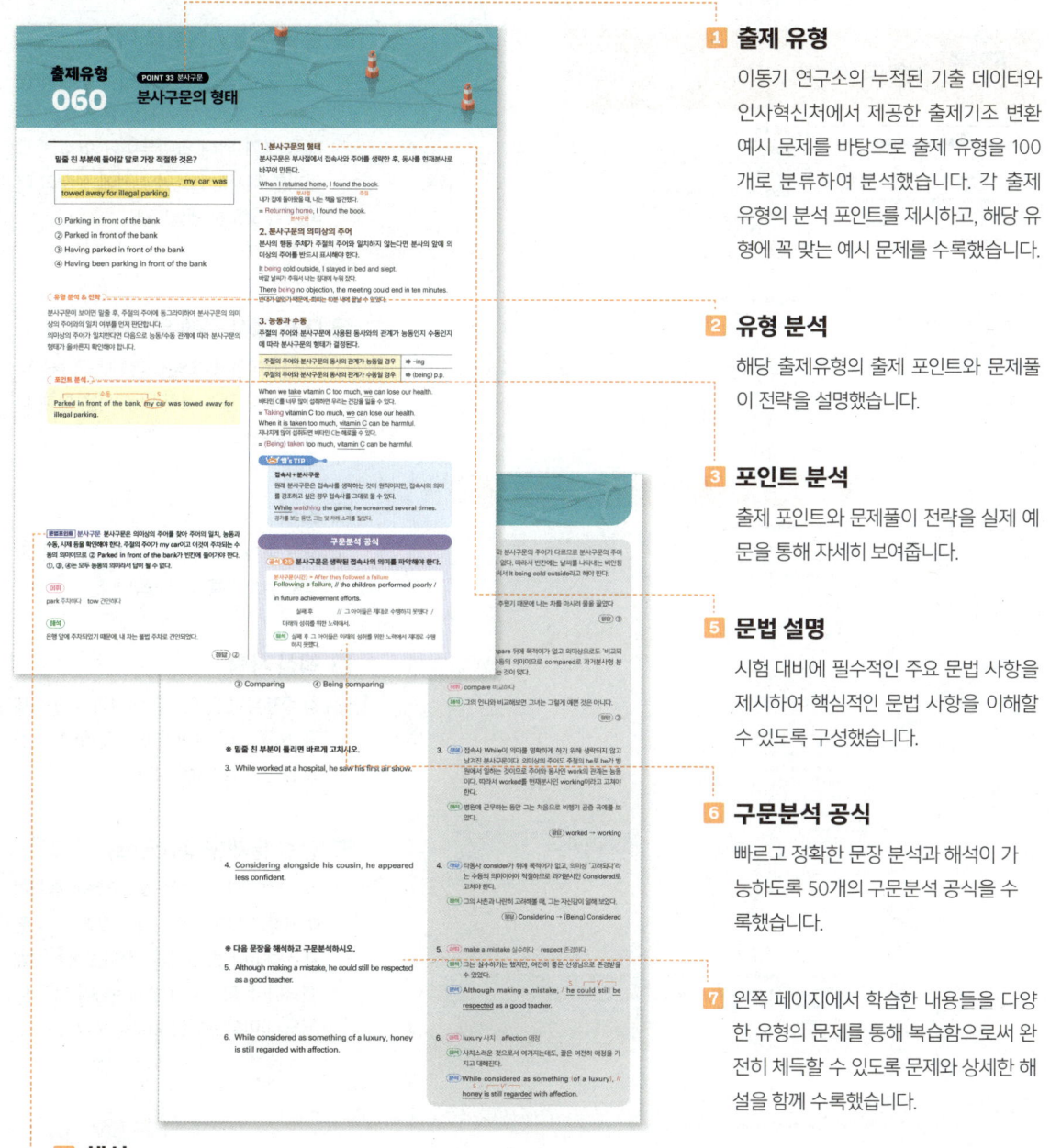

**1 출제 유형**

이동기 연구소의 누적된 기출 데이터와 인사혁신처에서 제공한 출제기조 변환 예시 문제를 바탕으로 출제 유형을 100개로 분류하여 분석했습니다. 각 출제 유형의 분석 포인트를 제시하고, 해당 유형에 꼭 맞는 예시 문제를 수록했습니다.

**2 유형 분석**

해당 출제유형의 출제 포인트와 문제풀이 전략을 설명했습니다.

**3 포인트 분석**

출제 포인트와 문제풀이 전략을 실제 예문을 통해 자세히 보여줍니다.

**5 문법 설명**

시험 대비에 필수적인 주요 문법 사항을 제시하여 핵심적인 문법 사항을 이해할 수 있도록 구성했습니다.

**6 구문분석 공식**

빠르고 정확한 문장 분석과 해석이 가능하도록 50개의 구문분석 공식을 수록했습니다.

**7** 왼쪽 페이지에서 학습한 내용들을 다양한 유형의 문제를 통해 복습함으로써 완전히 체득할 수 있도록 문제와 상세한 해설을 함께 수록했습니다.

**4 해설**

각 선지별 문법포인트와 일목요연한 설명으로 정답과 오답을 구분해 낼 수 있는 능력을 키울 수 있습니다.

# PART 2 | 어휘

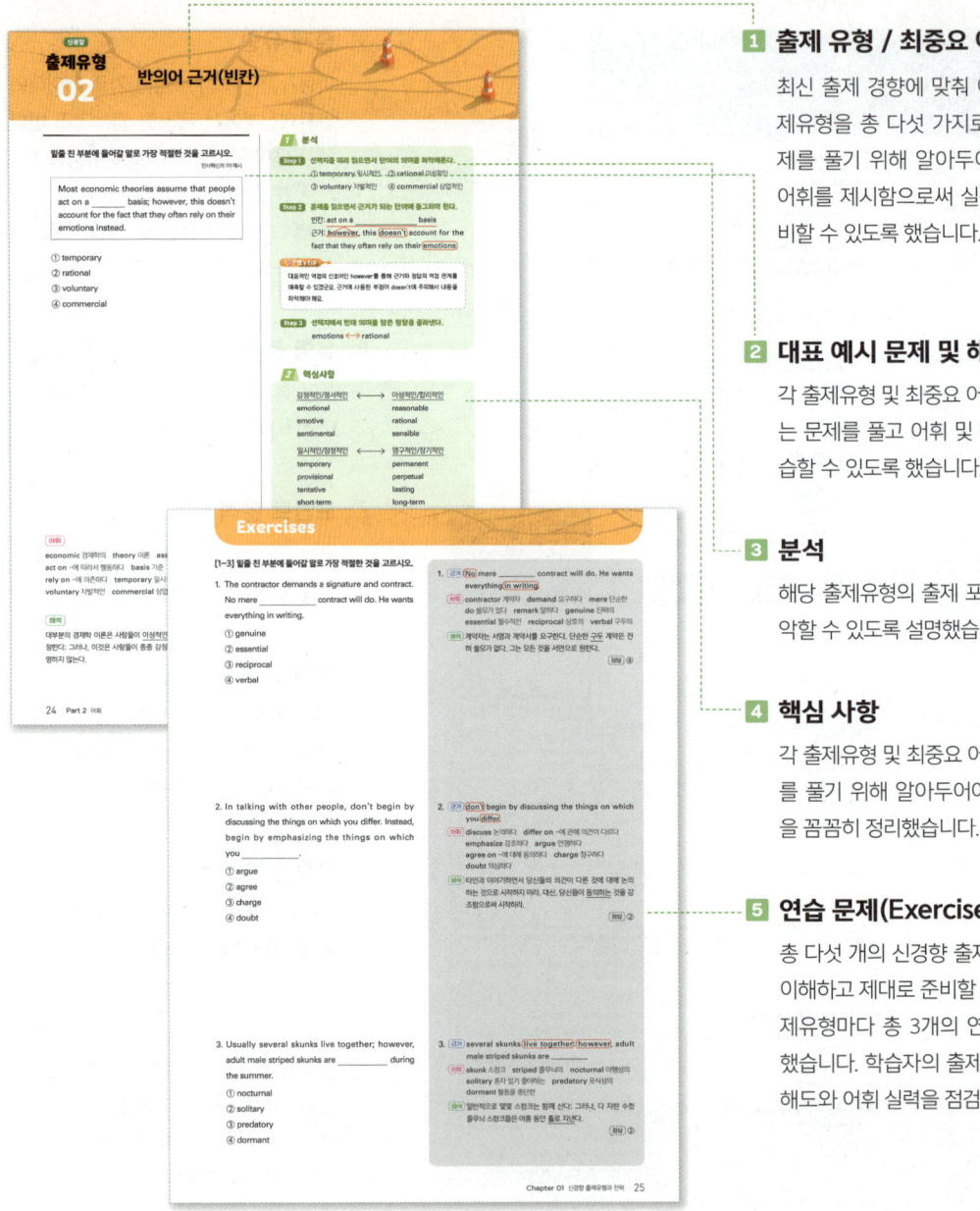

### 1 출제 유형 / 최중요 어휘
최신 출제 경향에 맞춰 어휘 문제의 출제유형을 총 다섯 가지로 분류하고, 문제를 풀기 위해 알아두어야 할 최중요 어휘를 제시함으로써 실전에 철저히 대비할 수 있도록 했습니다.

### 2 대표 예시 문제 및 해설
각 출제유형 및 최중요 어휘에 꼭 들어맞는 문제를 풀고 어휘 및 해석을 통해 복습할 수 있도록 했습니다.

### 3 분석
해당 출제유형의 출제 포인트를 쉽게 파악할 수 있도록 설명했습니다.

### 4 핵심 사항
각 출제유형 및 최중요 어휘의 맞춤 문제를 풀기 위해 알아두어야 할 필수 내용을 꼼꼼히 정리했습니다.

### 5 연습 문제(Exercises)
총 다섯 개의 신경향 출제유형을 철저히 이해하고 제대로 준비할 수 있도록 각 출제유형마다 총 3개의 연습문제를 안배했습니다. 학습자의 출제유형에 대한 이해도와 어휘 실력을 점검할 수 있습니다.

# STRUCTURE
## 구성과 특징

## PART 3 | 생활영어

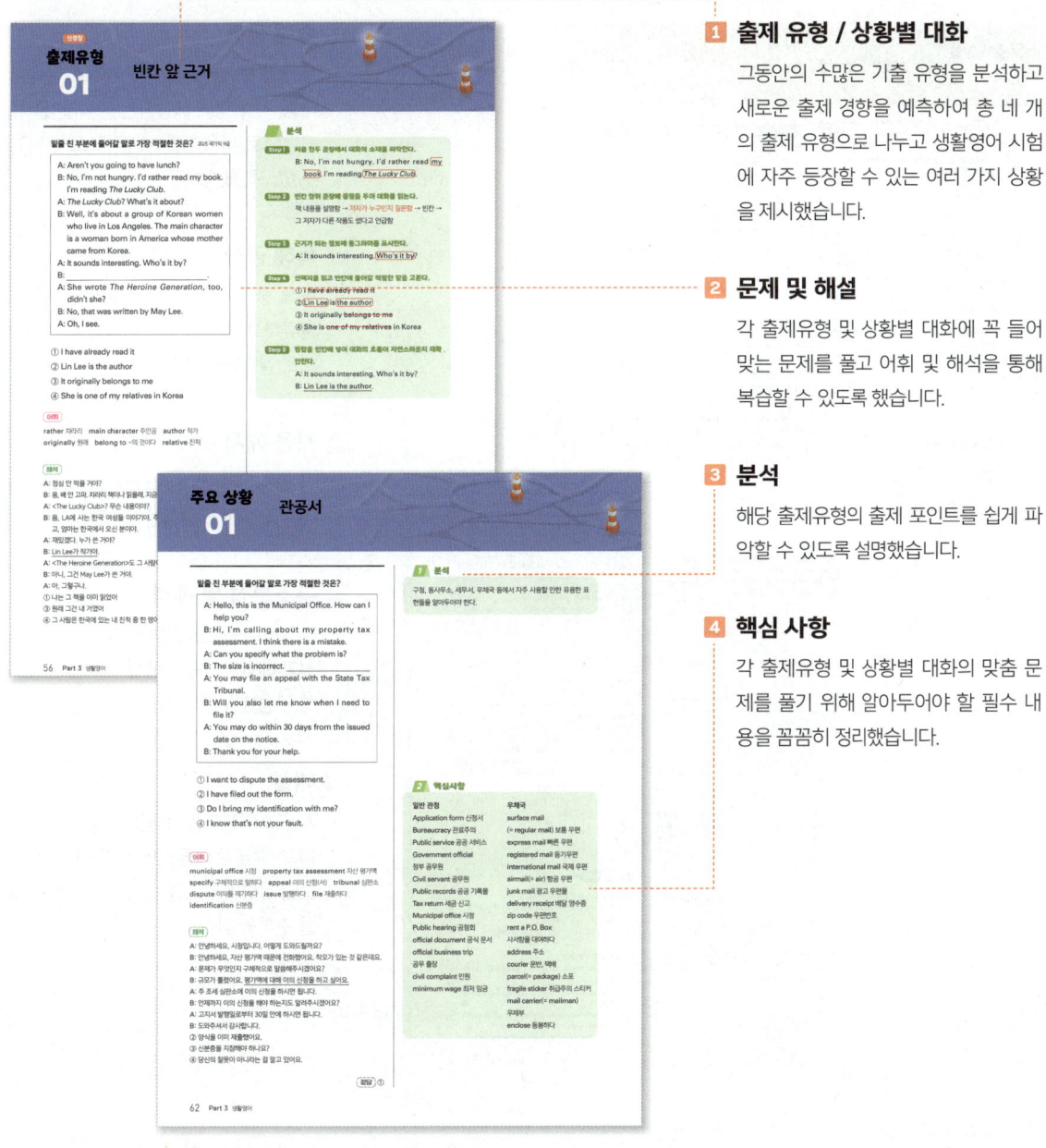

**1 출제 유형 / 상황별 대화**
그동안의 수많은 기출 유형을 분석하고 새로운 출제 경향을 예측하여 총 네 개의 출제 유형으로 나누고 생활영어 시험에 자주 등장할 수 있는 여러 가지 상황을 제시했습니다.

**2 문제 및 해설**
각 출제유형 및 상황별 대화에 꼭 들어맞는 문제를 풀고 어휘 및 해석을 통해 복습할 수 있도록 했습니다.

**3 분석**
해당 출제유형의 출제 포인트를 쉽게 파악할 수 있도록 설명했습니다.

**4 핵심 사항**
각 출제유형 및 상황별 대화의 맞춤 문제를 풀기 위해 알아두어야 할 필수 내용을 꼼꼼히 정리했습니다.

# PART 4 | 독해

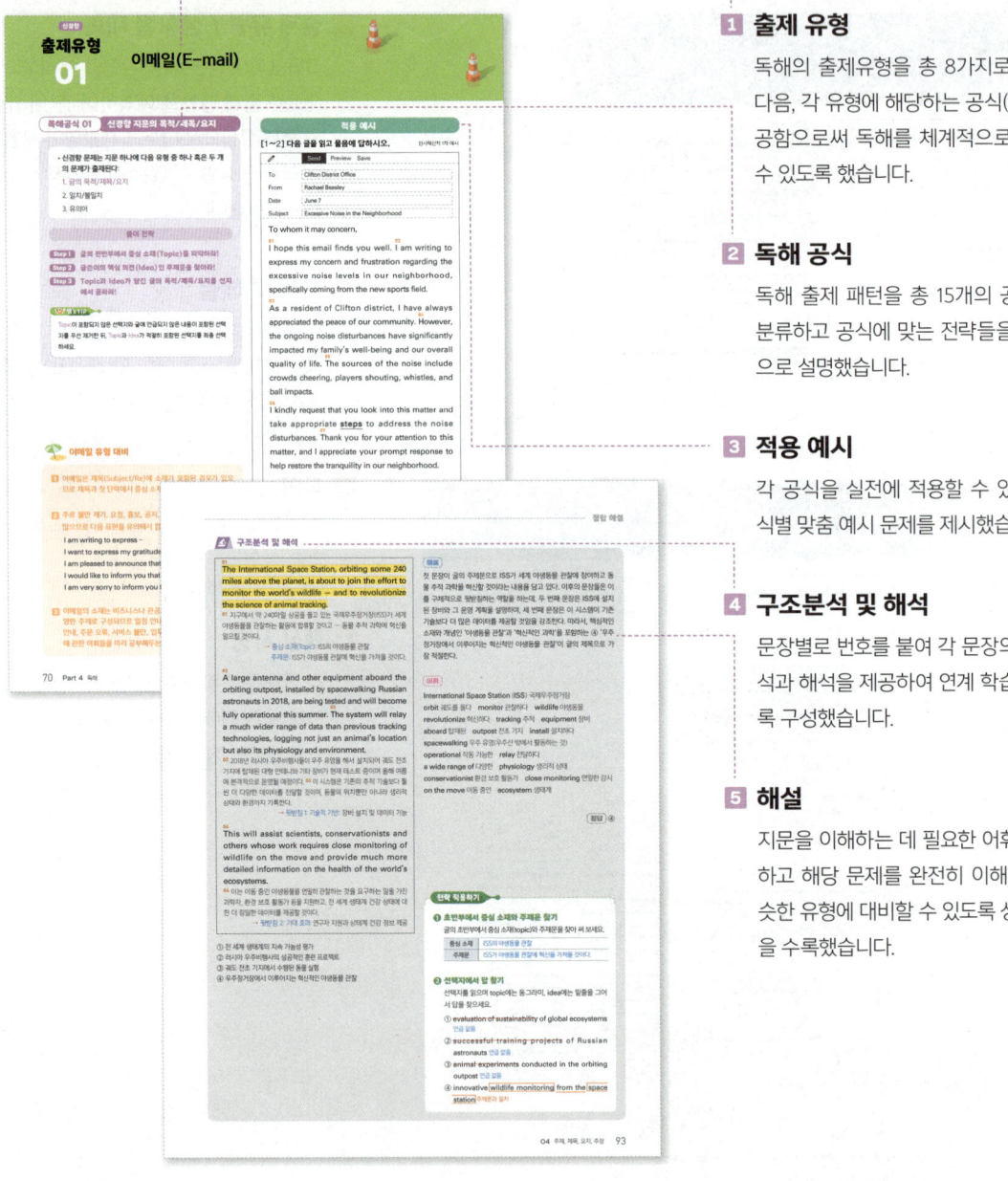

### 1 출제 유형
독해의 출제유형을 총 8가지로 분류한 다음, 각 유형에 해당하는 공식(들)을 제공함으로써 독해를 체계적으로 준비할 수 있도록 했습니다.

### 2 독해 공식
독해 출제 패턴을 총 15개의 공식으로 분류하고 공식에 맞는 전략들을 분석적으로 설명했습니다.

### 3 적용 예시
각 공식을 실전에 적용할 수 있도록 공식별 맞춤 예시 문제를 제시했습니다.

### 4 구조분석 및 해석
문장별로 번호를 붙여 각 문장의 구조분석과 해석을 제공하여 연계 학습이 되도록 구성했습니다.

### 5 해설
지문을 이해하는 데 필요한 어휘를 제공하고 해당 문제를 완전히 이해한 뒤 비슷한 유형에 대비할 수 있도록 상세 해설을 수록했습니다.

# STRUCTURE
## 구성과 특징

## PART 4 | 독해

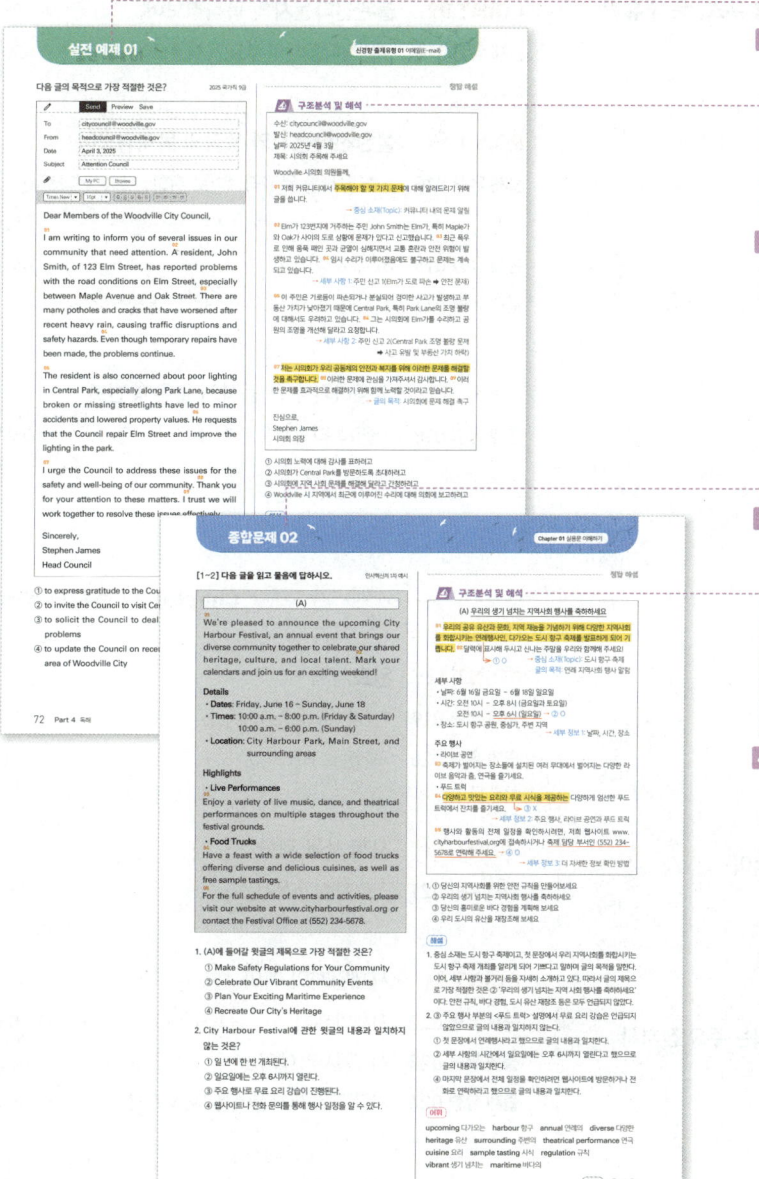

### 1 실전 예제
독해를 8개의 출제유형과 15개의 독해 공식으로 분류한 뒤, 그에 맞게 각 2개의 실전 예제를 제시했습니다.

### 2 구조분석 및 해석 / 해설
각 지문의 문장별로 번호를 붙인 뒤, 구조분석과 해석을 제공하여 연계 학습이 되도록 구성했습니다. 또한 학습과 복습에 도움이 되도록 어휘와 상세 해설을 제공했습니다.

### 3 종합 문제
독해 파트를 총 3개의 Chapter, 즉 실용문 이해하기, 글의 주제 파악하기, 글의 흐름 파악하기로 구분한 뒤, Chapter별로 4개의 종합 문제를 제공했습니다.

### 4 구조분석 및 해석 / 해설
각 지문의 문장별로 번호를 붙인 뒤, 구조분석과 해석을 제공하여 연계 학습이 되도록 구성했습니다. 또한 학습과 복습에 도움이 되도록 어휘와 상세 해설을 제공했습니다.

# CONTENTS
# 목차

## PART 1 | 문법과 구문

### Chapter 01 문장 구조, 동사 유형

**POINT 01** 문장의 구성
출제 유형 001  동사 vs. 준동사 ─── 034

**POINT 02** 의문문의 어순
출제 유형 002  간접의문문의 어순 ─── 036
출제 유형 003  두 개의 동사로 구성된 문장의 부가의문문 ─── 038

**POINT 03** 완전자동사
출제 유형 004  자동사+전치사 ─── 040

**POINT 04** 불완전자동사의 보어
출제 유형 005  주요 불완전자동사의 보어 ─── 042
출제 유형 006  감각동사의 보어 ─── 044

**POINT 05** 완전타동사
출제 유형 007  완전타동사+전치사(X) ─── 046
출제 유형 008  4형식 불가 완전타동사 ─── 048

**POINT 06** 완전타동사와 동작의 목적어
출제 유형 009  to부정사/동명사 목적어 ─── 050
출제 유형 010  기억동사/regret/stop ─── 052

**POINT 07** 완전타동사와 함께 사용되는 주요 전치사
출제 유형 011  전치사구와 함께 자주 쓰이는 동사 ─── 054

**POINT 08** 수여동사
출제 유형 012  '~에게'라는 의미의 전치사 of와 쓰이는 동사 ─── 056
출제 유형 013  take, cost ─── 058

**POINT 09** 불완전타동사의 목적격보어
출제 유형 014  불완전타동사의 주요 목적격보어 ─── 060

**POINT 10** 불완전타동사와 동작의 목적격보어
출제 유형 015  to부정사를 목적격보어로 취하는 불완전타동사 ─── 062
출제 유형 016  사역/지각동사 ─── 064
출제 유형 017  분사를 목적격보어로 취하는 불완전타동사 ─── 066

**POINT 11** 혼동하기 쉬운 동사의 불규칙 변화
출제 유형 018  자동사, 타동사를 구분해야 하는 동사 ─── 068

### Chapter 02 동사의 형태

**POINT 12** 완료시제
출제 유형 019  현재완료 have/has p.p. ─── 078
출제 유형 020  과거완료 had p.p. ─── 080

**POINT 13** 시제 사용 제한
출제 유형 021  진행형 불가 동사 ─── 082

**POINT 14** 시제일치와 예외
출제 유형 022  시제의 일치 ─── 084
출제 유형 023  시제일치의 예외 ─── 086
출제 유형 024  시간·조건 부사절에서 시간의 표현 ─── 088

**POINT 15** 시제 관련 표현
출제 유형 025  ~하자마자 …했다 ─── 090
출제 유형 026  ~가 되어서야 (비로소) …하다 ─── 092

## POINT 16  능동태 vs. 수동태 구분
**출제 유형 027**  능동태/수동태 ——— 094

## POINT 17  동사의 유형별 수동태
**출제 유형 028**  자동사의 수동태 ——— 096
**출제 유형 029**  완전타동사의 수동태 ——— 098
**출제 유형 030**  불완전타동사의 수동태(사역·지각동사) ——— 100

## POINT 18  조동사의 선택
**출제 유형 031**  주요 조동사 ——— 102
**출제 유형 032**  조동사 사용 주요 표현 ——— 104

## POINT 19  당위의 조동사 should
**출제 유형 033**  (should)+동사원형 ——— 106

## POINT 20  조동사+have p.p.
**출제 유형 034**  조동사+have p.p. ——— 108

---

### Chapter 03 명사, 대명사, 일치

## POINT 21  명사의 이해
**출제 유형 035**  명사의 표시 ——— 120
**출제 유형 036**  수식어 – 명사 수 일치 ——— 122
**출제 유형 037**  절대 불가산명사 ——— 124
**출제 유형 038**  집합명사 ——— 126

## POINT 22  관사의 이해
**출제 유형 039**  관사의 용법 ——— 128

## POINT 23  관사의 위치
**출제 유형 040**  관사의 위치 ——— 130

## POINT 24  인칭대명사
**출제 유형 041**  재귀대명사 ——— 132
**출제 유형 042**  가주어/가목적어 it ——— 134
**출제 유형 043**  명사 – 대명사 수 일치 ——— 136

## POINT 25  부정대명사
**출제 유형 044**  one, another, other ——— 138
**출제 유형 045**  every의 용법 ——— 140

## POINT 26  부분부정 vs. 전체부정
**출제 유형 046**  부분부정 ——— 142

## POINT 27  주어–동사 수 일치
**출제 유형 047**  주어가 복잡한 경우의 주어 – 동사 수 일치 ——— 144
**출제 유형 048**  주어의 수를 혼동하기 쉬운 경우의 주어 – 동사 수 일치 ——— 146
**출제 유형 049**  도치 구문의 주어 – 동사 수 일치 ——— 148

---

### Chapter 04 준동사

## POINT 28  동명사의 역할
**출제 유형 050**  목적어의 역할을 하는 동명사 ——— 158

### POINT 29    to부정사의 역할
| | | |
|---|---|---|
| 출제 유형 051 | to부정사 명사 역할 | 160 |
| 출제 유형 052 | to부정사 형용사 역할 | 162 |
| 출제 유형 053 | to부정사의 부사 역할 | 164 |

### POINT 30    준동사의 형태 변화
| | | |
|---|---|---|
| 출제 유형 054 | 준동사의 능동과 수동 | 166 |
| 출제 유형 055 | 준동사의 의미상의 주어 | 168 |

### POINT 31    준동사 주요 표현
| | | |
|---|---|---|
| 출제 유형 056 | 최빈출 준동사 사용 표현 | 170 |
| 출제 유형 057 | 핵심 동명사 사용 표현 | 172 |

### POINT 32    현재분사 vs. 과거분사
| | | |
|---|---|---|
| 출제 유형 058 | 현재분사 vs. 과거분사 구분 | 174 |
| 출제 유형 059 | 주의할 동사의 분사 선택 | 176 |

### POINT 33    분사구문
| | | |
|---|---|---|
| 출제 유형 060 | 분사구문의 형태 | 178 |
| 출제 유형 061 | with 분사구문 | 180 |

---

## Chapter 05 형용사, 부사, 비교

### POINT 34    형용사 vs. 부사
| | | |
|---|---|---|
| 출제 유형 062 | 형용사 vs. 부사 구분 | 188 |
| 출제 유형 063 | 형용사/부사+enough(부사) | 190 |

### POINT 35    주의할 형용사와 부사
| | | |
|---|---|---|
| 출제 유형 064 | 수량형용사/난이형용사 | 192 |
| 출제 유형 065 | 유사 형태 형용사와 부사 | 194 |
| 출제 유형 066 | 부정부사 중복 금지 | 196 |

### POINT 36    비교 구문
| | | |
|---|---|---|
| 출제 유형 067 | 원급과 비교급 비교 | 198 |
| 출제 유형 068 | 최상급 | 200 |
| 출제 유형 069 | 비교급/최상급 수식 | 202 |

### POINT 37    비교 사용 표현
| | | |
|---|---|---|
| 출제 유형 070 | 비교 사용 표현 | 204 |
| 출제 유형 071 | 라틴 비교 | 206 |
| 출제 유형 072 | 배수 비교 | 208 |
| 출제 유형 073 | The 비교급, the 비교급 | 210 |
| 출제 유형 074 | 최상급 대용 표현 | 212 |

### POINT 38    비교대상의 일치
| | | |
|---|---|---|
| 출제 유형 075 | 비교대상의 일치 | 214 |

---

## Chapter 06 접속사

### POINT 39    등위접속사의 병렬 구조
| | | |
|---|---|---|
| 출제 유형 076 | 등위(상관)접속사의 병렬 구조 | 226 |
| 출제 유형 077 | 등위상관접속사의 호응 | 228 |

### POINT 40    명사절 접속사의 선택
| | | |
|---|---|---|
| 출제 유형 078 | 명사절 접속사 that vs. what 구분 | 230 |
| 출제 유형 079 | "A와 B의 관계는 C와 D의 관계와 같다" | 232 |

# CONTENTS
## 목차

**POINT 41** 부사절 접속사의 선택
- 출제 유형 080 목적/결과의 부사절 접속사 that ——— 234
- 출제 유형 081 부정의 의미를 가진 접속사의 중복부정 금지 — 236
- 출제 유형 082 부사절 vs. 부사구 ——— 238

**POINT 42** 주요 양보구문
- 출제 유형 083 복합관계사 양보구문 ——— 240
- 출제 유형 084 접속사 as/though 양보구문 ——— 242

**POINT 43** 관계대명사의 선택
- 출제 유형 085 who/whose/whom, which/of which[whose] 선택 ——— 244
- 출제 유형 086 관계대명사 that ——— 246
- 출제 유형 087 관계대명사 vs. what ——— 248
- 출제 유형 088 전치사+관계대명사 ——— 250

**POINT 44** 관계부사
- 출제 유형 089 관계대명사 vs. 관계부사 ——— 252

**POINT 45** 복합관계사
- 출제 유형 090 whoever vs. whomever ——— 254

------- **Chapter 07 특수구문**

**POINT 46** 기본 가정법
- 출제 유형 091 가정법 동사 시제 주의 ——— 266

**POINT 47** 기타 가정법
- 출제 유형 092 I wish 가정법 ——— 268
- 출제 유형 093 '~이 없다면' 가정법 ——— 270

**POINT 48** 전치사의 목적어
- 출제 유형 094 전치사 to+동명사 ——— 272
- 출제 유형 095 주요 전치사의 용법 ——— 274

**POINT 49** 강조
- 출제 유형 096 It ~ that … 강조구문 ——— 276
- 출제 유형 097 부정어 강조 ——— 278

**POINT 50** 도치
- 출제 유형 098 1형식, 2형식 문장의 도치(수 일치 주의) ——— 280
- 출제 유형 099 부사구 강조에 의한 도치(도치 형태 주의) ——— 282
- 출제 유형 100 도치와 동사 종류 일치 주의 ——— 284

# PART 1
# 문법과 구문

| | |
|---|---|
| **Chapter 01** | 문장 구조, 동사 유형 |
| **Chapter 02** | 동사의 형태 |
| **Chapter 03** | 명사, 대명사, 일치 |
| **Chapter 04** | 준동사 |
| **Chapter 05** | 형용사, 부사, 비교 |
| **Chapter 06** | 접속사 |
| **Chapter 07** | 특수구문 |

# Chapter 01
## 문장 구조, 동사 유형

| POINT 01 | **문장의 구성** |
|---|---|
| | 출제 유형 001 동사 vs. 준동사 |

| POINT 02 | **의문문의 어순** |
|---|---|
| | 출제 유형 002 간접의문문의 어순 |
| | 출제 유형 003 두 개의 동사로 구성된 문장의 부가의문문 |

| POINT 03 | **완전자동사** |
|---|---|
| | 출제 유형 004 자동사+전치사 |

| POINT 04 | **불완전자동사의 보어** |
|---|---|
| | 출제 유형 005 주요 불완전자동사의 보어 |
| | 출제 유형 006 감각동사의 보어 |

| POINT 05 | **완전타동사** |
|---|---|
| | 출제 유형 007 완전타동사+전치사(X) |
| | 출제 유형 008 4형식 불가 완전타동사 |

| POINT 06 | **완전타동사와 동작의 목적어** |
|---|---|
| | 출제 유형 009 to부정사/동명사 목적어 |
| | 출제 유형 010 기억동사/regret/stop |

| POINT 07 | **완전타동사와 함께 사용되는 주요 전치사** |
|---|---|
| | 출제 유형 011 전치사구와 함께 자주 쓰이는 동사 |

| POINT 08 | **수여동사** |
|---|---|
| | 출제 유형 012 '~에게'라는 의미의 전치사 of와 쓰이는 동사 |
| | 출제 유형 013 take, cost |

| POINT 09 | **불완전타동사의 목적격보어** |
|---|---|
| | 출제 유형 014 불완전타동사의 주요 목적격보어 |

| POINT 10 | **불완전타동사와 동작의 목적격보어** |
|---|---|
| | 출제 유형 015 to부정사를 목적격보어로 취하는 불완전타동사 |
| | 출제 유형 016 사역/지각동사 |
| | 출제 유형 017 분사를 목적격보어로 취하는 불완전타동사 |

| POINT 11 | **혼동하기 쉬운 동사의 불규칙 변화** |
|---|---|
| | 출제 유형 018 자동사, 타동사를 구분해야 하는 동사 |

## 문장의 구조

**어디까지 알고 있니?**   ○ 문장의 구성 요소   ○ 문장의 구성 방식   ○ 문장의 종류

### 1 문장의 구성 요소

문장을 구성하는 요소로는 크게 단어, 구, 절을 들 수 있다. 각각의 종류와 특징, 예문 등을 살펴보자.

**(1) 단어 word**

단어는 '의미를 지니는 말의 최소 단위'이다. 영어의 단어는 그 기능에 따라 8가지로 구분할 수 있는데, 이를 8품사(the eight parts of speech)라고 한다.

| 명사 Noun | 사람, 사물 등의 이름을 지칭하는 단어<br>friend, dog, pen, love, water, coffee, police, hair |
|---|---|
| 대명사 Pronoun | 명사를 대신하는 단어<br>we, I, you, she, it, they, this, that, one, another, other |
| 형용사 Adjective | 명사의 생김새나 성격 등을 묘사하는 단어<br>narrow, good, wide, friendly, black |
| 동사 Verb | 사람, 사물의 동작이나 상태를 묘사하는 단어<br>run, go, exist, give, have, do, find, is, are, were, was |
| 부사 Adverb | 동사, 형용사, 다른 부사, 문장 전체를 수식하는 단어<br>widely, usually, often, only, now, scarcely, there, not, hardly |
| 전치사 Preposition | 다른 단어의 앞에 놓여 단어 간의 관계를 맺어 주는 단어<br>on, in, at, with, for, to, of, from |
| 접속사 Conjunction | 단어와 단어, 구(phrase)와 구, 절(clause)과 절을 연결하는 단어<br>and, or, but, for, when, while, if, although, since, after, that, whether |
| 감탄사 Interjection | 감정을 나타내는 단어<br>Oh, Oops, Gee, Hurrah, Damn it |

### (2) 구 phrase

구(phrase)는 두 단어 이상이 모여 완결된 의미를 갖는 것으로 그 안에 주어와 동사의 관계가 없다. 역할에 따라 크게 명사구, 형용사구, 부사구로, 형태에 따라 to부정사구, 동명사구, 전치사구, 분사구 등으로 분류할 수 있다.

① **명사구**: 문장에서 주어, 목적어, 보어의 역할을 한다.

| | |
|---|---|
| 명사구 | **The book** on the desk is mine. 책상 위의 책은 내 것이다. |
| to부정사구 | Everyone wants **to stay healthy**. 모두 건강을 유지하고 싶어 한다. |
| 동명사구 | Her job is **selling flowers**. 그녀의 직업은 꽃을 파는 것이다. |

② **형용사구**: 문장에서 명사를 수식하거나 주어나 목적어를 부연 설명하는 보어 역할을 한다.

| | |
|---|---|
| 형용사구 | He bought **very expensive** toys. 그는 매우 비싼 장난감들을 샀다. |
| 전치사구 | The cat **on the desk** is mine. 책상 위의 고양이는 내 것이다. |
| 분사구 | The boy **running away** is Sam. 도망가는 소년은 Sam이다. |
| to부정사구 | He has a chance **to win the game**. 그는 그 경기를 이길 기회가 있다. |

③ **부사구**: 문장에서 형용사, 동사, 다른 부사, 그리고 문장 전체를 수식하는 역할을 한다.

| | |
|---|---|
| 부사구 | He visited his friend **quite often**. 그는 친구를 꽤 자주 방문했다. |
| 전치사구 | Our school stands **on the hill**. 우리 학교는 언덕 위에 있다. |
| to부정사구 | He did his best **to win the game**. 그는 경기에서 이기려고 최선을 다했다. |

### (3) 절 clause

절(clause)은 두 단어 이상이 모여 완결된 의미를 갖는 것으로 그 안에 주어와 동사의 관계가 있다.

① **명사절**: 문장 안에서 주어, 목적어, 보어 역할을 한다.

What I did yesterday was completely useless.
내가 어제 했던 일은 전적으로 소용없었다.

② **형용사절**: 명사를 수식하는 역할을 한다.

The woman who is in red is my homeroom teacher.
빨간색 옷을 입은 여자는 나의 담임선생님이시다.

③ **부사절**: 문장을 수식하는 역할을 한다.

Whenever he misses his girlfriend, Sam writes a letter.
여자 친구가 그리울 때마다 Sam은 편지를 쓴다.

# 동기쌤의 문법 OT

## Check up!

[ 01-05 ] 밑줄 친 부분의 품사(명사, 형용사, 부사)와 구(P), 절(C)을 쓰시오.

01 <u>Driving in the rain</u> requires people to take special care.

02 Children in my town need some spaces <u>to play in</u>.

03 <u>Because of the heavy rain</u>, vegetable prices rose sharply.

04 I believe <u>that my father didn't lie to us</u>.

05 She gave a pen to the boy <u>who was raising his hand</u>.

**정답**
01 <u>Driving in the rain</u> requires people to take special care.
　　명사구(P)
02 Children in my town need some spaces <u>to play in</u>.
　　　　　　　　　　　　　　　　　　　　　형용사구(P)
03 <u>Because of the heavy rain</u>, vegetable prices rose sharply.
　　부사구(P)
04 I believe <u>that my father didn't lie to us</u>.
　　　　　　　명사절(C)
05 She gave a pen to the boy <u>who was raising his hand</u>.
　　　　　　　　　　　　　　　형용사절(C)

**해석**
01 빗속에서 운전하는 것은 사람들에게 특별한 주의를 하도록 요구한다.
02 우리 마을의 아이들은 놀 공간이 좀 필요하다.
03 폭우 때문에 채소 가격이 급격히 올랐다.
04 나는 아버지가 우리에게 거짓말을 하지 않았다고 믿는다.
05 그녀는 손을 들고 있는 소년에게 펜을 주었다.

## 2 문장의 구성 방식

영어 문장은 주어와 동사를 필수 요소로 하여, 거기에 목적어나 보어가 추가되어 확장된다.

### (1) 문장의 가장 기본 형태

| 주어(Subject) + 동사(Verb) |
|---|

Time flies. 시간이 흐른다.
　주어　동사
A man disappeared. 한 남자가 사라졌다.
　주어　　동사

주어와 동사만 결합해도 완전한 문장이 될 수 있는데, 이것은 목적어를 필요로 하지 않는 동사인 자동사의 특징 때문이다.

### (2) 기본 확장

| 주어(Subject) + 동사(Verb) + 보어(Complement) / 목적어(Object) |
|---|

「주어+동사」라는 문장의 가장 기본적인 형태에 주요 성분인 목적어나 보어를 결합해서 문장을 확장할 수 있다. 뒤에 목적어나 보어를 취하는 것은 동사의 특성 때문인데, 어떤 동사는 반드시 목적어를 취해야 하며, 어떤 동사는 반드시 보어를 취해야 하는 특성을 지니고 있다.

### 쌤's TIP

▶ **주어**
그 문장에서 말하고자 하는 동작의 주체 또는 문장의 나머지 부분이 설명하는 주요 대상이다.

▶ **동사**
문장에 제시된 주어가 무엇을 하고 있는지 그 동작이나 상태를 설명한다.

동사의 특성에 따라 문장이 확장되는 방식은 크게 네 가지가 있다.

① 주어(S)+동사(V)+보어(C)

주어와 동사, 그리고 보어로 연결된 구조이다. 보어는 주어나 목적어의 동작이나 상태를 부연 설명하는 역할을 한다. 동사는 주로 be동사나 연결동사(feel, seem, become 등)가 사용된다.

He was sick. 그는 아팠다.
주어 동사 보어

I feel bored. 나는 지루하다.
주어 동사 보어

② 주어(S)+동사(V)+목적어(O)

주어와 동사, 그리고 목적어로 연결된 구조이다. 목적어는 주어가 취한 행동의 영향을 받는 대상이다. 동사는 목적어가 반드시 필요한 타동사가 사용된다.

She plays the piano. 그녀는 피아노를 연주한다.
주어 동사 목적어

Women like shopping. 여자들은 쇼핑을 좋아한다.
주어 동사 목적어

③ 주어(S)+동사(V)+간접목적어(IO)+직접목적어(DO)

주어와 동사, 그리고 두 개의 목적어로 구성된 구조이다. 첫 번째 목적어는 주체의 동작이나 행위, 즉 동사의 영향을 받는 대상 중 '~에게'를 의미하는 목적어로서 간접목적어라 부른다. 그리고 두 번째 목적어는 '~을/를'을 의미하며 직접목적어라 부른다.

My father gave all my friends some money.
주어 동사 간접목적어 직접목적어
나의 아버지께서 내 친구들 모두에게 약간의 돈을 주셨다.

She bought her daughter a new toy.
주어 동사 간접목적어 직접목적어
그녀는 딸에게 새 장난감을 사 주었다.

④ 주어(S)+동사(V)+목적어(O)+목적격보어(OC)

「주어+동사+목적어」의 구조에 목적어의 상태나 동작을 부연 설명하는 목적격보어가 뒤따르는 문장 구조이다.

You call me a teacher. 여러분은 저를 선생님이라 부릅니다.
주어 동사 목적어 목적격보어

They found him creative. 그들은 그가 창의적이라는 것을 알았다.
주어 동사 목적어 목적격보어

### 쌤's TIP

▣ **자동사(Intransitive Verb)**
동사가 나타내는 동작이나 행위가 주어에만 영향을 미치는 동사이다.

▣ **타동사(Transitive Verb)**
동사가 나타내는 동작이나 행위의 대상인 목적어를 필요로 하는 동사이다.

### 쌤's TIP

▣ **자동사/타동사 구분법**
일반적으로 동사 앞에 '을/를'이라는 목적어의 의미를 넣어서 자연스러우면 타동사, 자연스럽지 못하면 자동사라고 구분할 수 있다.

stand ~을/를 서다 (×)-자동사
appear ~을 나타나다 (×)-자동사
have ~을 가지다 (O)-타동사
like ~을 좋아하다 (O)-타동사

### Check!

**목적어 vs. 목적격보어**

타동사는 전달하고자 하는 의미에 따라 목적어만 취할 수도 있고, 목적어와 목적격보어를 모두 취할 수도 있다. 따라서 목적어와 목적격보어를 혼동해서는 안 된다.

**They told the man the truth.** 그들은 그 남자에게 진실을 말해 주었다.
주어 동사 간접목적어 직접목적어
⇨ the truth는 동사인 told, 즉 '말하다'라는 동작의 영향을 받는 대상이므로 목적어이다.

**They told the man to go out.** 그들은 그 남자에게 나가라고 말했다.
주어 동사 목적어 목적격보어
⇨ to go out은 목적어인 the man이 어떤 동작을 할지 부연 설명하므로 목적격보어이다.

# 동기쌤의 문법OT

> **쌤's TIP**
>
> ◘ **수식어(Modifier)**
> 다른 언어 표현의 의미를 꾸며 주는 기능을 하는 요소를 수식어라고 하며, 영어에서는 형용사나 부사가 여기에 속한다.

**(3) 수식어 확장**

문장의 주요 성분인 주어, 동사, 목적어, 보어의 상태나 동작을 자세히 설명하는 수식어를 통해 문장이 확장된다. 수식어를 통해 문장을 확장하는 방식에는 크게 두 가지가 있다.

① 형용사로 수식

형용사는 명사를 수식하는 대표적인 수식어로 명사인 주어, 목적어, 보어를 앞이나 뒤에서 수식한다.

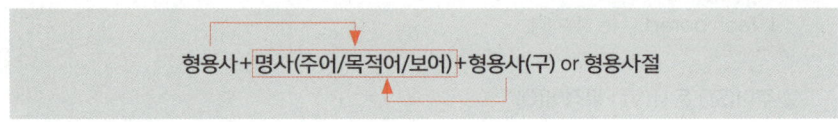

The smart boy writes a letter. 그 영리한 소년이 편지를 쓴다.
　　형용사

The boy whom I met yesterday writes a letter. 내가 어제 만난 그 소년이 편지를 쓴다.
　　　　형용사절

② 부사로 수식

부사는 동사, 형용사, 다른 부사, 또는 문장 전체를 앞이나 뒤에서 수식한다. 한 단어로 된 부사가 수식하기도 하지만, 두 단어 이상으로 구성된 부사구나 부사절이 수식하기도 한다.

The boy runs fast. (동사 수식) 그 소년은 빨리 달린다.
　　　　　부사

The boy runs too fast. (부사 수식) 그 소년은 너무 빨리 달린다.
　　　　부사

The boy is very smart. (형용사 수식) 그 소년은 매우 똑똑하다.
　　　　부사

The boy runs to school. (문장 전체 수식) 그 소년은 학교에 뛰어간다.
　　　　　부사구

The boy runs very slowly because he is sick. (문장 전체 수식)
　　　　　　　　　　　　　부사절

그 소년은 아프기 때문에 매우 천천히 뛰어간다.

**(4) 접속사 확장**

문장의 가장 기본적인 요소인 주어와 동사로 구성된 절과 다른 절을 접속사로 연결하여 두 개 이상의 절이 합쳐짐으로써 문장이 확장된다.

접속사를 사용하여 절을 연결하는 방식에는 두 가지가 있다.

① **등위접속**: 두 개의 대등한 절이 등위접속사로 연결될 수 있고 이러한 절을 대등절이라고 한다.

I'm in my 20s and I'm very happy. 나는 20대이고 정말 행복하다.
　　절　　　등위접속사　　절

② **종속접속**: 주요한 의미를 전달하는 하나의 절(주절)을 완성하기 위해 종속접속사를 사용하여 명사, 형용사, 부사의 역할을 하는 다른 절(종속절)을 연결할 수 있다.

He knows <u>what she said</u> at the school. 그는 학교에서 그녀가 말했던 것을 알고 있다.
　　　　　종속절(명사절)

The banana <u>that we bought yesterday</u> was very expensive.
　　　　　　종속절(형용사절)
우리가 어제 산 바나나는 매우 비쌌다.

<u>Since he passed the test</u>, he could get a job. 시험을 통과했기 때문에, 그는 직업을 구할 수 있었다.
　종속절(부사절)

### (5) 문장의 주요 성분 구성 요소

| 주어, 목적어 자리 | 명사 상당 어구(명사, 대명사, 명사구, 동명사구, to부정사구, 명사절) |
|---|---|
| 보어 자리 | ① 명사 상당 어구(명사, 대명사, 명사구, 동명사구, to부정사구, 명사절)<br>② 형용사 상당 어구(형용사, 분사, 형용사구, 분사구, to부정사구, 전치사구) |

The student got <u>a high score</u>. 그 학생은 높은 점수를 받았다.
　　　　　　목적어(명사구)

He didn't want <u>to go to see a doctor</u>. 그는 병원에 가고 싶지 않았다.
　　　　　　목적어(to부정사구)

The box was <u>big</u>. 그 상자는 컸다.
　　　　보어(형용사)

She looked <u>disappointed</u> at the news. 그녀는 그 뉴스에 실망한 듯 보였다.
　　　　보어(분사)

> **쌤's TIP**
>
> ▶ **절(clause)**
> 한 문장에 두 개의 동사가 존재하려면 반드시 접속사가 필요하다.
>
> [주어+동사(+목적어/보어)]
> +접속사+
> [(주어)+동사(+목적어/보어)] (O)
>
> [주어+동사(+목적어/보어)]
> +[(주어)+동사(+목적어/보어)] (X)
>
> I'm in my 20s **and** (I) am very happy.
> 나는 20대이고 너무 행복하다.
>
> **When** the phone rang, I was watching TV.
> 전화가 왔을 때, 나는 TV를 보고 있었다.

---

### Check up!

[ 01-05 ] 각 문장에서 주어는 S, 동사는 V, 보어는 C, 목적어는 O, 직접목적어는 DO, 간접목적어는 IO, 목적격보어는 OC로 표시하시오.

01　My family gathers together on holidays.

02　To know oneself is difficult.

03　Our society has serious problems.

04　She made her daughter a pretty doll.

05　The environmental problems caused many species to die.

**(정답)**
01 <u>My family</u> <u>gathers</u> together on holidays.
　　　S　　　　V　　　　　　부사
02 <u>To know oneself</u> <u>is</u> <u>difficult</u>.
　　　　S　　　　　　　V　　　C
03 <u>Our society</u> <u>has</u> <u>serious problems</u>.
　　　S　　　　V　　　　O
04 <u>She</u> <u>made</u> <u>her daughter</u> <u>a pretty doll</u>.
　　S　　V　　　IO　　　　　DO
05 <u>The environmental problems</u> <u>caused</u> <u>many species</u> <u>to die</u>.
　　　　　　S　　　　　　　　　　V　　　　　O　　　　OC

**(해석)**
01 나의 가족은 휴일마다 함께 모인다.
02 자기 자신을 아는 것은 어렵다.
03 우리 사회는 심각한 문제들을 가지고 있다.
04 그녀는 딸에게 예쁜 인형을 만들어 주었다.
05 환경 문제는 많은 종들을 죽게 했다.

## 동기쌤의 문법 OT

### 3 문장의 종류

**(1) 평서문**

평서문은 말하는 이가 자신의 생각을 평범하게 말하는 문장으로, 다음과 같은 어순을 취한다.

| 주어+동사(+목적어/보어) |
|---|

He wrote a long letter. 그는 긴 편지를 썼다.

She wants to read books about the history of Korea.
그녀는 한국의 역사에 관한 책들을 읽고 싶어 한다.

**(2) 의문문**

의문문은 말하는 이가 듣는 이에게 질문을 하여 그 대답을 요구하는 문장으로, 다음과 같은 어순을 취한다.

| (의문사+)동사+주어? |
|---|

Are you happy now? 지금 행복하세요?
How old is she? 그녀는 나이가 어떻게 되나요?
Do you mind if I open the window? 창문을 열어도 괜찮을까요?

> **Check!**
>
> **how+형용사/부사**
>
> 의문사 how가 '어떻게'라는 뜻 외에 '얼마나'라는 의미로 사용될 때는 다른 형용사나 부사를 수식하는 의문부사로 사용된다. how가 부사이므로 수식하는 형용사나 부사와 반드시 함께 연결되어 사용되어야 한다.
>
> **How rich** is he? 그는 얼마나 부유한가요?
> **How fast** did he run? 그는 얼마나 빨리 뛰었나요?

**(3) 명령문**

명령문은 말하는 이가 듣는 이에게 어떤 행동을 하도록 요구하는 문장으로, 주어인 You를 생략하여 다음과 같은 어순을 취한다.

| 동사(+목적어/보어) |
|---|

Hurry up. 서둘러라.
Let me check your score. 너의 점수를 확인해 볼게.
Don't be shy when you learn a foreign language. 외국어를 배울 때는 부끄러워하지 마라.

### (4) 감탄문

감탄문은 말하는 이가 기쁨, 슬픔, 놀람 등 자신의 느낌을 나타내는 문장으로, 다음과 같은 어순을 취한다.

> What+a/an+형용사+명사 (+주어+동사)!
> How+형용사+a/an+명사 (+주어+동사)!

**What a beautiful flower it is!** 참으로 아름다운 꽃이야!
**How smart he is!** 그는 정말 똑똑해!

### (5) 기원문

소망을 담아 이루어지길 기원하는 문장으로, 다음과 같은 어순을 취한다.

> May+주어+동사 ~!

**May you succeed!** 부디 성공하시길!
**God bless you!** 신의 축복이 있기를!

➡ May가 생략된 형태로 많이 쓰이며 조동사 May가 생략된 형태이므로 주어가 3인칭 단수라 해도 동사원형을 쓴다.

---

## Check up!

**[ 01-05 ] 다음 문장의 종류를 쓰시오.**

01  What a wise man he is!

02  This is my favorite movie.

03  Wait for me here.

04  Where is my phone?

05  May you succeed in your study.

**정답** 01 감탄문  02 평서문  03 명령문  04 의문문  05 기원문
**해석** 01 그는 참으로 현명한 사람이구나!
02 이것은 내가 가장 좋아하는 영화다.
03 여기서 나를 기다려.
04 내 전화기가 어디 있지?
05 공부에 성공하기를 바라.

# 동기쌤의 문법OT

## 🎡 동사의 유형

**어디까지 알고 있니?**
- ○ 완전자동사
- ○ 완전타동사
- ○ 불완전자동사
- ○ 수여동사
- ○ 불완전타동사

### 4 동사(Verb)

동사란 문장의 주체인 주어의 동작이나 상태를 나타내기 위해 사용된다.
동사는 문장에서 뒤에 나오는 목적어나 보어를 결정하는 중요한 역할을 하며 이에 따라 동사를 분류할 수 있다.

#### (1) 자동사/타동사

목적어의 유무로 구분한다. 동작의 대상인 목적어를 취해야 의미가 통하는 동사는 타동사, 목적어 없이 의미가 통하는 동사는 자동사이다.

- **자동사**: The man arrived. 그 남자가 도착했다.
- **타동사**: Children want to play. 아이들은 놀기를 원한다.
  <sub>목적어</sub>

#### (2) 완전동사/불완전동사

보어의 유무로 구분한다. 주어나 목적어를 부연 설명하는 보어가 있어야 의미가 통하는 동사는 불완전동사, 없어도 되는 동사는 완전동사이다.

- **완전동사**: The baby slept. 그 아기는 잠을 잤다.
- **불완전동사**: The man became sad. 그 남자는 슬퍼졌다.
  <sub>보어</sub>

### 🌟쌤's TIP

**▶ 수동 의미의 자동사**
다음 동사들은 동사의 상태를 설명하는 양태부사와 함께 쓰일 때 수동의 의미를 갖는 자동사로 쓰일 수 있다.

- sell 팔리다
- read 읽히다
- photograph 사진이 찍히다
- clean 닦이다

This item sells really well.
이 제품은 매우 잘 팔린다.
This book reads well.
이 책은 잘 읽힌다.

### 유형 1  완전 자동사

목적어와 보어를 취하지 않는 동사를 완전자동사라고 한다. 하지만 수식어의 사용에는 제한이 없다.

> 주어+완전자동사(+수식어)

He goes to school. 그는 학교에 간다.

### 유형 2  불완전자동사

보어를 취하는 동사를 불완전자동사라고 하며, 보어로는 문법적으로 형용사 역할을 하는 요소와 명사 역할을 하는 요소가 사용된다.

> 주어+불완전자동사+보어

Mr. Lee is a popular English teacher. 이 선생님은 인기 있는 영어 선생님이다.
<sub>보어</sub>

### 유형 3 　완전타동사

반드시 목적어가 있어야 하는 동사를 완전타동사라고 한다. 목적어로는 문법적으로 명사 역할을 하는 요소가 사용된다. 영어의 동사 중 가장 많은 비중을 차지하는 동사가 바로 완전타동사이다.

> 주어+완전타동사+목적어

He bought some gifts.　그는 약간의 선물을 구입했다.
　　　　　목적어

### 유형 4 　수여동사

반드시 두 개의 목적어가 있어야 하는 동사를 수여동사라고 한다. 동사 유형을 분류하는 이름에서도 알 수 있듯이 누군가에게 무엇을 주거나 전달하는 동사가 대부분이다. 문장의 주체인 주어의 행동이 전달되는 수여자는 간접목적어이고, 수여되는 대상은 직접목적어이다.

> 주어+수여동사+간접목적어+직접목적어

She made her daughter a pretty doll.　그녀는 딸에게 예쁜 인형 하나를 만들어 주었다.
　　　　간접목적어　　직접목적어

### 유형 5 　불완전타동사

목적어뿐만 아니라 목적어를 부연 설명하는 목적격보어도 있어야 하는 동사를 불완전타동사라고 한다.

> 주어+불완전타동사+목적어+목적격보어

People considered his complaints reasonable.　사람들은 그의 불평이 타당하다고 여겼다.
　　　　　　　　　목적어　　　　목적격보어

---

#### Check up!

[ 01-04 ] 각 밑줄 친 동사의 유형을 말하시오.

01　She remains obedient to her father.
02　He told me a funny story.
03　The daughter made her parents happy.
04　The test result disappointed me.

**정답** 01 불완전자동사　02 수여동사　03 불완전타동사　04 완전타동사

**해석** 01 그녀는 그녀의 아버지에게 순종적이다.　02 그는 나에게 재미있는 이야기를 해 주었다.
03 그 딸은 그녀의 부모를 행복하게 했다.　04 시험 결과가 나를 실망시켰다.

**해설** 01 동사 remain 뒤에 형용사 보어인 obedient가 왔으므로 remains는 불완전자동사이다.
02 '~에게'에 해당되는 간접목적어로 me가, 직접목적어로 a funny story가 왔으므로 목적어 두 개를 갖는 동사 told는 수여동사이다.
03 make가 불완전타동사로 사용될 때 목적어 뒤에 형용사나 명사 형태의 목적격보어가 온다. 목적어인 her parents가 왔으며 목적격보어로 happy라는 형용사가 사용되었다. 따라서 made는 불완전타동사이다.
04 동사 뒤에 목적어 me가 왔다. disappointed는 목적어만을 취하는 완전타동사이다.

# 출제유형 001

**POINT 01 문장의 구성**
## 동사 vs. 준동사

### 다음 밑줄 친 부분 중 어법상 옳지 않은 것은?

Children ① who enjoy writing are often interested in seeing ② their work in print. For children who are truly dedicated and ambitious, ③ <mark>submit a poem for publication is a worthy goal.</mark> And there are several resources that print children's original poetry. Help child poets ④ become familiar with the protocol for submitting manuscripts.

### 유형 분석 & 전략

동사나 준동사에 밑줄이 있다면 먼저 동사의 자리가 맞는지 확인해야 합니다. 한 개의 절에는 반드시 한 개의 동사가 있어야 합니다. 절에 이미 동사가 있다면 동그라미 치고 동사처럼 보이는 요소는 동사가 아닌 준동사의 형태로 바꿔야 합니다.

### 포인트 분석

③ **submit** a poem for publication **is** a worthy goal.
   S                              V
   → submitting / to submit

### 해설

③ **문법포인트** 문장의 구성 문맥상 is가 동사이고 주어가 없으므로 submit은 주어가 될 수 있는 동명사 또는 to부정사로 고쳐야 한다. (submit → submitting / to submit)
① **문법포인트** 주어 - 동사 수 일치 선행사가 사람(Children)이고 복수이므로, 관계대명사 who와 복수형 동사 enjoy가 바르게 쓰였다.
② **문법포인트** 명사의 이해 their가 지칭하는 것은 앞의 Children(복수)이므로, their가 바르게 쓰였다.
④ **문법포인트** 불완전타동사와 동작의 목적격보어 동사 help는 목적격보어로 to부정사 또는 원형부정사를 취하므로, 원형부정사인 become이 바르게 쓰였다.

### 어휘

dedicated 헌신적인　ambitious 의욕적인　publication 출판
familiar 익숙한　protocol 의례　manuscript 원고

### 해석

글쓰기를 즐기는 아이들은 종종 자기 작품이 프린트된 것을 보는 것에 흥미를 느낀다. 정말로 헌신적이고 의욕적인 아이들에게 출판을 위해 시를 제출하는 것은 가치 있는 목표이다. 그리고 어린이들의 독창적인 시를 인쇄하는 몇몇 수단이 있다. 어린이 시인들이 원고를 제출하는 의례에 익숙해지도록 도와주어라.

---

동사와 준동사(동명사, to부정사, 분사)를 혼동시키는 문제가 주로 출제된다.

In Sandbanks in Dorset, renowned for being the UK's most expensive resort, prices <u>being</u> down 5.6%. ( × )
영국에서 가장 값비싼 휴양지로 유명한 Dorset 주의 Sandbanks에서는 가격들이 5.6퍼센트 하락했다.

● 주절의 주어는 prices이므로 준동사(동명사)의 형태인 being down을 동사의 형태인 are down, have been down 등으로 바꾸어야 한다.

<u>Develop</u> photographs is one of my favorite hobbies. ( × )
사진을 현상하는 것은 내가 좋아하는 취미 중 하나이다.

● 한 문장에 주어가 없이 develop와 is라는 두 동사가 접속사 없이 나와 있다. 따라서 동사 형태인 Develop를 주어로 쓸 수 있는 동명사인 Developing 또는 to부정사인 To develop으로 고쳐야 한다.

### 구문분석 공식

**공식 01** 가장 중요한 것은 동사를 찾는 것이다.

　　　　　S　　　　　V
$CO_2$ emissions increased / twelvefold.
이산화탄소 배출은 증가했다 / 12배.
**해석** 이산화탄소 배출은 12배 증가했다.

**공식 02** 전치사구는 '/'로 분리하여 해석한다.

　　　S　　　　　V
Arabic slavery continued / into the twentieth century.
아랍의 노예제도는 계속되었다 / 20세기까지.
**해석** 아랍의 노예제도는 20세기까지 계속되었다.

**공식 03** 새로운 절은 '//'로 분리하여 해석한다.

　　　S　　　　V　　　접속사　S'　V'　O'
The boss's eyes widened // when he saw the stone.
그 우두머리의 눈은 커졌다 // 그 돌을 봤을 때.
**해석** 그 우두머리의 눈은 그 돌을 봤을 때 커졌다.

**어휘** emission 배출　twelvefold 12배　slavery 노예제도　widen 커지다

**정답** ③

# Exercises

※ 빈칸에 들어갈 알맞은 말을 고르시오.

1. Sibling births _____ a generation, and grandchildren were often similar in age to their parents' younger brothers and sisters.

   ① spanning    ② spanned
   ③ to span     ④ spans

2. The replication process _____ by Georges Brocot, a French artist who specializes in molding techniques.

   ① oversaw     ② was overseen
   ③ overseeing  ④ to oversee

※ 밑줄 친 부분이 틀리면 바르게 고치시오.

3. Researchers who did not know which film the boys had seen <u>rating</u> their aggressive acts during the game.

4. There are women's magazines <u>cover</u> fashion, cosmetics, and recipes as well as youth magazines about celebrities.

※ 다음 문장을 해석하고 구문분석하시오.

5. The boss hit the roof when he saw that we had already spent the entire budget.

6. When children proudly learn their language at home, the children will have a high self-esteem.

---

1. **해설** and 뒤에 주어와 동사, 보어가 있는 완전한 절의 형태이고 과거 시제이므로 and의 앞도 완전한 절의 형태를 갖추고 과거 시제이어야 하므로 과거 동사인 spanned가 바르다.
   **어휘** span 걸치다
   **해석** 형제자매의 출생은 한 세대에 걸쳐 이루어졌고, 손주들은 종종 부모님의 남동생과 여동생들과 나이가 비슷했다.
   **정답** ②

2. **해설** 주어만 있고 동사가 없으므로 동사를 넣어주어야 한다. 빈칸 뒤에 타동사 oversee의 목적어가 없으므로 수동태로 사용되어야 한다.
   **어휘** replication 복제  mold 주조하다; 곰팡이
   **해석** 그 복제 과정은 주조 기술에 정통한 프랑스 예술가인 Georges Brocot에 의해 감독되었다.
   **정답** ②

3. **해설** 주어는 있으나 동사가 없으므로 rating을 '등급을 매기다'라는 의미의 동사 rate 또는 종속절의 과거 시제와 맞춘 rated로 고쳐야 한다.
   **해석** 소년들이 어떤 영화를 보았는지 알지 못하는 연구자들은 경기 동안 그들의 공격적인 행동에 대해 등급을 매겼다.
   **정답** rating → rate/rated

4. **해설** 이 문장의 동사는 are이므로 동사 cover가 다시 나올 수 없다. magazines를 수식하는 분사로 고쳐야 하는데 목적어가 있으므로 현재분사 covering으로 고쳐야 한다.
   **해석** 유명 연예인들에 관한 젊은이들 잡지뿐만 아니라 패션, 화장품, 조리법들을 다루는 여성 잡지들도 있다.
   **정답** cover → covering

5. **어휘** hit the roof 몹시 화를 내다  budget 예산
   **해석** 사장은 우리가 전체 예산을 이미 다 써버렸다는 것을 알았을 때 몹시 화를 냈다.
   **분석** The boss(S) hit(V) the roof(O) // when(S') he(V') saw // that we had already spent the entire budget(O').

6. **어휘** self-esteem 자존감
   **해석** 아동들이 집에서 자랑스럽게 모국어를 배울 때, 그 아동들은 높은 자존감을 갖게 될 것이다.
   **분석** When children(S') proudly learn(V') their language(O') at home, // the children(S) will have(V) a high self-esteem(O).

# 출제유형 002

**POINT 02** 의문문의 어순

## 간접의문문의 어순

**밑줄 친 부분에 들어갈 말로 가장 적절한 것은?**

> It is not easy to determine precisely _____.

① what does the center of the earth consist of
② what the center of the earth consists of
③ of what does the center of the earth consist
④ what of the center of the earth consists

### 유형 분석 & 전략

간접의문문의 올바른 어순을 묻는 문제가 출제됩니다.
간접의문문이 있다면 의문사에 동그라미, 주어와 동사에 밑줄 그어 어순이 올바른지 확인해야 합니다.

### 포인트 분석

what | the center of the earth (S) | consists of (V)

### 해설

**문법포인트** 의문문의 어순 의문문은 다른 문장의 주어, 목적어, 보어 등으로 사용될 수 있고 이 경우 간접의문문이라고 하며 어순은 「의문사+주어+동사」가 되어야 한다.

### 어휘

determine 판정하다   precisely 정확하게
consist of ~로 이루어져 있다

### 해석

지구의 중심이 무엇으로 이루어져 있는지를 정확히 판정하기는 쉽지 않다.

**정답** ②

---

단독으로 사용되는 의문문과 달리, 의문문이 다른 문장의 일부가 되어 간접적으로 사용되는 경우 이를 간접의문문이라고 한다.
간접의문문은 특히 어순을 주의해야 한다.

> 간접의문문: 의문사 + 주어 + 동사

I don't know **how old** you are. 나는 당신이 몇 살인지를 모른다.
　　　　　의문사  주어 동사

I don't know **what** happened this morning.
　　　　　　의문사  동사
　　　　　　(주어)

나는 오늘 아침에 무슨 일이 일어났는지 모른다.

○ 의문사가 주어인 의문문이 간접의문문으로 쓰일 때 「의문사(주어) + 동사 + (목적어)」의 어순이 된다.

### 구문분석 공식

**공식 04** 명사절을 하나의 의미 단위로 파악하라.

S　　　V　　　　O(명사절)
She easily believes // what others say.

그녀는 쉽게 믿는다　//　남들이 말하는 것을.

**해석** 그녀는 남들이 말하는 것을 쉽게 믿는다.

How you praise your children / has a powerful influence / on their development.

당신이 자녀를 어떻게 칭찬하는지가 / 　강력한 영향을 준다
/ 　그들의 발달에.

**해석** 당신이 자녀를 어떻게 칭찬하는지가 그들의 발달에 강력한 영향을 준다.

| | |
|---|---|
| 대표 접속사 | that '~라고, ~라는 것을'<br>if/whether '~인지 아닌지를' |
| 의문부사(각 의문사에 맞도록<br>'의문사 ~하는지를'으로 해석함) | when '언제 ~하는지를'<br>where '어디서 ~하는지를'<br>how '어떻게 하는지를'<br>why '왜 ~하는지를' |
| 의문대명사 | what '무엇을/무엇이 ~하는지를'<br>which '어떤 것을/어떤 것이 ~하는지를'<br>who '누구를/누가 ~하는지를' |

**어휘** influence 영향　development 발달

# Exercises

※ 빈칸에 들어갈 알맞은 말을 고르시오.

1. He asked me _____ coming back day after day.

   ① why kept I   ② why did I keep
   ③ why I kept   ④ I kept why

2. He won't care _____.

   ① will who win the presidential election
   ② does who win the presidential election
   ③ who the presidential election wins
   ④ who wins the presidential election

※ 밑줄 친 부분이 틀리면 바르게 고치시오.

3. The intensity of a color is related to <u>how much gray the color contains</u>.

4. This guide book tells you <u>where should you visit</u> in Hong Kong.

※ 다음 문장을 해석하고 구문분석하시오.

5. You know how important a clean kitchen is.

6. What disturbs me is the idea that good behavior must be reinforced with incentives.

---

1. **해설** ask의 직접목적어로 간접의문문이 쓰였는데 「의문사+주어+동사」의 어순이 되어야 하므로 why I kept가 들어가야 한다.
   **어휘** day after day 매일같이(지겹거나 짜증스러움을 나타냄)
   **해석** 그는 내게 왜 매일같이 계속 되돌아오냐고 물었다.
   **정답** ③

2. **해설** 의문사 who가 주어인 의문문이 간접의문문으로 사용되었다. 그러므로 「의문사(주어)+동사」의 어순이 되어야 한다. 따라서 who wins the presidential election이 들어가야 한다. 의문대명사 who나 what은 의문사이면서 동시에 주어 역할을 하므로 바로 동사로 이어지는 것에 유의한다.
   **해석** 그는 대통령 선거에서 누가 이기든 상관하지 않을 것이다.
   **정답** ④

3. **해설** how 이하가 간접의문문으로 사용되었으며 「의문사(how much gray)+주어(the color)+동사(contains)」의 어순이 바르게 되어 있다.
   **해석** 색의 강도는 그 색이 얼마나 많은 회색을 포함하는지와 관련이 있다.
   **정답** 틀린 부분 없음

4. **해설** where 이하가 간접의문문으로 어순이 「의문사+주어+동사」로 써야 하므로 where you should로 고쳐야 한다.
   **해석** 이 안내 책자는 당신이 홍콩에서 어디를 방문해야 하는지를 당신에게 알려준다.
   **정답** where should you visit → where you should visit

5. **해석** 깨끗한 주방이 얼마나 중요한지 알잖아요.
   **분석** You(S) know(V) // how important a clean kitchen is(O).

6. **해석** 나를 혼란스럽게 하는 것은 선행이 보상으로 강화되어야 한다는 생각이다.
   **분석** What disturbs me(S) / is(V) the idea(C) [that good behavior must be reinforced with incentives]. 동격절 (the idea = that절)

# 출제유형 003

**POINT 02** 의문문의 어순

## 두 개의 동사로 구성된 문장의 부가의문문

**밑줄 친 부분에 들어갈 말로 가장 적절한 것은?**

> Bill supposes that Mary is married, _____?

① isn't she  ② is he
③ does he  ④ doesn't he

### 유형 분석 & 전략

부가의문문이 보이면 주절의 주어와 동사에 동그라미한 뒤, 부가의문문의 주어와 동사의 종류가 그와 일치하는지 확인해야 합니다.

### 포인트 분석

Bill supposes that Mary is married, doesn't he?
(S) (V)

### 1. 앞 문장이 긍정이면 부가의문문은 부정이, 부정이면 긍정이 되어야 한다.

| 앞 문장 | 부가의문문 | 예문 |
|---|---|---|
| 긍정 | 부정 | She is cute, isn't she?<br>그녀는 귀여워, 그렇지 않니? |
| 부정 | 긍정 | She isn't cute, is she?<br>그녀는 귀엽지 않아, 그렇지? |

### 2. 앞 문장에서 사용된 동사와 같은 종류의 동사, 같은 시제를 사용해야 한다.

| 앞 문장 | 부가의문문 | 예문 |
|---|---|---|
| be동사 | be동사 | You are a teacher, aren't you?<br>당신은 선생님이죠, 그렇지 않나요? |
| 조동사 | 조동사 | He can speak Korean, can't he?<br>그는 한국어를 할 수 있어, 그렇지 않니? |
| 일반동사 | do동사 활용<br>(do / does / did) | He plays the piano, doesn't he?<br>그는 피아노를 연주해, 그렇지 않니? |

### 3. 문장이 두 개의 동사로 구성된 경우에는 둘 중 중요한 의미를 지닌 동사를 활용하여 부가의문문을 만든다.

You think she is cute, don't you?
너는 그녀가 귀엽다고 생각하지, 그렇지 않아?

He didn't believe she was guilty, did he?
그는 그녀가 유죄라고 믿지 않았어, 그렇지?

### 해설

**문법포인트** 의문문의 어순 문장이 두 개의 동사로 구성된 경우, 둘 중 중요한 의미를 지닌 동사를 활용해서 부가의문문을 만든다. 부가의문문의 앞에 제시된 주절의 주어는 Bill이고 동사는 일반동사인 supposes이므로 doesn't he가 들어가야 한다.

### 해석

Bill은 Mary가 기혼자라고 생각해, 그렇지 않니?

**정답** ④

### Check!

「I think [believe/guess/imagine/suppose/presume] that S+V」의 경우, '내가 생각하기에'를 의미하는 I think는 중요한 의미가 없으므로 that 절의 S+V를 기준으로 부가의문문을 만든다.

I think (that) she is cute, isn't she?
내 생각엔 그녀가 귀여워, 그렇지 않아?

I don't think (that) she is cute, is she?
　　　　= isn't
내 생각엔 그녀는 귀엽지 않아, 그렇지?

# Exercises

※ 빈칸에 들어갈 알맞은 말을 고르시오.

1. You know that she can speak French, _____?

   ① do you        ② don't you
   ③ can't she     ④ can she

2. I guess it is not surprising that book stores don't carry newspapers any more, _____?

   ① is it         ② isn't it
   ③ does it       ④ doesn't it

※ 밑줄 친 부분이 틀리면 바르게 고치시오.

3. You don't think that he is going to come back soon, <u>is he</u>?

4. She believes that her family are all so smart, <u>doesn't she</u>?

※ 다음 문장을 해석하고 구문분석하시오.

5. I think it's good for all of us that prices are going down, isn't it?

6. She said that she would donate 1 million dollars next year, didn't she?

---

1. **해설** 문장이 두 개의 동사로 구성된 경우, 둘 중 중요한 의미를 지닌 동사를 활용해서 부가의문문을 만든다. 부가의문문의 앞에 제시된 주절의 주어는 You이고 동사는 일반동사인 know이며 긍정문이므로 don't you가 들어가야 한다.

   **해석** 너는 그녀가 불어를 할 수 있는 것을 알고 있지, 그렇지 않니?

   **정답** ②

2. **해설** 문장이 두 개의 동사로 구성된 경우, 둘 중 중요한 의미를 지닌 동사를 활용해서 부가의문문을 만든다. I guess에는 중요한 의미가 없으므로 is를 중심으로 부가의문문을 만들어야 하는데 is 뒤에 not이 있으므로 빈칸에는 긍정형인 is it이 들어가야 한다.

   **해석** 서점들이 신문을 더 이상 팔지 않는 것은 놀라운 일이 아닌 것 같아, 그렇지?

   **정답** ①

3. **해설** 복문의 경우 중요한 동사를 중심으로 부가의문문을 만든다. You don't think로 만들며 부정문이므로 긍정형인 do you로 고쳐야 한다.

   **해석** 너는 그가 곧 돌아올 거라고 생각하지 않아, 그렇지?

   **정답** is he → do you

4. **해설** 복문의 경우 중요한 동사를 중심으로 부가의문문을 만든다. She believes로 만들며 긍정문이므로 부정형인 doesn't she가 되어야 하는데 바르게 쓰였다.

   **해석** 그녀는 자신의 가족 모두가 매우 똑똑하다고 믿고 있어, 그렇지 않니?

   **정답** 틀린 부분 없음

5. **해석** 물가가 내리는 것은 우리 모두에게 좋은 일이라고 생각해, 그렇지 않니?

   **분석** I think it's good for all of us // that prices are going down, // isn't it?

6. **해석** 그녀는 내년에 백만 달러를 기부하겠다고 말했어, 그렇지 않았니?

   **분석** She said // that she would donate 1 million dollars next year, // didn't she?

# 출제유형 004

**POINT 03 완전자동사**

## 자동사 + 전치사

---

**밑줄 친 부분 중 어법상 옳지 않은 것은?**

> In a building ① where entrepreneurship are nurtured, the design of the space allows individuals ② to work in a variety of settings, from quiet zones to collaborative areas. Everyone ③ **waits the monthly presentation**, where new projects are revealed. It's a place that not only accommodates businesses but also ④ helps them grow and succeed.

### 유형 분석 & 전략

주요 완전자동사가 보이면 동그라미하고, 목적어 앞 전치사에 밑줄을 그어 확인해야 합니다

### 포인트 분석

S　　　V　　　　　O
Everyone ③ waits the monthly presentation,
　　　　　→ waits for

### 해설

③ **문법포인트** 완전자동사 wait는 완전자동사로 뒤에 목적어가 올 수 없다. 뒤에 목적어가 왔으므로 전치사 for가 와야 한다. (waits → waits for)

① **문법포인트** 관계부사 장소를 나타내는 building이 관계부사 where의 선행사로 쓰였으며 뒤에 완전한 문장이 왔다. 따라서 관계부사 where의 쓰임은 바르다

② **문법포인트** 불완전타동사와 동작의 목적격보어 불완전타동사인 allow는 목적격보어로 to부정사가 온다. 목적어 individuals의 뒤에 목적격보어 to work가 바르게 쓰였다.

④ **문법포인트** 등위접속사의 병렬 구조 「not only ~ but also ~」의 병렬 구문이다. accommodates와 병렬 관계를 이루어 helps가 바르게 쓰였다.

### 어휘

entrepreneurship 기업정신　nurture 육성시키다　setting 환경
collaborative 협업하는　reveal 공개하다　accommodate 수용하다

### 해석

기업정신이 육성되는 이 건물에서, 공간의 디자인은 개인이 조용한 구역부터 협업 지역까지 다양한 환경에서 일할 수 있게 한다. 모든 사람이 새로운 프로젝트가 공개되는 월례 프레젠테이션을 기다린다. 이곳은 사업체를 수용할 뿐만 아니라 성장하고 성공하도록 돕는 장소이기도 하다.

**정답** ③

---

### 1. 특정 전치사와 쓰이는 완전자동사가 있다.

He is **waiting for** his son. 그는 아들을 기다리고 있는 중이다.
The ruling party **objected to** the suggestion.
여당은 그 제안에 반대했다.

| | |
|---|---|
| object to ~에 반대하다 | belong to ~에 속하다 |
| wait for ~을 기다리다 | participate in ~에 참여하다 |
| result from ~이 원인이다 | result in ~을 야기하다 |
| consist of ~으로 구성되다 | consist with ~와 일치하다 |
| consist in ~에 있다 | graduate from ~을 졸업하다 |
| arrive at ~에 도착하다 | listen to ~을 듣다 |
| deal with ~을 처리하다 | laugh at ~을 비웃다 |
| look at ~을 보다 | depend on ~에 의존하다 |
| leave for ~로 출발하다 | attend to ~에 주의를 기울이다 |

### 2. 주요 완전자동사

알아두어야 하는 대표적인 완전자동사는 다음과 같다.

| 주체적 동작 동사 | lie 눕다　sit 앉다　stand 서다　walk 걷다　fall 쓰러지다 laugh 웃다 |
|---|---|
| 이동 동사 | go 가다　arrive 도착하다　leave 출발하다 come 오다　originate 유래하다 |
| '발생하다' 동사 | occur happen arise take place break out |
| '나타나다' 동사 | appear emerge 나타나다　disappear 사라지다 |
| '살다' 동사 | live dwell reside settle |
| 위치 동사 | exist lie stand sit rest 위치하다 extend range 걸쳐 있다 |

### 구문분석 공식

**공식 05** 완전자동사의 뒤에는 수식하는 부사구가 자주 따라온다.

　　　　　　　　　　　　　　S　　　　　V
An ugly, old, yellow tin bucket stood / beside the stove.
한 추하고 낡은 노란색 철 양동이가 있었다 / 난로 옆에.

**해석** 한 추하고 낡은 노란색 철 양동이가 난로 옆에 있었다.

**공식 06** 「There + be동사 + 주어」 구문은 '(주어)가 있다' 라는 의미이다.

　　　　V　　　　　　　　　　S
There are perhaps 10,000 blue whales / in the world.
아마도 1만 마리의 대왕고래가 있을 것이다　/ 세상에는.

**해석** 세상에는 아마도 1만 마리의 대왕고래가 있을 것이다.

**어휘** tin 양철　bucket 양동이　beside ~의 옆에　stove 난로
whale 고래

# Exercises

※ 빈칸에 들어갈 알맞은 말을 고르시오.

1. You'd better _____ your study.

   ① be attended to  ② attend to
   ③ attend with     ④ attend

2. You shouldn't _____ the teacher's suggestion without thinking it through.

   ① object         ② object to
   ③ be objected    ④ be objected to

※ 밑줄 친 부분이 틀리면 바르게 고치시오.

3. Hiding behind the curtain, I <u>waited</u> the shadow to reappear.

4. We aim to <u>deal</u> all customer complaints within 1 working day.

※ 다음 문장을 해석하고 구문분석하시오.

5. About 26 million people in the U.S. have participated in recent protests.

6. He objects to the proposal which the government offered yesterday on ethical grounds.

---

1. (해설) attend는 '돌보다, 주의를 기울이다'를 의미할 때는 자동사로 전치사 to와 함께 쓰이므로 attend to가 들어가야 한다. 목적어가 뒤에 있으므로 수동태는 불가능하다.
   (어휘) attend to ~을 돌보다
   (해석) 너는 학업을 돌보는 것이 좋겠다.
   (정답) ②

2. (해설) object는 자동사이므로 목적어를 직접 취할 수 없다. 목적어를 취할 때는 전치사 to와 함께 쓰므로 빈칸에는 ② object to가 들어가야 한다.
   (해석) 너는 철저한 고려 없이 선생님의 제안을 반대해서는 안 된다.
   (정답) ②

3. (해설) wait은 자동사로서 the shadow라는 목적어를 취할 수 없다. 문맥상 the shadow가 to부정사인 to reappear의 의미상의 주어이므로 waited를 waited for로 고쳐야 한다.
   (해석) 커튼 뒤에 숨어서, 나는 그림자가 다시 나타나는 것을 기다렸다.
   (정답) waited → waited for

4. (해설) '~을 처리하다'의 의미일 때 deal은 자동사로 전치사 with와 함께 써야 하므로 deal은 deal with로 고쳐야 한다.
   (어휘) complaint 불만 사항
   (해석) 우리의 목표는 모든 고객 불만 사항을 근무일 하루 이내에 처리하는 것을 목표로 한다.
   (정답) deal → deal with

5. (어휘) protest 시위
   (해석) 미국에서 약 2천 6백만 명이 최근의 시위에 참여했다.
   (분석) About 26 million people in the U.S. [S] have participated [V] in recent protests.

6. (어휘) object to ~에 반대하다  ethical 윤리적인  ground 이유
   (해석) 그는 어제 정부가 제시했던 제안을 윤리적인 이유로 반대한다.
   (분석) He [S] objects [V] to the proposal (which the government offered yesterday) / on ethical grounds.

# 출제유형 005

**POINT 04 불완전자동사의 보어**

## 주요 불완전자동사의 보어

**밑줄 친 부분 중에 틀린 것은?**

> Death sentences, the maximum penalty allowed by law, ① have not mitigated the sense of crises ② that victims experience. Even the phrases death by ③ electrocution and death by injection appear ④ absurdly and incongruous with modern society.

### 유형 분석 & 전략

주요 불완전자동사가 보이면 동그라미하고, 보어에 밑줄을 그어 보어 형태가 올바른지 확인해야 합니다.
특히, 부사를 함정으로 자주 출제하니 형용사/부사를 꼭 확인하세요.

### 포인트 분석

Even the phrases death by electrocution and death by injection appear ④ absurdly and incongruous with modern society. → absurd

### 해설

④ **문법포인트** 불완전자동사의 보어 appear는 불완전자동사이므로 뒤에 보어가 와야 하는데, 부사는 보어로 쓸 수 없으므로 부사 absurdly를 형용사 absurd로 고쳐야 한다. (absurdly → absurd)

① **문법포인트** 주어 - 동사 수 일치 주어는 Death sentences이고 the maximum penalty allowed by law는 주어의 동격어구이다. 주어가 명사의 복수형이므로 동사 역시 복수형인 have가 바르게 쓰였다.

② **문법포인트** 관계대명사의 선택 선행사가 the sense of crises이고 뒤에 타동사 experience의 목적어가 없으므로 that이 목적격 관계대명사로 바르게 쓰였다.

③ **문법포인트** 전치사의 목적어 전치사는 뒤에 명사(구, 절), 목적격 대명사, 또는 동명사가 목적어로 와야 한다. 전치사 by 뒤에 명사 electrocution이 목적어로 바르게 쓰였다.

### 어휘

death sentence 사형 선고   mitigate 누그러뜨리다   victim 희생자
death by electrocution 전기 사형   death by injection 약물주사 사형
absurdly 터무니없게   incongruous 어울리지 않는

### 해석

법이 허용하는 최고형인 사형 선고는 희생자들이 느끼는 위기감을 누그러뜨리지 못했다. 전기 사형과 약물주사 사형이라는 표현조차 터무니없고 현대 사회와 어울리지 않는 것 같다.

**정답** ④

---

### 1. 불완전자동사의 보어

보어로 명사, 형용사, 분사, to부정사, 동명사, 전치사구가 올 수 있다.
보어 자리에 부사가 오면 문법적으로 틀린 문장이다.

> 주어 + 동사 + 보어 (명사 / 형용사 / 분사 / to부정사 / 동명사 / 전치사구)

She stayed peaceful.
그녀는 여전히 평화로웠다.
She stayed peacefully. ( × )

### 2. 주요 불완전자동사

알아두어야 할 대표적인 불완전자동사는 다음과 같다.

| | |
|---|---|
| | be ~이다 |
| 상태의 유지 관련 동사 | stay, remain, keep, hold ~하게 있다<br>stand, sit, lie ~한 채로 있다 |
| 상태의 변화 관련 동사 | become, get, grow, turn, run,<br>go, come, fall ~하게 되다(변하다) |
| 판단·판명 동사 | prove, turn out ~로 판명되다<br>seem, appear ~인 것 같다 |

The weather will stay cold for the next few days.
날씨는 앞으로 며칠 동안 쌀쌀할 것이다.
The bank will remain open until 5 p.m.
그 은행은 오후 5시까지 열려 있을 것이다.
The milk went (bad/badly).   우유가 상했다.
He turned out (to be) an enemy.
그는 적으로 판명되었다.

---

### 구문분석 공식

**공식 07** 주격보어는 주어에 대한 부연 설명이다.

Training becomes increasingly specialized and narrow in focus.
(S)  (V)           (C)

**해석** 훈련이 점점 더 특화되고 초점이 좁아진다.

**공식 08** go, fall, come 등이 '~가 되다'를 의미하기도 한다.

People went hungry / during bad harvests.
(S)  (V)  (C)

사람들은 굶주리게 되었다 / 수확이 형편없는 동안.

**해석** 사람들은 수확이 형편없는 동안 굶주리게 되었다.

**어휘** increasingly 점점   narrow 좁은

# Exercises

※ 빈칸에 들어갈 알맞은 말을 고르시오.

1. My sweet-natured daughter suddenly became _____.

   ① unpredictably　　② unpredictable
   ③ unpredictability　④ unpredict

2. Yesterday at the swimming pool everything seemed _____.

   ① to go wrong　　② go wrong
   ③ to wrong　　　 ④ with wrong

※ 밑줄 친 부분이 틀리면 바르게 고치시오.

3. Despite the bad weather, the event remained incredibly <u>meaningfully</u> for all participants.

4. She appeared <u>to develop</u> sympathy with her captors and joined them in a robbery.

※ 다음 문장을 해석하고 구문분석하시오.

5. These clocks were decorative, but not always useful.

6. The movie seemed so boring that I fell asleep after half an hour.

---

1. **해설** 불완전자동사 become의 보어 자리이므로 unpredictable이 들어가야 한다.
   **어휘** sweet-natured 다정한
   **해석** 나의 다정한 딸이 갑자기 예측할 수 없게 변했다.
   **정답** ②

2. **해설** 불완전자동사인 seem의 보어 자리에 올 수 있는 to부정사인 to go wrong이 들어가야 한다.
   **해석** 어제 수영장에서 모든 것이 잘못되어 가는 듯했다.
   **정답** ①

3. **해설** 불완전자동사 remain은 형용사나 명사를 보어로 취한다. 부사는 보어가 될 수 없으므로 부사 meaningfully를 형용사인 meaningful로 고쳐야 한다.
   **어휘** event 행사　remain 유지되다　incredibly 놀랄 정도로　meaningfully 의미 있게　participant 참가자
   **해석** 나쁜 날씨에도 불구하고, 그 행사는 모든 참가자들에게 놀랄 정도로 의미 있었다.
   **정답** meaningfully → meaningful

4. **해설** 불완전자동사 appear가 to부정사인 to develop을 보어로 바르게 취했다.
   **어휘** develop ~이 생기다　captor 납치범　robbery 강도
   **해석** 그녀는 납치범들에게 동정심이 생긴 것처럼 보였고 그들과 강도 행위에 합류했다.
   **정답** 틀린 부분 없음

5. **해석** 이 시계들은 장식용이었지만, 항상 유용하지는 않았다.
   **분석** These clocks (S) were (V) decorative (C1), // but not always useful (C2).

6. **해석** 그 영화가 너무 지루해 보여서 나는 삼십 분 후에 잠이 들었다.
   **분석** The movie (S) seemed (V) so boring (C) // that I (S') fell (V') asleep (C') / after half an hour.

# 출제유형 006

**POINT 04 불완전자동사의 보어**

## 감각동사의 보어

**다음 문장에서 문법적으로 어색한 부분은?**

> ① Having spent his last penny ② buying the cheese, he ③ was determined to eat it all, even if it ④ tasted bitterly to him.

### 유형 분석 & 전략

감각동사가 보이면 동그라미, 뒤의 보어에 밑줄 그어 형용사가 맞는지 확인해야 합니다.

### 포인트 분석

even if it ④ tasted bitterly to him.
　　　　　　　→ bitter

주어의 상태를 감각적으로 나타내는 동사를 감각동사라고 한다. 감각동사는 불완전자동사이므로 보어를 취한다.
보어로는 주로 형용사, 전치사구(like+명사), as if+S+V절을 취한다.

| 감각동사 | | 보어 |
|---|---|---|
| smell ~한 냄새가 나다<br>feel ~한 느낌이 나다<br>taste ~한 맛이 나다<br>sound ~한 소리가 나다<br>look ~한 모습이다 | + | 형용사<br>like+명사<br>as if+S+V (O)<br>부사 (×) |

I felt uneasy.
난 불편했다.

She looks like a model.
그녀는 모델처럼 보인다.

His voice sounded as if he was smiling a little.
그의 목소리는 그가 약간 웃고 있는 것처럼 들렸다.

Your doll looks lovely.
너의 인형은 사랑스러워 보인다.

○ lovely는 부사처럼 보이지만 실제로는 형용사이므로 불완전자동사인 look 뒤에서 보어로 사용되었다.

### 해설

④ **문법포인트** 불완전자동사의 보어 감각동사인 taste(tasted)는 불완전자동사이므로 뒤에 형용사, 전치사구(like+명사) 또는 「as if+S+V」절이 보어로 와야 한다. 부사는 보어로 쓰일 수 없으므로 부사 bitterly를 형용사 bitter로 고쳐야 한다. (bitterly → bitter)

① **문법포인트** 분사구문 주어인 he와 분사구문의 관계가 능동이고 주절의 동사보다 한 시제 앞서기 때문에 완료 분사구문이 바르게 쓰였다.

② **문법포인트** 준동사 주요 표현 「spend/waste+시간/돈+(in) -ing」라는 표현은 '~하는 데 (돈/시간)을 쓰다'라는 의미를 나타내므로, 동명사 buying이 바르게 쓰였다.

③ **문법포인트** 동사의 유형별 수동태 완전타동사의 목적어로 쓰인 that절의 주어가 수동태의 주어가 되는 경우, 동사 뒤에 to부정사가 온다. 능동태 문장인 He determined that he would eat it all.이 수동태로 전환되면서 동사 뒤에 to eat이 바르게 쓰였다.

### 어휘

penny 동전　determine 결정하다　bitterly 쓰게

### 해석

그는 자신의 마지막 동전을 치즈를 사는 데 써버렸기 때문에 비록 치즈가 그에게 쓴맛이 나더라도 그것을 먹기로 결정했다.

**정답** ④

# Exercises

※ 빈칸에 들어갈 알맞은 말을 고르시오.

1. Surrounded by great people, I felt _____.

   ① proud                ② proudly
   ③ to be proudly        ④ to proud

2. Korean apples _____.

   ① are tasting wonderful
   ② are tasting wonderfully
   ③ taste wonderfully
   ④ taste wonderful

※ 밑줄 친 부분이 틀리면 바르게 고치시오.

3. He spends a lot of money on clothes to look <u>nicely</u>.

4. All the food she makes smells <u>deliciously</u>.

※ 다음 문장을 해석하고 구문분석하시오.

5. To speak of the aim of scientific activity may perhaps sound a little naive.

6. The situation in Iraq looked so serious that it seemed as if the Third World War might break out at any time.

---

1. [해설] 감각동사는 형용사를 보어를 취하는 불완전자동사이므로 proud가 들어가야 한다.
   [해석] 훌륭한 사람들에 둘러싸여 나는 자부심을 느꼈다.
   [정답] ①

2. [해설] taste는 진행형을 쓸 수 없는 감각동사이고 형용사 보어를 취해야 하므로 wonderful이 와야 한다.
   [해석] 한국의 사과는 맛이 아주 좋다.
   [정답] ④

3. [해설] look이 보어를 취하는 감각동사이므로 nicely는 형용사인 nice로 고쳐야 한다.
   [해석] 그는 멋지게 보이려고 옷에 많은 돈을 쓴다.
   [정답] nicely → nice

4. [해설] smell이 보어를 취하는 감각동사이므로 형용사인 delicious로 고쳐야 한다.
   [해석] 그녀가 만드는 모든 음식은 맛있는 냄새가 난다.
   [정답] deliciously → delicious

5. [해설] 과학적 활동의 목적에 대해 말하는 것은 아마도 다소 순진하게 들릴지도 모른다.
   [분석] To speak of the aim of scientific activity(S) may perhaps sound(V) a little naive(C).

6. [해설] 이라크의 상황은 너무나 심각해 보여서 3차 세계 대전이 언제라도 발생할 것처럼 보였다.
   [분석] The situation in Iraq(S) looked(V) so serious(C) // that it(S') seemed(V') as if the Third World War might break out at any time(C').

# 출제유형 007

**POINT 05 완전타동사**

## 완전타동사 + 전치사(X)

### 다음 문장에서 문법적으로 어색한 부분은?

When we ① face the issue of drug abuse ② or alcohol addiction, we frequently focus on negative aspects, ③ ignoring the pleasures that accompany ④ with drinking or drug-taking.

### 유형 분석 & 전략

주요 완전타동사가 보이면 동그라미하고, 뒤에 목적어 앞에 전치사가 있으면 밑줄 그어 X를 표시합니다.

### 포인트 분석

we frequently focus on negative aspects, ignoring the pleasures that (accompany) ④ with drinking or drug-taking.
→ drinking

### 해설

④ **문법포인트** **완전타동사** 완전타동사 뒤에는 목적어가 바로 와야 하는데, 완전타동사인 accompany 뒤에 전치사구가 왔으므로 문법적으로 틀리다. (with drinking → drinking)

① **문법포인트** **완전타동사** face는 완전타동사로서 전치사 없이 목적어를 바로 취할 수 있다.

② **문법포인트** **등위접속사의 병렬 구조** 명사구인 drug abuse와 alcohol addiction이 등위접속사 or로 바르게 연결되었다.

③ **문법포인트** **분사구문** 분사구문의 분사와 주어의 관계가 의미상 능동이고, 타동사인 ignore(ignoring)의 뒤에 목적어가 있으므로 현재분사가 바르게 쓰였다.

### 어휘

abuse 남용   addiction 중독   frequently 때때로   aspect 측면
accompany 동반하다

### 해석

약물 남용이나 알코올 중독 문제를 직면할 때 우리는 부정적인 측면에 때때로 집중해서, 술을 마시거나 약물을 복용할 때 동반되는 쾌락을 무시한다.

정답 ④

---

완전타동사 뒤에는 목적어가 바로 와야 한다.
목적어 자리에 전치사로 시작하는 전치사구가 오면 문법적으로 틀린다.

| 주요 완전타동사 | 주의할 전치사 |
|---|---|
| discuss, mention, announce, consider | about (×) |
| approach, reach, oppose, answer, survive, address, attend, obey, affect, influence, contact, greet, exceed, regret | to (×) |
| marry, resemble, accompany, face | with / to (×) |
| enter, join, inhabit | in (×) |
| approve, await | for (×) |

He approached the girl.   그는 그 소녀에게 접근했다.
He approached to the girl. (×)
I will marry her.   나는 그녀와 결혼할 거야.
I will marry with her. (×)

### Check!

**자동사 vs. 타동사**

의미가 같아서 혼동하기 쉬운 자동사와 타동사가 시험에 자주 출제되니 주의하도록 하자.

| 타동사 | 자동사 + 전치사 | 의미 |
|---|---|---|
| await | wait for | ~를 기다리다 |
| oppose | object to | ~에 반대하다 |
| inhabit | live in | ~에 살다 |
| join | participate in | ~에 참여하다 |
| reach | arrive at | ~에 도착하다 |
| accompany | go with | ~와 함께 가다 |

### 구문분석 공식

**공식 09** 목적어는 동작의 대상이다.

S   V   O
A bad workman **blames** his tools.

해석 서툰 일꾼이 연장을 탓한다.

조V S V O
Will you **marry** me?

해석 나와 결혼해 줄래?

어휘 blame 비난하다

# Exercises

※ 빈칸에 들어갈 알맞은 말을 고르시오.

1. Without plants to eat in their habitat, animals must _____ it.

   ① leave from    ② leave for
   ③ leave to      ④ leave

2. The local government _____ the problems of malnutrition in the state.

   ① addresses        ② addresses with
   ③ addresses about  ④ addresses to

※ 밑줄 친 부분이 틀리면 바르게 고치시오.

3. Even externally magazines are different from newspapers, mainly because they resemble like a book.

4. Please contact to me at the email address I gave you last week.

※ 다음 문장을 해석하고 구문분석하시오.

5. A new metal sled, first used in 1892, resembled a skeleton.

6. These animals eventually will reach a point where they can't get enough oxygen to sustain normal growth.

---

1. 해설 '~를 떠나다'라는 의미일 때 leave는 완전타동사로서 목적어를 바로 취해야 하므로 leave가 들어가야 한다.
   어휘 habitat 서식지
   해석 서식지에 먹을 식물들이 없다면, 동물들은 그곳을 떠나야 한다.
   정답 ④

2. 해설 동사 address는 전치사를 취할 수 없는 완전타동사이므로 addresses가 들어가야 한다.
   어휘 malnutrition 영양실조  address (문제를) 다루다
   해석 지방 정부는 그 주의 영양실조 문제를 다룬다.
   정답 ①

3. 해설 resemble은 대표적인 완전타동사로서 뒤에 목적어를 바로 취해야 하므로 전치사인 like를 삭제해야 한다.
   어휘 externally 외관상으로
   해석 잡지는 주로 책과 유사하기 때문에 외관상으로도 신문과 다르다.
   정답 resemble like a book → resemble a book

4. 해설 contact는 완전타동사이므로 뒤에 전치사 to 없이 목적어인 me가 바로 와야 한다.
   해석 제가 지난주에 드렸던 이메일 주소로 저에게 연락해 주세요.
   정답 contact to → contact

5. 어휘 sled 썰매  skeleton 해골
   해석 새로운 금속 썰매가 1892년에 사용되었는데 해골과 닮았다.
   분석 A new metal sled(S), (first used in 1892), / resembled(V) a skeleton(O).

6. 어휘 eventually 결국  sustain (생명을) 유지하다
   해석 이 동물들은 결국 정상적인 성장을 유지할 만큼 충분한 산소를 얻을 수 없는 지점에 도달할 것이다.
   분석 These animals(S) eventually will reach(V) / a point(O) (where they can't get enough oxygen to sustain normal growth).

Chapter 01 문장 구조, 동사 유형

# 출제유형 008

**POINT 05 완전타동사**

## 4형식 불가 완전타동사

**밑줄 친 부분 중 어법상 옳지 않은 것은?**

> In Rome, Italy, a burglary suspect, when ① <u>caught in a store</u> after closing hours, ② <u>explained the police</u> that he constantly suffered from a desire to sleep and fell asleep inside the store. ③ <u>To prove his point</u>, he pretended to ④ <u>fall asleep</u> during police questioning.

### 유형 분석 & 전략

간접목적어를 사용하여 4형식으로 사용할 수 없는 동사가 보이면 동그라미 하고, '~에게(사람)'에 해당하는 간접목적어에 밑줄 그어 X를 표시합니다.

### 포인트 분석

> In Rome, Italy, a burglary suspect, when caught in a store after closing hours, ② explained the police that he
> → to the police
> constantly suffered from a desire to sleep and fell asleep inside the store.

### 해설

② **문법포인트** 완전타동사 explain은 4형식 동사로 절대 쓸 수 없으므로 뒤에 간접목적어가 바로 올 수 없다. 뒤의 that절이 목적어이므로 the police 앞에 전치사 to를 써 주어야 한다. (explained the police → explained to the police)

① **문법포인트** 분사구문 주어와 분사구문의 분사가 의미상 수동의 관계이고 타동사 catch(caught) 뒤에 목적어가 없으므로 과거분사가 바르게 쓰였다.

③ **문법포인트** to부정사의 역할 to부정사가 목적의 의미를 나타내며 문장 전체를 수식하는 부사적 용법으로 바르게 쓰였다.

④ **문법포인트** 불완전자동사의 보어 go, fall, come 등의 동사는 불완전자동사로서 형용사 보어를 취할 수 있다.

### 어휘

**burglary** 절도  **suspect** 용의자  **questioning** 심문

### 해석

이탈리아의 로마에서, 절도 용의자가 폐점 시간 이후 가게에서 붙잡혔을 때 그가 잠을 자고 싶은 욕구에 계속 시달리다가 가게 안에서 잠이 들었다고 경찰에게 설명했다. 자신의 주장을 입증하기 위해, 그는 경찰의 심문을 받는 동안 잠이 드는 척했다.

**정답** ②

---

4형식 동사로 절대 쓸 수 없는 동사들이 있다.
따라서 간접목적어(주로 사람)가 바로 올 수 없고 to와 함께 「to + 사람」의 형태로 올 수 있다.

$$\begin{bmatrix} \text{explain, say,} \\ \text{introduce, suggest,} \\ \text{propose, announce,} \\ \text{mention, describe} \end{bmatrix} + \text{간접목적어 (×)} + \text{직접목적어}$$
→ to 사람

She will **explain** (to us) how she could pass the test.
그녀는 어떻게 그 시험에 합격할 수 있었는지 (우리에게) 설명할 것이다.

He **said** (to her) that he loved her.
그는 그녀를 사랑한다고 (그녀에게) 말했다.

### 쌤's TIP

| | |
|---|---|
| tell | ① 목적어 (3형식)<br>② 간접목적어 + 직접목적어 (4형식)<br>③ 목적어 + 목적격보어 (5형식) |
| say | ① (to ~) + 목적어 (3형식)<br>② 간접목적어 + 직접목적어 (×) |

# Exercises

※ 빈칸에 들어갈 알맞은 말을 고르시오.

1. He _____ the meaning of the sentence.

    ① explained me　　② explained to me
    ③ explained me to　④ explained me that

2. He _____ that he would work hard to make her happy.

    ① said his mother　　② said to his mother
    ③ said his mother to　④ said his mother for

※ 밑줄 친 부분이 틀리면 바르게 고치시오.

3. She mentioned me that she would be leaving early.

4. He tried to introduce his family his new girlfriend.

※ 다음 문장을 해석하고 구문분석하시오.

5. I suggest to them that they should do this task for themselves.

6. The teacher announced to the students that they could start the new lesson.

---

1. 해설) explain은 4형식으로 쓸 수 없으므로 간접목적어 앞에 전치사 to를 써 주어야 한다.
   해석) 그는 그 문장의 의미를 내게 설명해 주었다.
   정답) ②

2. 해설) say는 4형식으로 쓸 수 없으므로 간접목적어 앞에 전치사 to를 써 주어야 한다.
   해석) 그는 어머니에게 그녀를 행복하게 하기 위해 열심히 일하겠다고 말했다.
   정답) ②

3. 해설) mention은 4형식으로 쓸 수 없는 동사이고 that절이 목적어이다. 따라서 간접목적어 me 앞에 전치사 to를 써주어야 한다.
   해석) 그녀는 나에게 일찍 떠날 것이라고 언급했다.
   정답) mentioned me → mentioned to me

4. 해설) introduce는 4형식으로 쓸 수 없는 동사이므로 간접목적어에 해당하는 his family 앞에 전치사 to를 붙여 주어야 한다.
   해석) 그는 가족에게 자신의 새로운 여자친구를 소개하려고 노력했다.
   정답) introduce his family → introduce to his family

5. 해석) 나는 그들에게 이 업무를 그들 스스로가 해야 할 것이라고 제안했다.
   분석) I suggest to them // that they should do this for themselves.
         S   V                        O

6. 해석) 그 교사는 학생들에게 그들이 새로운 수업을 시작할 수 있다고 발표했다.
   분석) The teacher announced to the students // that they could start the new lesson.
         S            V                                O

Chapter 01 문장 구조, 동사 유형

# 출제유형 009

**POINT 06 완전타동사와 동작의 목적어**

## to부정사/동명사 목적어

### 밑줄 친 부분 중 어법상 옳지 않은 것은?

> Many students assume ① that textbook writers only deal in facts and avoid ② to present opinions. Although that ③ may be true for some science texts, they have trouble ④ sticking to the principle for textbooks in the areas of psychology and history.

#### 유형 분석 & 전략

동사의 뒤에 목적어로 동명사나 to부정사가 보이면, 동사에 동그라미, 동명사/to부정사에 밑줄을 치고 각 동사가 취할 수 있는 올바른 형태인지 확인해야 합니다.

#### 포인트 분석

Many students assume that textbook writers only deal in facts and avoid ② to present opinions.
→ presenting

#### 해설

② **문법포인트** 완전타동사와 동작의 목적어 부정의 의미를 지니는 avoid, deny, mind 등의 동사는 목적어로 동명사를 취한다. avoid의 목적어로 to부정사가 왔으므로 동명사로 고쳐야 한다. [to present → presenting]
① **문법포인트** 명사절 접속사의 선택 that의 앞에 타동사가 쓰였고 that의 뒤에 완전한 절이 왔으므로 목적절을 이끄는 명사절 접속사 that이 바르게 쓰였다.
③ **문법포인트** 조동사의 선택 '~일지도 모른다'라는 추측의 의미를 나타내는 조동사 may가 바르게 쓰였다.
④ **문법포인트** 준동사 주요 표현 「have + difficulty/trouble/a hard time + (in) -ing」의 형태는 '~하는 데 어려움을 겪다'라는 의미이므로 동명사인 sticking이 바르게 쓰였다.

#### 어휘

assume (당연하게) 생각하다  stick to ~을 고수하다  principle 원칙  psychology 심리학

#### 해석

많은 학생들은 교과서 저자들이 오직 사실을 다루고 의견을 제시하기를 피한다고 생각한다. 비록 그것이 일부 과학 교과서에는 사실일지도 모르지만, 저자들은 심리학과 역사 분야의 교과서에서는 그 원칙을 고수하는 데 어려움을 겪는다.

**정답** ②

### 1. to부정사(to + 동사원형) 목적어

다음의 동사들은 목적어로 to부정사를 취한다.

| 희망동사 | want  hope  wish  expect  desire  long |
|---|---|
| 계획동사 | plan  intend  mean  prepare |
| 시도·노력동사 | try  attempt  seek |
| 기타 빈출 동사 | refuse  fail  manage  pretend  agree  decide  determine  deserve  need  dare |

He managed to submit the paper in time.
그는 가까스로 논문을 제시간에 제출했다.

### 2. 동명사(-ing) 목적어

다음의 동사들은 목적어로 동명사를 취한다.

| 긍정 의미 | enjoy  consider  practice  admit  keep  appreciate  suggest  recommend |
|---|---|
| 부정 의미 | deny  mind  quit  finish  abandon  avoid  escape  postpone  delay  resist  risk |

I enjoyed shopping with my boyfriend.
나는 남자 친구와 쇼핑하는 것을 즐겼다.
Would you mind opening the window?
창문을 열어도 괜찮을까요?

---

### 구문분석 공식

**공식 10** 목적어로 준동사가 오면 '~하는 것을' 또는 '~하기를'이라고 해석한다.

A group of demonstrators / attempted to break into the police station.
S ······················ V ············ O(to부정사)

한 무리의 시위 참가자들이 / 경찰서에 침입하려고 시도했다.

**해석** 한 무리의 시위 참가자들이 경찰서에 침입하려고 시도했다.

# Exercises

※ 빈칸에 들어갈 알맞은 말을 고르시오.

1. She suggested _____ for dinner after the meeting.

   ① to go out      ② going out
   ③ go out      ④ for her to go out

2. All members must agree _____ the club regulations.

   ① to abide by      ② abiding by
   ③ abide by      ④ their abiding by

※ 밑줄 친 부분이 틀리면 바르게 고치시오.

3. We can all avoid to do things that we know damage the body.

4. The CEO refused answering any more questions at the press conference.

※ 다음 문장을 해석하고 구문분석하시오.

5. If you're interested in reaching the top, seriously consider adding at least one extra day.

6. Recent studies have found that coffee helps to prevent certain types of cancer.

---

1. **해설** suggest는 동명사를 목적어로 취하는 동사이므로 going out이 들어가야 한다.
   **해석** 그녀는 회의 끝나고 저녁을 먹으러 나갈 것을 제안했다.
   **정답** ②

2. **해설** agree는 to부정사를 목적어로 취하는 동사이므로 to abide by가 들어가야 한다.
   **어휘** regulation 규정  abide by ~을 준수하다
   **해석** 모든 회원은 클럽 규정을 준수하는 것에 동의해야 한다.
   **정답** ①

3. **해설** avoid는 동명사를 목적어로 취하는 동사이므로 to do는 doing으로 고쳐야 한다.
   **해석** 우리는 모두 몸에 해를 준다고 우리가 알고 있는 것들을 피할 수 있다.
   **정답** to do → doing

4. **해설** refuse는 to부정사를 목적어로 취하는 동사이므로 answering을 to answer로 고쳐야 한다.
   **해석** 기자회견에서 그 CEO는 더 이상의 질문에 대답하기를 거부했다.
   **정답** answering → to answer

5. **해설** 만약 당신이 정상에 오르는 데 관심이 있다면, 최소한 별도로 하루를 추가할 것을 진지하게 고려해 보라.
   **분석** If you're interested in reaching the top, // seriously consider adding at least one extra day.
   (S' V' V O)

6. **해설** 최근의 연구들은 커피가 어떤 종류의 암을 예방하는 데 도움이 된다는 것을 발견했다.
   **분석** Recent studies have found // that coffee helps to prevent certain types of cancer.
   (S V S' V' O')

Chapter 01 문장 구조, 동사 유형

# 출제유형 010

**POINT 06** 완전타동사와 동작의 목적어

## 기억동사/regret/stop

---

**밑줄 친 부분에 들어갈 말로 가장 적절한 것은?**

> I can't find any vegetables in the refrigerator, which means my wife must have forgotten _____ some on her way home.

① buy　　　　② buying
③ to buy　　　④ to be bought

### 유형 분석 & 전략

기억동사/후회동사가 보이면 동그라미하고, 목적어에 사용된 동작의 의미가 과거(동명사)인지 미래(to부정사)인지 파악해야 합니다.

### 포인트 분석

> I can't find any vegetables in the refrigerator, which means my wife (must have forgotten) to buy some on her way home.

### 1. 기억동사

| forget / remember | + 동명사(-ing) ~한 것을 잊다/기억하다 ➡ 과거의 의미 |
|---|---|
|  | + to부정사(to + 동사원형) ~할 것을 잊다/기억하다 ➡ 미래의 의미 |

I will never forget seeing the sea for the first time.
나는 처음으로 그 바다를 본 것을 결코 잊지 못할 것이다.

Don't forget to see a doctor tomorrow morning.
내일 아침에 의사한테 가는 거 잊지 마.

### 2. regret

| regret + | 동명사(-ing) ~한 것을 후회하다 |
|---|---|
|  | to부정사(to + 동사원형) ~하게 되어 유감이다 |

He regrets having spent all the money he had.
그는 가지고 있던 모든 돈을 써 버린 것을 후회한다.

We regret to say that we are unable to accept your offer.
저희는 당신의 제안을 받아들일 수 없음을 알려드리게 되어 유감입니다.

### 3. stop

| stop + | 동명사(-ing) ~하기를 멈추다 (동명사 목적어) |
|---|---|
|  | to부정사(to + 동사원형) ~을 하기 위해 멈추다 (to부정사의 부사적 용법) |

He stopped smoking. 그는 흡연을 중지했다(그는 담배를 끊었다).
He stopped to smoke. 그는 흡연을 하기 위해 멈춰 섰다.

---

### 해설

**문법포인트** 완전타동사와 동작의 목적어 forget 뒤에 목적어로 동명사가 오면 과거에 한 일을 잊는다는 뜻이고 to부정사가 오면 미래에 할 일을 잊는다는 뜻이 된다. have forgotten의 시점에서 아내가 해야 할 일, 즉 채소를 사는 일을 잊었다는 의미이므로 to부정사가 목적어로 와야 한다. 따라서 ③이 정답이다.

### 어휘

refrigerator 냉장고　on one's way 도중에

### 해석

나는 냉장고에서 어떤 채소도 찾을 수가 없는데, 이는 아내가 집에 오는 도중에 채소 사는 것을 잊어버렸음이 분명하다는 의미이다.

**정답** ③

---

### 구문분석 공식

**공식 10-1** 기억동사의 목적어로 to부정사는 '~할 것을', 동명사는 '~한 것을'이라고 해석한다.

S V O
I forgot to go over the cleaning checklist. (미래적 의미)

**해석** 나는 청소 체크리스트를 점검하는 것을 잊어버렸다.

S V O
I forget having met him last week. (과거적 의미)

**해석** 나는 지난주에 그를 만났던 것을 잊어버렸다.

**어휘** go over ~을 점검하다

# Exercises

※ 빈칸에 들어갈 알맞은 말을 고르시오.

1. I regret _____ to your advice on that matter.

   ① listen          ② not listening
   ③ not listen      ④ not listened

2. My aunt doesn't remember _____ her at the yesterday party.

   ① meet            ② met
   ③ meeting         ④ to meet

※ 밑줄 친 부분이 틀리면 바르게 고치시오.

3. Don't forget signing before you submit the form.

4. Julie's doctor told her to stop eating so many processed foods.

※ 다음 문장을 해석하고 구문분석하시오.

5. He remembered seeing a black figure passing by.

6. The main reason I stopped smoking was that all my friends had already stopped smoking.

---

1. 해설 regret은 과거의 일을 후회할 때는 동명사를 목적어로 취하고, 미래에 해야 할 일에 대한 유감을 나타낼 때는 to부정사를 목적어로 취한다. 문맥상 너의 조언을 듣지 않은 과거의 일이므로 not listening이 들어가야 한다.

   해석 나는 그 문제에 대해 너의 조언을 듣지 않은 것을 후회한다.

   정답 ②

2. 해설 remember는 과거의 일을 기억하는 경우에는 동명사, 미래에 할 일을 기억하는 경우에는 to부정사를 목적어로 취한다. 어제 파티가 과거의 일이므로 meeting이 들어가야 한다.

   해석 나의 이모는 어제 파티에서 그녀를 만난 것을 기억하지 못한다.

   정답 ③

3. 해설 forget은 과거의 일을 기억하는 경우에는 동명사를, 미래에 할 일을 기억하는 경우에는 to부정사를 목적어로 취한다. 양식을 제출하기 전으로 미래를 의미하므로 to부정사를 목적어로 취해야 한다.

   해석 서식을 제출하기 전에 서명하는 것을 잊지 마세요.

   정답 signing → to sign

4. 해설 stop 동사는 동명사를 목적어로 취하면 '~하는 것을 멈추다'라는 의미이고, to부정사가 오면 이는 '~하기 위해 멈추다'는 의미이다. 문맥상 먹는 것을 멈추라는 의미이므로 동명사 eating이 바르게 쓰였다.

   어휘 processed food 가공식품

   해석 Julie의 주치의는 그녀에게 가공식품을 너무 많이 먹는 것을 그만두라고 말했다.

   정답 틀린 부분 없음

5. 해석 그는 검은 물체가 지나가는 것을 본 것을 기억했다.

   분석 He(S) remembered(V) / seeing a black figure passing by(O).

6. 해석 내가 담배를 끊었던 주된 이유는 내 모든 친구들이 이미 담배를 끊었기 때문이었다.

   분석 The main reason(S) (I stopped smoking) was(V) // that all my friends(S') had already stopped(V') smoking(O').

# 출제유형 011

**POINT 07** 완전타동사와 함께 사용되는 주요 전치사

## 전치사구와 함께 자주 쓰이는 동사

**밑줄 친 부분에 들어갈 말로 가장 적절한 것은?**

> We have already informed them _____ the decision.

① in   ② with
③ to   ④ of

### 유형 분석 & 전략

짝꿍 전치사가 있는 완전타동사가 보이면 동그라미 후, 짝꿍 전치사에 밑줄하여 올바른지 확인합니다.

### 포인트 분석

We have already informed them of the decision.

### 1. '막다' 동사

'막다, 못하게 하다'를 의미하는 대부분의 동사들은 뒤에 목적어가 오고 그 목적어가 하지 못하게 하는 행위를 from -ing의 형태를 써서 표현한다.

[ prevent, prohibit, deter, discourage, keep, stop ] + A + from -ing   A가 ~하는 것을 막다

The rain **prevented** me <u>from</u> going to the party.
그 비는 내가 파티에 가는 것을 막았다. (비로 인해 나는 파티에 갈 수 없었다.)

### 2. '알리다' 동사

'알리다' 동사들은 반드시 '~에게'를 의미하는 대상을 목적어로 먼저 취한 후 그 전하는 내용을 of 전치사구나 that절의 형태로 붙여 쓴다.

[ inform 알리다  warn 경고하다  remind 상기시키다
convince 납득시키다  accuse 비난하다  assure 장담하다 ] + A + of B

He **informed** me <u>of</u> the news.   그는 내게 그 소식을 알려 주었다.
He **informed** me <u>that</u> she left the town.
그는 내게 그녀가 그 마을을 떠났다고 알려 주었다.

### 3. '제거하다' 동사

[ rob 강탈하다  deprive 빼앗다  rid 제거하다
free 없애다  relieve 없애 주다  strip 벗기다 ] + A + of B

The government **deprived** him <u>of</u> the right to vote.
정부는 그에게서 투표권을 박탈했다.

### 4. '칭찬하다, 비난하다, 공급하다, 교체하다' 동사

[ praise, thank blame, criticize, excuse ] + A + for B
[ provide, supply, equip, furnish, replace ] + A + with B

They **blamed** the group <u>for</u> the bribery.
그들은 그 단체가 뇌물을 받은 것을 비난했다.

The company **provided** refugees <u>with</u> commodities.
그 회사는 피난민들에게 생활필수품을 제공했다.

### 해설

**문법포인트** 완전타동사와 함께 사용되는 주요 전치사 inform은 뒤에 대상이 되는 목적어가 오고 알리는 내용은 of 전치사구 또는 that절로 써 주어야 한다. 따라서 빈칸에는 of가 들어가야 한다.

### 어휘

inform 알리다   decision 결정사항

### 해석

우리는 이미 그들에게 결정사항을 알렸다.

**정답** ④

---

### 구문분석 공식

**공식 10-2** '~에게'에 해당하는 목적어를 취하는 동사가 있다.

　　　　 S　　V　 O
It **reminds** me of the memories (of the past 24 years).

**해석** 그것은 내게 (지난 24년의) 기억을 상기시켜 준다.

**어휘** remind 상기시키다

# Exercises

※ 빈칸에 들어갈 알맞은 말을 고르시오.

1. He reminded me _____ attending the meeting.

   ① from      ② of
   ③ for      ④ with

2. The fear of getting hurt didn't prevent him _____ engaging in reckless behaviors.

   ① from      ② of
   ③ for      ④ with

※ 밑줄 친 부분이 틀리면 바르게 고치시오.

3. Her lack of a degree kept her advancing.

4. Will you accuse a lady to her face of smelling bad?

※ 다음 문장을 해석하고 구문분석하시오.

5. Readers wish to inform themselves of the pressing problems of the day.

6. Some people have accused the enforcers of supporting the stereotypes themselves.

---

1. **해설** remind(상기시키다), inform(알리다), warn(경고하다), convince(확신시키다) 등의 '알리다'의 의미를 가진 동사들은 반드시 '~에게'를 의미하는 '대상'을 목적어로 먼저 취한 후 전하는 내용을 「of+명사(구)」 또는 that절의 형태로 붙여 쓴다. 따라서 of가 들어가야 한다.
   **해석** 그는 내게 회의에 참석할 것을 상기시켰다.
   **정답** ②

2. **해설** 'A가 B하는 것을 막다'라는 의미는 「prevent A from B」의 구문으로 표현한다. A가 대상이고 막는 내용이 from 이후에 이어져야 하므로 from이 들어가야 한다.
   **어휘** engage in ~에 가담하다   reckless 무모한
   **해석** 다치는 것에 대한 두려움은 그가 무모한 행동에 가담하는 것을 막지 못했다.
   **정답** ①

3. **해설** 'A가 ~하는 것을 방해하다'라는 의미는 「keep A from -ing」 구문으로 표현할 수 있다. advancing을 from advancing으로 고쳐야 한다.
   **어휘** lack 없음   advance 출세하다
   **해석** 학위가 없는 것이 그녀가 출세하는 것을 방해했다.
   **정답** advancing → from advancing

4. **해설** 'A를 B라고 비난하다'라는 의미는 「accuse A of B」의 구문으로 나타낸다. A가 대상이고 비난하는 내용이 of 이후에 이어지므로 바르게 쓰였다.
   **어휘** to one's face ~의 면전에서
   **해석** 당신은 한 여인을 나쁜 냄새가 난다고 그녀의 면전에서 비난할 것인가?
   **정답** 틀린 부분 없음

5. **어휘** pressing 긴급한
   **해석** 독자들은 그날그날의 긴급한 문제에 대해 알고 싶어 한다.
   **분석** Readers(S) wish(V) to inform themselves(O) / of the pressing problems (of the day).

6. **어휘** enforcer 집행관   stereotype 고정관념
   **해석** 어떤 사람들은 집행관들이 스스로가 고정관념을 지지한다고 비난했다.
   **분석** Some people(S) have accused(V) the enforcers(O) / of supporting the stereotypes themselves.

# 출제유형 012

**POINT 08 수여동사**
## '~에게'라는 의미의 전치사 of와 쓰이는 동사

### 밑줄 친 부분 중 어법상 옳은 것은?

> Faced with the deadline, the team had no choice but ① working late to complete the project. The final report was ② thorough reviewed by management. **Much was required ③ of the team members, who had to balance speed with accuracy.** It was a challenging task, but their dedication ④ was ensured success.

#### 유형 분석 & 전략

요청/요구 동사에 동그라미, of에 밑줄 그어 '~에게'라는 의미인지 확인해 보세요.

#### 포인트 분석

> S
> Much was ⟨required⟩ ③ of the team members, who had
> ~에게
> to balance speed with accuracy.

#### 해설

③ **문법포인트** 수여동사 require는 '~에게'라는 대상이 필요할 경우 ask와 마찬가지로 of를 사용한다.
① **문법포인트** 준동사 주요 표현 「have no choice but to부정사」는 '~하지 않을 수 없다'의 의미이다. (working → to work)
② **문법포인트** 형용사 vs. 부사 의미상 '철저하게' 검토되었다는 의미로 thorough는 과거분사인 reviewed를 수식하는 부사 형태인 thoroughly로 고쳐야 한다. (thorough → thoroughly)
④ **문법포인트** 능동태 vs. 수동태 구분 ensure는 '~을 보장하다'라는 의미의 타동사이며 뒤에 목적어가 나왔으므로 수동태가 아니라 능동태로 써야 한다. (was ensured → ensured)

#### 어휘

complete 끝내다  review 검토하다  challenging 힘든
ensure 보장하다

#### 해석

마감 기일에 직면하여, 팀은 프로젝트를 끝내기 위해 늦게까지 일할 수밖에 없었다. 최종 보고서는 경영진에 의해 철저히 검토되었다. 많은 것들이 팀원들에게 요구되었는데, 이들은 업무 속도와 정확성의 균형을 유지해야만 했다. 이는 힘든 일이었지만 그들의 헌신은 성공을 보장했다.

정답 ③

---

### 1. 수여동사의 3형식 전환

수여동사는 간접목적어와 직접목적어를 취하는 4형식으로 사용되지만 '~에게'에 해당하는 간접목적어에 전치사를 붙여 직접목적어의 뒤에 위치시키는 3형식으로도 자주 사용된다.
이때 전치사 of를 사용하는 동사에 특히 주의해야 한다.

| 전치사 of를 사용하는 동사 | ask |
|---|---|

He <u>asked</u> a question <u>of</u> me.
그는 나에게 질문을 하나 했다.
Can I <u>ask</u> a favor <u>of</u> you?
당신에게 부탁 하나만 해도 될까요?

#### Check!

**대상을 취할 경우 of를 사용하는 동사**

inquire, require, request, demand, beg 등의 동사들은 '~에게'라는 대상을 나타낼 때 ask와 마찬가지로 전치사 of를 사용한다.

The project will <u>demand</u> exceptional skills <u>of</u> you.
그 프로젝트는 너에게 특별한 기술들을 요구한다.
The position will <u>require</u> a high level of creativity <u>of</u> him.
그 자리는 그에게 높은 수준의 창의성을 요구할 것이다.

# Exercises

※ 빈칸에 들어갈 알맞은 말을 고르시오.

1. He asked a question _____ me.

   ① from          ② of
   ③ in            ④ with

2. The system requires a strong sense of responsibility _____ everyone.

   ① to            ② of
   ③ from          ④ with

※ 밑줄 친 부분이 틀리면 바르게 고치시오.

3. The law demands righteousness <u>with us</u>.

4. The accomplishment of this work requires a lot of toil and patience <u>in you</u>.

※ 다음 문장을 해석하고 구문분석하시오.

5. Appropriate experience and academic background are required of applicants for the position.

6. The university students asked some advice of the experts in the field.

---

1. 해설 ask는 3형식으로 쓸 때 간접목적어에 해당하는 '~에게'라는 대상에 전치사 of를 붙인다.
   해석 그는 내게 질문을 하나 했다.
   정답 ②

2. 해설 요청이나 요구를 의미하는 동사인 ask, demand, require, request가 '~에게 …을 요구하다'를 표현할 때에는 「주어+동사+목적어(…을)+of 목적격(~에게)」의 구문을 쓴다.
   해석 그 시스템은 모두에게 강한 책임감을 요구한다.
   정답 ②

3. 해설 요청이나 요구를 의미하는 동사인 ask, demand, require, request가 '~에게 …을 요구하다'를 표현할 때에는 「주어+동사+목적어(…을)+of 목적격(~에게)」의 구문을 쓴다. 따라서 with us는 of us로 고쳐야 한다.
   어휘 righteousness 정직
   해석 법은 우리에게 정직을 요구한다.
   정답 with us → of us

4. 해설 요청이나 요구를 의미하는 동사인 ask, demand, require, request가 '~에게 …을 요구하다'를 표현할 때에는 「주어+동사+목적어(…을)+of 목적격(~에게)」의 구문을 쓴다. 따라서 in you는 of you로 고쳐야 한다.
   어휘 accomplishment 성취  toil 수고  patience 인내
   해석 이 일을 성취하는 것은 여러분에게 많은 수고와 인내를 요구한다.
   정답 in you → of you

5. 어휘 appropriate 적절한  applicant 지원자
   해석 적절한 경험과 학문적 배경이 그 자리 지원자들에게 요구된다.
   분석 Appropriate experience and academic background (S) are required (V) / of applicants for the position.

6. 해석 그 대학생들은 그 분야 전문가들에게 조언을 구했다.
   분석 The university students (S) asked (V) some advice (O) / of the experts in the field.

Chapter 01 문장 구조, 동사 유형

# 출제유형 013

**POINT 08 수여동사**

## take, cost

**밑줄 친 부분에 들어갈 말로 가장 적절한 것은?**

> It will take ＿＿＿＿＿＿ to the new team he was just assigned to.

① him several weeks adjust
② several weeks for him to adjust
③ to adjust him several weeks
④ several weeks him to adjust

### 유형 분석 & 전략

'~의 시간이 걸리다'를 의미하는 take 동사가 보이면 먼저 it 세모, to 세모로 가주어/진주어 구문을 확인합니다.
이어 take에 동그라미 후, 목적어에 밑줄 그어 4형식 또는 3형식이 올바르게 쓰였는지 확인합니다.

### 포인트 분석

It will take several weeks for him to adjust to the new team he was just assigned to.
가S / 목적어 / for+의미상 주어 / 진S

### 해설

**문법포인트** 수여동사 「It+take/cost+간접목적어(사람)+직접목적어(시간/노력/돈)+to부정사」 = 「It+take/cost+목적어(시간/노력/돈)+(for ~)+to부정사」는 '~가 …하는데 시간/노력/돈이 들다'를 의미한다. 이에 해당되는 ②가 정답이다.

**어휘** assign 배정하다  several 몇몇의  adjust 적응하다

**해석** 그가 방금 배정받은 새로운 팀에 적응하는 데는 몇 주가 걸릴 것이다.

**정답** ②

---

'~가 …하는 데 시간/돈이 걸리다/들다'는 의미는 아래의 표현으로 정리할 수 있다.

> It + take/cost + 간접목적어(~) + 직접목적어(시간/노력/돈) + to …
> = It + take/cost + 목적어(시간/노력/돈) + (for ~) + to …

It took me four months to master basic English grammar.
= It took four months (for me) to master basic English grammar.
내가 기본적인 영문법을 통달하는 데 4개월이 걸렸다.

It cost him 50,000 won to buy the T-shirt.
그가 티셔츠를 사는 데 5만 원이 들었다.
= It cost 50,000 won (for him) to buy the T-shirt.

### Check!

to부정사의 동작에 대한 행위자가 특정인이 아닌 일반인(사람들, 우리들)인 경우 간접목적어와 for ~는 생략할 수 있다.

It takes two hours to arrive at Daejeon by bus.
버스로 대전에 도착하는 데 두 시간이 걸린다.

---

### 구문분석 공식

**공식 11** take가 '~에게 …의 시간이 들게 하다'라는 의미로 사용될 수 있다.

S V IO DO
It took me 40 years / to write my first book.
　　40년이 걸렸다　　/　나의 첫 책을 쓰는 데에는.

**해석** 나의 첫 책을 쓰는 데 40년이 걸렸다.

S V O
It will cost about $ 50 billion / to help the developing world bring the pandemic to an end.
대략 500억 달러의 비용이 들 것이다 / 개발도상국이 전 세계적 유행병을 끝내도록 도움을 주는 데에는.

**해석** 개발도상국이 전 세계적 유행병을 끝내도록 도움을 주는 데에는 대략 500억 달러의 비용이 들 것이다.

**어휘** billion 십억  developing world 개발도상국  bring ~ to an end ~을 끝내다  pandemic 전 세계적 유행병

# Exercises

※ 빈칸에 들어갈 알맞은 말을 고르시오.

1. It takes about two hours _____ the mountain.

   ① climb            ② climbing
   ③ to climbing      ④ to climb

2. It cost 50,000 won _____ the T-shirt.

   ① of him to buy    ② for him to buy
   ③ his buying       ④ of his buying

※ 밑줄 친 부분이 틀리면 바르게 고치시오.

3. It took him hours <u>to finding</u> out where the counterfeit money came from.

4. It will take at least a month, maybe longer <u>completing</u> the project.

※ 다음 문장을 해석하고 구문분석하시오.

5. It took me a very long time to get over the shock of her death.

6. Experts estimate that aggressive dogs cost society one billion dollars a year.

---

1. **해설** 문맥상 '~하는 데 ~의 시간이 걸리다'는 의미이므로 「it+take+시간+(for+사람)+to부정사」의 구문을 써서 표현해야 한다.
   **해석** 그 산을 오르는 데에는 대략 두 시간이 걸린다.
   **정답** ④

2. **해설** 문맥상 '~하는 데 ~가 들다'는 의미이므로 「it+cost+시간+(for+사람)+to부정사」의 구문을 써서 표현해야 한다.
   **해석** 그가 그 티셔츠를 사는 데 5만 원이 들었다.
   **정답** ②

3. **해설** 문맥상 '~하는 데 ~의 시간이 걸리다'는 의미이므로 「it+take+시간+(for+사람)+to부정사」의 구문을 써서 표현해야 한다. to부정사가 와야 하므로 finding을 find로 고쳐야 한다.
   **어휘** counterfeit money 위조지폐
   **해석** 그가 위조지폐의 출처를 알아내는 데에 오랜 시간이 걸렸다.
   **정답** to finding → to find

4. **해설** 문맥상 '~하는 데 ~의 시간이 걸리다'는 의미이므로 「it+take+시간+(for+사람)+to부정사」의 구문을 써서 표현해야 한다. 따라서 completing은 to complete로 고쳐야 한다.
   **해석** 그 프로젝트를 완성하는 데 최소 한 달, 어쩌면 더 긴 시간이 걸릴 것이다.
   **정답** completing → to complete

5. **어휘** get over 극복하다
   **해석** 그녀의 죽음이라는 충격을 극복하는 데 나는 매우 오랜 시간이 걸렸다.
   **분석** It took me a very long time / to get over the shock of her death.
   (가S V IO DO 진S)

6. **해석** 전문가들은 공격적인 개가 사회에 일 년에 10억 달러의 비용이 들게 한다고 추산한다.
   **분석** Experts estimate // that aggressive dogs cost society one billion dollars a year.
   (S V S' V' IO' DO')

# 출제유형 014

**POINT 09 불완전타동사의 목적격보어**

## 불완전타동사의 주요 목적격보어

---

**다음 글의 밑줄 친 부분 중 어법상 옳지 않은 것은?**

> People not ① accustomed to high altitudes ② would suffer from mountain sickness in the Himalayas. The lack of oxygen in the air would make them ③ dizzy and, perhaps, ④ unconsciously.

### 유형 분석 & 전략

주요 불완전타동사가 보이면 동그라미 표시하고, 목적격보어에 밑줄 그어 그 형태를 확인합니다.
특히 목적격보어 자리에 형용사가 아니라 부사라면 X 표시하고, 형용사로 고쳐야 합니다.
목적격보어 자리에 전치사 as와 쓰이는 동사들에도 주의해야 합니다.

### 포인트 분석

> The lack of oxygen in the air would ⓜake them dizzy and, perhaps, ④ unconsciously.
> → unconscious

### 해설

④ **문법포인트** 불완전타동사의 목적격보어 / 등위접속사의 병렬 구조
make가 목적어 them을 취하고 두 개의 목적격보어를 등위접속사인 and로 연결하고 있다. 부사는 목적격보어가 될 수 없으므로 형용사인 unconscious로 고쳐야 한다. (unconsciously → unconscious)

① **문법포인트** 현재분사 vs. 과거분사 타동사 accustom의 뒤에 목적어가 없고 의미상 수식을 받는 명사 People과 수동의 관계이므로 과거분사가 바르게 쓰였다.

② **문법포인트** 조동사의 선택 '~할 것이다'라는 미래에 대한 추측을 의미하는 조동사 would와 뒤에 본동사인 동사원형이 올바르게 쓰였다.

③ **문법포인트** 불완전타동사의 목적격보어 make의 목적격보어로 형용사인 dizzy가 바르게 쓰였다.

### 어휘

accustom 익숙하게 하다   altitude 고도   mountain sickness 고산병
dizzy 어지러운   unconsciously 무의식적으로

### 해석

높은 고도에 익숙하지 않은 사람들은 히말라야에서 고산병을 앓을 수 있다. 공기 중 산소 부족은 그들을 어지럽게 하고 아마 의식을 잃게 할지도 모른다.

**정답** ④

---

### 1. 명사 또는 형용사 목적격보어

목적어의 직업이나 신분 등을 설명할 때는 목적격보어로 명사가 사용되고 목적어의 성질이나 상태를 설명할 때는 목적격보어로 형용사가 사용된다.

They **named** the islands "Canario."
그들은 그 섬들을 "Canario"라 명명했다.

▶ 명사 목적격보어를 주로 취하는 동사로는 call, name, elect, choose, declare 등이 있다.

The boy **made** his mother **happy**.
그 소년은 엄마를 행복하게 했다.

### 2. 전치사구 목적격보어

> ┌ regard / look upon ┐
> └ refer to / think of ┘ + 목적어 + as + 목적격보어
> 　　　　　take　　 + 목적어 + for + 목적격보어

We regard the problem as serious.
우리는 그 문제를 심각하게 여긴다.

Historians refer to this period as the 'Golden Age'.
역사학자들은 이 시기를 '황금시대'라고 부른다.

We took her passing the test for granted.
우리는 그녀가 시험에 합격한 것을 당연한 것으로 여겼다.

---

### 구문분석 공식

**공식 12** 목적격보어는 목적어에 대한 부연 설명이다.

> S　　　　　　　　V　　　O
> The French sociologist called this sense of disorientation
> 　　　　　　　　　　　　OC
> anomie.

**해석** 프랑스 사회학자는 이러한 방향 상실감을 아노미라고 불렀다.

**어휘** sociologist 사회학자   disorientation 방향 상실
anomie 사회적 무질서

# Exercises

※ 빈칸에 들어갈 알맞은 말을 고르시오.

1. Outgroup members regard similarity _____ a key to friendship.

   ① of　　　　② for
   ③ as　　　　④ so

2. While many people _____ Leonardo da Vinci's most famous work, some argue that *the Last Supper* holds greater significance.

   ① refer *the Mona Lisa*
   ② refer *the Mona Lisa* as
   ③ refer to *the Mona Lisa*
   ④ refer to *the Mona Lisa* as

※ 밑줄 친 부분이 틀리면 바르게 고치시오.

3. Scientists warn us we cannot take our forest <u>for granted</u>.

4. A few weeks earlier I had awoken just after dawn to find the bed beside me <u>empty</u>.

※ 다음 문장을 해석하고 구문분석하시오.

5. Strong bonds make deviant behavior a less attractive choice.

6. UN scientists call the emptying of the Aral Sea the greatest environmental disaster of the 20th century.

---

1. **해설** 동사 regard의 목적격보어로 「전치사+목적격보어」가 올 때 전치사로 as가 쓰이므로 ③이 정답이다.
   **해석** 외집단의 구성원들은 유사성을 우정에 있어 핵심으로 여긴다.
   **정답** ③

2. **해설** refer to는 as 전치사구를 목적격보어로 취하는 불완전타동사로 「refer to A as B」의 형태로 사용하여 'A를 B로 부르다'라는 의미를 나타낸다. 따라서 정답은 ④ refer to *the Mona Lisa* as이다.
   **어휘** argue 주장하다　significance 중요성
   **해석** 많은 사람들이 <모나리자>를 레오나르도 다빈치의 가장 유명한 작품으로 부르지만, 일부는 <최후의 만찬>이 더 높은 중요성을 가진다고 주장한다.
   **정답** ④

3. **해설** take 동사의 목적어 our forest와 목적격보어 for granted가 바르게 쓰였다. 「take A for granted」는 'A를 당연하게 여기다'를 의미한다.
   **해석** 과학자들은 우리가 우리의 숲을 당연시할 수 없다고 우리에게 경고한다.
   **정답** 틀린 부분 없음

4. **해설** find의 목적격보어로 형용사 empty가 바르게 쓰였다.
   **해석** 몇 주 전, 나는 막 동이 튼 후 깨어나서 내 옆의 침대가 비어 있는 것을 발견했다.
   **정답** 틀린 부분 없음

5. **어휘** bond 결속　deviant 일탈적인
   **해석** 강력한 결속은 일탈 행동을 덜 매력적인 선택으로 만든다.
   **분석** Strong bonds(S) make(V) deviant behavior(O) a less attractive choice(OC).

6. **해석** UN의 과학자들은 아랄 해의 고갈을 20세기의 가장 큰 환경 재앙이라고 부른다.
   **분석** UN scientists(S) call(V) the emptying of the Aral Sea(O) / the greatest environmental disaster (of the 20th century)(OC).

Chapter 01 문장 구조, 동사 유형

# 출제유형 015

**POINT 10 불완전타동사와 동작의 목적격보어**

## to부정사를 목적격보어로 취하는 불완전타동사

**밑줄 친 부분 중 어법상 옳지 않은 것은?**

> Most European countries failed ① to welcome Jewish refugees ② after the war, which caused ③ many Jewish people ④ immigrate elsewhere.

### 유형 분석 & 전략

주요 불완전타동사에 동그라미, 목적어와 목적격보어에 밑줄 긋고, 이 둘의 관계(능동/수동)에 따라 목적격보어의 형태가 올바른지 확인해야 합니다. 사역·지각동사를 제외한 대부분의 동사는 목적격보어로 to부정사를 취한다는 것도 암기의 부담을 줄이는 데 도움이 될 거예요.

### 포인트 분석

> Most European countries failed to welcome Jewish refugees after the war, which ⟨caused⟩ many Jewish people ④ immigrate elsewhere.
> → to immigrate

### 해설

④ **문법포인트** 불완전타동사와 동작의 목적격보어 타동사 cause는 목적어 뒤에 목적격보어를 취할 때 to부정사를 취한다. 따라서 목적어 Jewish people의 뒤에 위치한 목적격보어 immigrate를 to immigrate로 고쳐야 한다. (immigrate → to immigrate)

① **문법포인트** 완전타동사와 동작의 목적어 타동사 fail은 to부정사를 목적어로 취하므로 to welcome이 바르게 쓰였다.

② **문법포인트** 전치사의 목적어 전쟁 이후라는 뜻으로 전치사 after가, 목적어로 명사 the war가 모두 바르게 쓰였다.

③ **문법포인트** 명사의 이해 복수 명사인 people을 '많은'을 의미하는 many가 올바르게 수식하고 있다.

### 어휘

refugee 난민  immigrate 이주하다

### 해석

대부분의 유럽 국가들은 전쟁 후 유대인 난민들을 받아들이지 않았고, 그것은 많은 유대인들이 다른 곳으로 이주하게 했다.

**정답** ④

---

### 1. 목적어와 목적격보어가 능동의 관계일 때

불완전타동사 중 다음과 같은 동사는 목적어와 목적격보어의 관계가 능동일 때 목적격보어로 반드시 to부정사를 취한다.

| 사역동사 일부 | get, forbid |
|---|---|
| 희망동사 | want, expect, wish |
| 요구·제안·명령동사 | ask, require, recommend, advise, order, force, urge, impel, compel |
| 유도동사 | cause, allow, permit, enable, encourage, persuade, motivate, stimulate, lead, teach, tell |

I got him to repair my watch.
나는 그로 하여금 내 시계를 고치게 했다.

They forbade the members to receive the gifts.
그들은 구성원들이 선물을 받는 것을 금지했다.

### 2. 목적어와 목적격보어가 수동의 관계일 때

목적어와 목적격보어의 관계가 수동일 경우에는 목적격보어는 반드시 수동의 의미를 갖는 과거분사를 쓴다.

Get the bed sheets changed.
침대보를 바꿔라

그러나 일부 동사(주로 미래의 의미를 갖는 동사)는 목적어와 목적격보어의 관계가 수동일 때 목적격보어로 과거분사뿐만 아니라 「to be + 과거분사」를 취할 수 있다. 즉 두 가지 형태가 모두 가능하다.

I want this work (to be) finished.
나는 이 일을 끝내기를 원한다.

The leader ordered his chair (to be) prepared before the meal.
그 지도자는 자신의 의자가 식사 전에 준비되도록 명령했다.

* 동사 get과 cause는 목적격보어 to be p.p.를 쓰지 못한다.

#### Check!

**hope 동사**

동사 hope는 5형식(주어+hope+목적어+목적격보어(to부정사))으로 사용할 수 없다.

I hope her to win the contest. (×)
I hope that she wins the contest.
나는 그녀가 경기에서 이기길 바라.

### 구문분석 공식

**공식 12-1** 목적격보어로 준동사가 오면 '주어는 동사했다/목적어가 목적격보어하는 것을'이라고 해석하면 된다.

　　　　　S　　　　　　V　　　O　　OC
This support might help them to survive.

**해석** 이 지원은 그들이 살아남도록 도울지도 모른다.

# Exercises

※ 빈칸에 들어갈 알맞은 말을 고르시오.

1. He ordered the room _____ by eight.

   ① to clean           ② to be cleaned
   ③ to be cleaning     ④ cleaning

2. Double-jointed elbows allow a swimmer _____ more downward thrust in the water.

   ① create       ② creating
   ③ to create    ④ to be created

※ 밑줄 친 부분이 틀리면 바르게 고치시오.

3. He had the students phone strangers and ask them <u>donating</u> money.

4. She got her husband <u>walk</u> their little puppy every day after work.

※ 다음 문장을 해석하고 구문분석하시오.

5. This allows it to change the pattern and color of its appearance.

6. Aerosol particles can indirectly influence climate change by causing additional cirrus clouds to form.

---

1. [해설] order는 목적어와 목적격보어의 관계가 능동일 때 목적격보어로 to부정사를 취한다. 반면 그 관계가 수동일 때 목적격보어로 과거분사(p.p.)와 to부정사의 수동형을 취할 수 있다. 여기서 room은 청소되는 수동의 의미이므로 to be cleaned가 들어가야 한다.

   [해석] 그는 8시까지 그 방을 청소하라고 명령했다.

   [정답] ②

2. [해설] allow는 to부정사를 목적격보어로 취하는 동사이므로 to create가 들어가야 한다.

   [어휘] double-jointed 이중 관절이 있는   thrust 추진력

   [해석] 이중 관절이 있는 팔꿈치는 수영하는 사람이 물속에서 좀 더 아래쪽으로 추진력을 만들 수 있게 한다.

   [정답] ③

3. [해설] ask는 to부정사를 목적격보어로 취하는 불완전타동사이므로 donating은 to donate로 고쳐야 한다.

   [해석] 그는 학생들에게 모르는 사람들에게 전화를 걸어 성금을 기부할 것을 부탁하도록 시켰다.

   [정답] donating → to donate

4. [해설] get은 사역동사의 일부로 목적어와 목적격보어의 관계가 능동일 때 목적격보어로 to부정사를 취한다.

   [해석] 그녀는 남편이 매일 퇴근 후에 그들의 작은 강아지를 산책시키게 했다.

   [정답] walk → to walk

5. [해석] 이것은 그것의 겉모습 모양과 색을 바꿀 수 있도록 해 준다.

   [분석] This(S) allows(V) it(O) to change(OC) the pattern and color of its appearance.

6. [어휘] aerosol 에어로졸, 연무제   particle 입자
   cirrus cloud 권운

   [해석] 에어로졸 입자가 추가적인 권운을 형성하여 기후 변화에 간접적으로 영향을 줄 수 있다.

   [분석] Aerosol particles(S) can indirectly influence(V) climate change(O) / by causing additional cirrus clouds to form.

Chapter 01 문장 구조, 동사 유형   63

# 출제유형 016

**POINT 10** 불완전타동사와 동작의 목적격보어

## 사역/지각동사

### 밑줄 친 부분 중 어법상 옳지 않은 것은?

① A number of people know what it is like ② to have their blood pressure ③ take, but few understand the meaning of the numbers ④ used to record blood pressure.

#### 유형 분석 & 전략

사역·지각동사에 동그라미, 목적격보어에 밑줄 긋고, 목적어와 목적격보어의 관계(능동/수동)에 따라 목적격보어의 형태가 올바른지 확인해야 합니다.

#### 포인트 분석

A number of people know what it is like to (have) their blood pressure ③ take,
→ taken

#### 해설

③ **문법포인트** 불완전타동사와 동작의 목적격보어 사역동사 have의 목적어인 blood pressure와 목적격보어가 의미상 수동의 관계가 되어야 하므로 take를 taken으로 고쳐야 한다. (take → taken)

① **문법포인트** 명사의 이해 셀 수 있는 명사의 복수형인 people은 a number of, many, a few 등의 수 형용사의 수식을 받을 수 있다.

② **문법포인트** to부정사의 역할 to have가 명사 역할을 하며 진주어로, it은 가주어로 바르게 사용되었다. 참고로 what은 전치사 like의 목적어이다.

④ **문법포인트** 조동사의 선택 used는 the meaning of the numbers를 뒤에서 수식하는 과거분사이고 to record는 to부정사의 부사적 용법으로 목적을 의미한다.

#### 어휘

blood pressure 혈압  record 기록하다

#### 해석

수많은 사람들은 자신의 혈압이 측정된다는 것이 어떠한 일인지 알고 있지만, 혈압을 기록하기 위해 사용된 숫자의 의미를 이해하는 사람은 거의 없다.

**정답** ③

### 1. 사역동사의 목적격보어

사역동사는 '목적어가 ~하도록 시키다'는 의미를 가진다. 사역동사는 목적어 다음에 목적격보어로 동사원형이 나오며, 목적격보어로 to부정사를 쓰지 않는 것에 주의해야 한다.

> [ make / have / let ] + 목적어 + 목적격보어 (동사원형)

His boss **had** him **do** work this weekend.
그의 상사는 그가 이번 주말에 일을 하도록 시켰다.

### 2. 지각동사의 목적격보어

지각동사는 '보다, 듣다' 등의 지각 능력과 관계있는 동사들이다. 지각동사는 목적어 이후에 목적격보어로 동사원형과 현재분사가 올 수 있다.

> [ see / watch / observe / notice
>   hear / listen to / feel ] + 목적어 + 목적격보어
>                              (동사원형 or 현재분사)

I could **hear** my heart **beat**. 나는 내 심장이 뛰고 있는 소리를 들을 수 있었다.
= I could **hear** my heart **beating**. (목적격보어의 진행성 강조)

### 3. 목적어와 목적격보어가 수동의 관계일 때

> 수동 관계
> 사역동사/지각동사 + 목적어 + 목적격보어(과거분사)

I **had** my watch **repaired**. 나는 내 시계를 고치게 했다.

#### Check!

사역동사 let의 경우 목적어와 목적격보어의 관계가 수동일 때 목적격보어로 과거분사가 아닌 「be + 과거분사」의 형태를 취한다.
I **let** my watch **be repaired**.
I let my watch repaired. (×)

#### 쌤's TIP

help는 준사역동사로 불리며 목적격보어로 to부정사 또는 원형부정사를 모두 쓸 수 있다.
I **helped** him **to finish**(= **finish**) the task.
나는 그가 그 임무를 마치도록 도왔다.

### 구문분석 공식

**공식 12-2** 지각동사, 사역동사 뒤의 '목적어-목적격보어'는 '주체-동작'의 관계이다.

> S   V        O     OC
> We noticed them come in.

**해석** 우리는 그들이 들어오는 것을 알아챘다.

# Exercises

※ 빈칸에 들어갈 알맞은 말을 고르시오.

1. As I went out for work, I saw a family _____ in upstairs.

   ① move        ② moved
   ③ to move     ④ to be moved

2. A woman with the tip of a pencil stuck in her left hand has finally had it _____.

   ① remove      ② removing
   ③ to remove   ④ removed

※ 밑줄 친 부분이 틀리면 바르게 고치시오.

3. Don't let him <u>informed</u> of his failure in the exam until tomorrow.

4. This accentuates the shadows at the corners of her mouth, making the smile <u>seems</u> broader.

※ 다음 문장을 해석하고 구문분석하시오.

5. Did you notice the young man take the jewel and run away?

6. Researchers had part of the group run, climb stairs, or cycle at moderate intensity.

---

1. (해설) 지각동사의 목적격보어는 목적어와의 관계가 능동이면 동사원형이나 현재분사로 써야 한다. 목적어인 a family가 이사를 하는 능동의 관계이므로 move 또는 moving이 들어가야 하므로 ①이 정답이다.
   (해석) 내가 출근할 때 한 가족이 위층에 이사 오는 것을 보았다.
   (정답) ①

2. (해설) 사역동사의 목적어와 목적격보어의 관계가 수동이면 목적격보어에 과거분사를 써야 한다. 사역동사 had 뒤의 it은 앞의 the tip of a pencil 즉 연필심을 가리킨다. 연필심이 '제거되었다'는 수동의 의미이므로 removed가 들어가야 한다.
   (해석) 왼손에 연필심이 박힌 한 여성이 마침내 그것을 제거했다.
   (정답) ④

3. (해설) 사역동사 let은 목적어와 목적격보어의 관계가 수동일 때 목적격보어는 「be p.p.」로 써야 하므로 informed는 be informed로 써야 한다.
   (해석) 내일까지 그가 시험에서 낙제했다는 사실을 알리지 마라.
   (정답) informed → be informed

4. (해설) seems는 사역동사 make의 목적격보어이므로 원형부정사 즉 동사원형 seem이 와야 한다.
   (어휘) accentuate 강조하다   broad (미소가) 환한, 가득한
   (해석) 이것은 그녀 입의 양 끝의 그림자를 강조하여, 그 미소를 더 환하게 만든다.
   (정답) seems → seem

5. (해석) 그 젊은이가 보석을 가지고 도망치는 것을 알아챘나요?
   (분석) Did(조동사) you(S) notice(V) the young man(O) take(OC1) the jewel / and run(OC2) away?

6. (어휘) moderate 적당한, 중간의   intensity 강도
   (해석) 연구자들은 그 집단의 일부를 적당한 강도로 달리고, 계단을 오르고, 자전거를 타게 했다.
   (분석) Researchers(S) had(V) part of the group(O) run(OC1), climb(OC2) stairs, or cycle(OC3) / at moderate intensity.

Chapter 01 문장 구조, 동사 유형   65

## 출제유형 017

**POINT 10 불완전타동사와 동작의 목적격보어**

# 분사를 목적격보어로 취하는 불완전타동사

### 빈칸에 들어갈 말로 알맞은 것은?

> Since this room is air-conditioned, we must keep _____.

① close the windows  ② closed the windows
③ the windows closed  ④ the windows closing

#### 유형 분석 & 전략

주요 불완전타동사 중 유지동사(keep, leave)가 보이면 동그라미, 목적격보어에 밑줄 긋고, 이 둘의 관계(능동/수동)에 따라 목적격보어의 형태가 올바른지 확인해야 합니다.

#### 포인트 분석

we must keep the windows closed.
(O) (OC)
수동 관계 → 과거분사

---

불완전타동사 중 다음과 같은 동사는 목적격보어로 형용사나 분사를 자주 취한다.
목적어와 목적격보어가 능동의 관계일 경우 현재분사를, 수동의 관계일 경우 과거분사를 목적격보어로 취하는 것에 유의하자.

| 유지동사 | leave, keep |
| 상상동사 | imagine |
| 발견동사 | catch, find, discover |

능동 관계 + 목적어 + 목적격보어 (현재분사)
목적어 + 목적격보어 (과거분사) 수동 관계

She **kept** him waiting outside. (능동 관계 / 현재분사)
그녀는 그를 밖에서 계속 기다리게 했다.

She **imagined** herself diving into the sea. (능동 관계 / 현재분사)
그녀는 자신이 바다로 다이빙하는 것을 상상했다.

We have to **keep** the main door closed. (수동 관계 / 과거분사)
우리는 현관문을 닫아두어야만 한다.

They **left** the land undeveloped. (수동 관계 / 과거분사)
그들은 그 땅을 개발되지 않은 채로 두었다.

---

**해설**

**문법포인트** 불완전타동사와 동작의 목적격보어 keep 동사는 분사를 목적격보어로 취하는 동사로 목적어와 목적격보어의 관계가 수동이면 과거분사를 목적격보어로 쓴다. 창문이 닫히는 수동의 의미이므로 빈칸에는 the windows closed가 들어가야 한다.

**어휘**

air-condition 에어컨으로 온도를 조절하다

**해석**

이 방은 에어컨으로 온도 조절이 되므로, 우리는 창문들을 닫아두어야 한다.

**정답** ③

# Exercises

※ 빈칸에 들어갈 알맞은 말을 고르시오.

1. I am going to keep my car and get it _____.

   ① repair   ② repairing
   ③ repaired   ④ to repair

2. The desire to make money may not be enough to _____ you going through the difficult early period.

   ① want   ② drive
   ③ force   ④ keep

※ 밑줄 친 부분이 틀리면 바르게 고치시오.

3. He imagined a global government keeping the world security.

4. They have been modified to keep their seeds attached for the purpose of convenient and efficient harvesting.

※ 다음 문장을 해석하고 구문분석하시오.

5. In the basement, the police discovered them hiding what they had stolen from the store.

6. Experts also recommend never leaving children or the elderly unattended.

---

1. **해설** get은 준사역동사로 목적어와 목적격보어의 관계가 능동이면 to부정사를, 수동이면 과거분사를 목적격보어로 취한다. my car를 뜻하는 목적어 it이 수리된다는 수동의 의미이므로 빈칸에는 repaired가 옳다.
   **해석** 내 차를 계속 두고 수리하려고 해요.
   **정답** ③

2. **해설** 문법상 「목적어＋분사 목적격보어」가 있고, 의미도 '초기 어려운 시절을 계속 견디게 하는'이 적합하므로 ④가 정답이다. 목적격보어가 going이라서 to부정사를 목적격보어로 취하는 나머지 동사들은 답이 될 수 없다.
   **어휘** keep 사람 going (기다리는 것을 얻을 때까지) ~가 견디게 하다
   **해석** 돈을 벌려는 욕구는 당신이 초기의 어려운 시기를 견뎌 나가도록 견디게 하는 데는 충분하지 않을 수 있다.
   **정답** ④

3. **해설** imagine은 분사를 목적격보어로 취하는 동사이고 목적어인 a global government와 목적격보어인 keeping의 관계가 능동이므로 keeping이 바르게 쓰였다.
   **어휘** security 안전
   **해석** 그는 세계의 안전을 지키는 지구적 정부를 상상했다.
   **정답** 틀린 부분 없음

4. **해설** keep은 분사를 목적격보어로 취할 수 있다. 목적어인 their seeds가 붙어있게 되는 것이므로 수동의 의미이기 때문에 과거분사 attached가 바르게 쓰였다.
   **어휘** modify 변형하다   attach 붙이다   harvest 수확하다
   **해석** 그것들은 편리하고 효율적인 수확이라는 목적을 위해 그것들의 씨앗이 계속 붙어있도록 변형되어 왔다.
   **정답** 틀린 부분 없음

5. **어휘** basement 지하실   hide 숨기다
   **해석** 지하실에서 경찰은 그들이 가게에서 훔친 것들을 감추고 있는 것을 발견했다.
   **분석** In the basement, / the police(S) discovered(V) them(O) hiding(OC) [what they had stolen from the store].

6. **어휘** unattended 방치된
   **해석** 전문가들은 또한 어린이와 노인들을 방치하지 말라고 권고한다.
   **분석** Experts(S) also recommend(V) never leaving children or the elderly unattended(O).

# 출제유형 018

**POINT 11 혼동하기 쉬운 동사의 불규칙 변화**

## 자동사, 타동사를 구분해야 하는 동사

### 밑줄 친 부분 중 어법상 옳지 않은 것은?

> The company has launched several new products, the success ① of which will be crucial for this quarter's revenue. Exploring these new markets ② is worth ③ investing time and resources into. This strategy ④ has risen expectations among investors for significant growth.

#### 유형 분석 & 전략

lie/lay, rise/raise가 보이면 밑줄 긋고, 목적어의 유무에 따라 자동사/타동사가 올바른지, 시제에 따라 동사의 형태가 올바른지 확인해야 합니다.

#### 포인트 분석

This strategy ④ has risen expectations among investors for significant growth.
→ has raised

#### 해설

④ **문법포인트** 혼동하기 쉬운 동사의 불규칙 변화 rise는 자동사이므로 목적어를 가질 수 없다. 뒤에 목적어 expectations가 있으므로 타동사인 raise의 현재완료형으로 고쳐야 한다. (has risen → has raised)

① **문법포인트** 관계대명사의 선택 products를 선행사로 하여 소유격 관계대명사 of which가 사용되었다. the success of which는 whose success 또는 of which the success로 고칠 수 있다.

② **문법포인트** 주어 - 동사 수 일치 동명사인 Exploring이 주어이며, 동명사 주어는 단수로 취급한다. 단수 주어에 맞는 동사 is가 바르게 쓰였다.

③ **문법포인트** 준동사 주요 표현 「be worth -ing」는 '~할 가치가 있다'는 의미이다. 투자할 가치가 있다는 의미로 investing이 바른 형태로 사용되었다.

#### 어휘

launch 출시하다  crucial 중요한  quarter 분기  revenue 수익
explore 탐색하다  be worth -ing ~할 가치가 있다  resource 자원
strategy 전략  investor 투자자  significant 상당한

#### 해석

회사는 여러 신제품을 출시했으며, 이들의 성공은 이번 분기 수익에 매우 중요할 것이다. 이 새로운 시장을 탐색하는 것은 시간과 자원을 투자할 가치가 있다. 이 전략은 투자자들 사이에 상당한 성장에 대한 기대를 높였다.

**정답** ④

### 1. 자동사, 타동사를 구분해야 하는 동사

다음의 동사는 생김새가 비슷하지만 자동사, 타동사를 구분해 써야 한다.

| 원형 | 의미 | 과거형 | 과거분사형 | 현재분사형 |
|---|---|---|---|---|
| lie | 눕다(자동사) | lay | lain | lying |
| lay | 눕히다, 놓다(타동사) | laid | laid | laying |
| rise | 오르다, 일어나다(자동사) | rose | risen | rising |
| raise | 올리다, 들다(타동사) | raised | raised | raising |
| arise | 발생하다(자동사) | arose | arisen | arising |
| arouse | 발생시키다(타동사) | aroused | aroused | arousing |
| sit | 앉다(자동사) | sat | sat | sitting |
| seat | 앉히다(타동사) | seated | seated | seating |

He **lay** down on the sofa and took a nap.
그는 소파 위에 누워서 낮잠을 잤다.

He **laid** his book on the table and left the room.
그는 테이블 위에 책을 올려놓고 방을 나갔다.

He **rises** at seven every morning.
그는 매일 아침 일곱 시에 일어난다.

When you have a question, you can **raise** your hand.
질문이 있으면, 손을 들어 주세요.

### 2. 의미를 구분해야 하는 동사

다음의 동사는 생김새가 유사하므로 의미를 잘 구분해서 써야 한다.

| 원형 | 의미 | 과거형 | 과거분사형 | 현재분사형 |
|---|---|---|---|---|
| find | 발견하다 | found | found | finding |
| found | 설립하다 | founded | founded | founding |
| fall | 떨어지다 | fell | fallen | falling |
| fell | 넘어뜨리다, 쓰러뜨리다 | felled | felled | felling |

The university was **founded** in 1945.
그 대학은 1945년에 설립되었다.

A lot of trees in the Amazon forest have been **felled**.
아마존 산림의 많은 나무들이 베어지고 있다.

# Exercises

※ 빈칸에 들어갈 알맞은 말을 고르시오.

1. Susan likes to _____ for a short nap every afternoon.

   ① lie down　　② lay down
   ③ laid down　　④ lying down

2. He said he would _____ my salary because I worked hard.

   ① rise　　② raise
   ③ risen　　④ raised

※ 밑줄 친 부분이 틀리면 바르게 고치시오.

3. They spent a night in a miserable inn at the port, sleeping on mattresses lay out on the floor.

4. The global tech giant was founded in a small garage but has now become a leader in the industry.

※ 다음 문장을 해석하고 구문분석하시오.

5. Salmons lay their eggs and die in freshwater although they live in salt water.

6. "The poor man who finds the shoes laid on the track," he replied, "will now have a pair he can use."

---

1. **해설** 빈칸 뒤에 부사구인 「전치사+명사」구만 있고 목적어가 없으므로 자동사인 lie down이 들어가야 한다. 이때 down은 전치사가 아니라 부사이다.
   **해석** Susan은 매일 오후에 누워서 잠시 낮잠을 자는 것을 좋아한다.
   **정답** ①

2. **해설** rise는 자동사이므로 목적어를 가질 수 없다. 뒤에 목적어 my salary가 있으므로 타동사인 raise가 들어가야 한다.
   **해석** 그는 내가 일을 열심히 하기 때문에 월급을 올려 주겠다고 말했다.
   **정답** ②

3. **해설** lay는 앞선 명사인 mattresses를 뒤에서 수식하는 분사구를 구성하는 단어이어야 한다. 바닥에 '놓여진' 매트리스라는 의미이므로 '놓다'를 의미하는 타동사인 lay의 과거분사인 laid로 고쳐야 한다. 매트리스가 바닥에 있는 상태를 의미할 때는 자동사 lie의 현재분사인 lying으로 고칠 수 있다.
   **어휘** miserable 형편없는　inn 여관　port 항구
   **해석** 그들은 방바닥에 놓인 매트리스에서 잠을 자며 항구의 형편없는 여관에서 하룻밤을 보냈다.
   **정답** lay → laid/lying

4. **해설** found는 '설립하다'라는 의미의 타동사인데, 수동태로 전환되면서 be동사 뒤에 과거분사 founded가 바르게 쓰였다.
   **어휘** tech giant 기술 대기업　found 설립하다　garage 차고　industry 업계
   **해석** 그 글로벌 기술 대기업은 작은 차고에서 설립되었지만 이제는 업계의 선두 주자가 되었다.
   **정답** 틀린 부분 없음

5. **해설** 연어는 바닷물에서 살지만 민물에서 알을 낳고 죽는다.
   **분석** Salmons(S) lay(V1) their eggs(O1) // and die(V2) in freshwater // although they(S') live(V') in salt water.

6. **어휘** track 선로
   **해석** 그는 "선로 위에 놓여있던 신발을 발견한 가난한 사람은 이제 그가 사용할 수 있는 신발 한 켤레를 가질 거야."라고 대답했다.
   **분석** "The poor man (who(S') finds(V) the shoes laid on the track)," // he(S) replied(V), "will now have(V') a pair(O') (he can use)."

Chapter 01 문장 구조, 동사 유형　69

# Chapter 02
# 동사의 형태

| POINT 12 | **완료시제** |
|---|---|
| | 출제 유형 019 현재완료 have/has p.p. |
| | 출제 유형 020 과거완료 had p.p. |

| POINT 13 | **시제 사용 제한** |
|---|---|
| | 출제 유형 021 진행형 불가 동사 |

| POINT 14 | **시제일치와 예외** |
|---|---|
| | 출제 유형 022 시제의 일치 |
| | 출제 유형 023 시제일치의 예외 |
| | 출제 유형 024 시간·조건 부사절에서 시간의 표현 |

| POINT 15 | **시제 관련 표현** |
|---|---|
| | 출제 유형 025 ~하자마자 …했다 |
| | 출제 유형 026 ~가 되어서야 (비로소) …하다 |

| POINT 16 | **능동태 vs. 수동태 구분** |
|---|---|
| | 출제 유형 027 능동태/수동태 |

| POINT 17 | **동사의 유형별 수동태** |
|---|---|
| | 출제 유형 028 자동사의 수동태 |
| | 출제 유형 029 완전타동사의 수동태 |
| | 출제 유형 030 불완전타동사의 수동태 (사역·지각동사) |

| POINT 18 | **조동사의 선택** |
|---|---|
| | 출제 유형 031 주요 조동사 |
| | 출제 유형 032 조동사 사용 주요 표현 |

| POINT 19 | **당위의 조동사 should** |
|---|---|
| | 출제 유형 033 (should)+동사원형 |

| POINT 20 | **조동사+have p.p.** |
|---|---|
| | 출제 유형 034 조동사+have p.p. |

# 동기쌤의 문법 OT

## ⚙ 동사의 시제

**어디까지 알고 있니?**  ○ 단순 시제   ○ 완료 시제

시제는 크게 단순 시제와 완료 시제로 구분하고, 각각 현재, 과거, 미래로 분류할 수 있다.

### 1 단순 시제

**1) 단순 현재**: 주어의 동작이나 상태가 현재 이루어지고 있음을 보여 주는 시제이다. 동사의 원형이 사용되는데, 주어가 3인칭 단수인 경우 동사에 -s/-es를 붙여야 한다.

| 현재의 동작, 상태 | Edward is a kind teacher. Edward는 친절한 선생님이다. |
|---|---|
| 현재의 규칙적인 행동, 습관 | I usually take a walk in the morning. 나는 보통 아침에 산책한다. |
| 불변의 진리, 과학적 사실 | Water consists of hydrogen and oxygen.<br>물은 수소와 산소로 이루어진다. |

**2) 단순 과거**: 주어의 과거 행동이나 과거 상태를 표현할 때 사용되는 시제이다. 주어가 단수이든 복수이든 상관없이 동사의 과거형이 사용된다.

| 과거의 동작, 상태 | Sam was a kind teacher. Sam은 친절한 선생님이었다. |
|---|---|
| 역사적인 사실 | The Korean War broke out in 1950. 한국 전쟁은 1950년에 일어났다. |
| 과거의 습관이나 직업:<br>used to+동사원형 | He used to jog for thirty minutes.<br>그는 30분 동안 조깅을 하곤 했다. |

➡ 과거의 습관이나 직업을 표현할 때 과거 시제 대신 「used to + 동사원형」을 사용하기도 한다.

**3) 단순 미래**: 주어가 미래에 어떤 행동을 할지 그 예정이나 계획을 표현하는 데 사용되는 시제이다. 주로 세 가지 형태로 미래 시제를 표현할 수 있다.

**(1) 미래의 계획, 의지: will+동사원형**
  I will open the window for you. 나는 너를 위해 창문을 열 것이다.

**(2) 예정이나 계획: be going to+동사원형**
  It is going to rain soon. 곧 비가 올 것이다.

**(3) 현재진행형: is/am/are -ing**

① '가다/오다/출발하다/도착하다'를 의미하는 왕래발착동사는 현재진행형일 때 미래 시제를 표현할 수 있다.
  She is leaving this town tomorrow. 그녀는 내일 이 마을을 떠날 것이다.

**쌤's TIP**
왕래발착동사: go, come, leave, arrive, migrate, travel

72  Part 1 문법과 구문

② 확실히 결정된 계획이나 반드시 일어날 약속을 나타낼 때 현재진행형으로 미래의 의미를 표현할 수 있다.

They are getting married in September.  그들은 9월에 결혼할 것이다.

## 2  완료 시제

1) **현재완료 has/have p.p.**: 과거와 현재가 연결된 시제이다. 즉, 과거에 벌어진 일이 이제 막 완료되었거나, 아직 계속되고 있거나, 과거의 일이 현재의 경험이 되었다거나, 그 일이 현재에 어떤 결과를 초래했는지 표현하는 경우 현재완료를 사용하여 표현한다.

Global temperatures have risen over the last ten years.
지구의 기온이 지난 10년 동안 상승하고 있다.

2) **과거완료 had p.p.**: (대과거) 과거의 어떤 시점보다 이전에 있었던 일을 설명하기 위해 사용되는 시제이다.

I told my teacher that I had left my books at home.
나는 선생님께 책을 집에 두고 왔다고 말씀드렸다.

3) **미래완료 will have p.p.**: 미래에 완료될 행위를 설명하기 위해 사용되는 시제이다.

He will have written the letter by 10 o'clock.  그는 10시까지 편지를 다 쓸 것이다.

### Check up!

[ 01-04 ] 다음 밑줄 친 동사의 시제와, 그 시제가 쓰인 이유를 적으시오.

01  She studies English every day.

02  World War II broke out in 1939.

03  I have lived in this house since I was born in 1970.

04  My mom had already left for work by the time I woke up.

(정답) 01 현재 시제: 현재의 규칙적인 행동  02 과거 시제: 역사적 사실
03 현재완료: 과거의 일이 아직까지 계속되고 있음  04 과거완료: 대과거로 과거 이전의 일을 설명하고 있음
(해석) 01 그녀는 매일 영어를 공부한다.  02 제2차 세계대전은 1939년에 발발했다.
03 나는 1970년에 태어난 이래로 이 집에서 살고 있다.  04 내가 일어났을 때 엄마는 이미 출근하셨다.
(해설) 01 every day를 통해 현재의 규칙적인 습관, 행동임을 알 수 있다.
02 역사적인 사실은 항상 과거 시제를 사용한다.
03 since는 '~이래로'의 뜻으로 과거부터 계속됨을 의미한다. 태어난 이래 계속 살고 있는 것이므로 현재완료 시제가 사용되었다.
04 내가 일어났던 시점이 과거인데 그것보다 더 이전에 출근하신 것이므로 「had+과거분사」의 과거완료 시제가 사용되었다.

## 동기쌤의 문법OT

### ⚙ 수동태

**어디까지 알고 있니?**
- 능동태 vs. 수동태
- 수동태의 기본 형태
- 상태 수동태 vs. 동작 수동태
- 시제별 수동태의 형태
- 수동태 전환
- 수동태의 전치사

---

### 3  능동태 vs. 수동태

영어의 고유 개념 중에 동사의 '태'라는 것이 있다. '태'는 주어와 동사의 관계를 말하는데 주어가 직접 동사의 동작을 행하는 경우 '능동태'라고, 주어가 동사의 의미를 당하는 경우 '수동태'라고 부른다. 능동태와 수동태를 정리해 보면 다음과 같다.

| 구분 | 능동태 | 수동태 |
|---|---|---|
| 기능 | 주어가 동사의 동작을 능동적으로 수행함 | 주어가 동사의 동작을 받음 |
| 의미 | ~하다 | ~되다, ~당하다 |
| 예문 | She opened the door.<br>그녀가 문을 열었다. | The door was opened by her.<br>문이 그녀에 의해 열렸다. |

### 4  수동태의 기본 형태

능동태의 문장과는 다르게 동사를 「be동사+과거분사」의 형태로 표현한다.

| be동사 + 과거분사 |
|---|

The letter was written by him.  그 편지는 그에 의해서 쓰여졌다.
The island was covered with flowers.  그 섬은 꽃들로 덮여 있었다.

### 5  상태 수동태 vs. 동작 수동태

be동사는 주어의 상태에 따라 불완전자동사인 remain, lie로 바꿔 쓸 수 있다. 또한 주어의 동작을 설명하기 위해 be동사 대신 get, become, grow를 사용할 수 있다.

| 상태 수동태 | 동작 수동태 |
|---|---|
| [be / remain / lie] + 과거분사 | [get / become / grow] + 과거분사 |

She was married and had one child.  그녀는 기혼이었고 한 아이가 있었다.
You can get married when you are eighteen years old.
네가 18세가 되면 결혼할 수 있다.

## 6 시제별 수동태의 형태

수동태 문장의 시제를 표현할 때는 be동사의 형태를 바꾸면 된다.

| be동사 + 과거분사 |
|---|
| (시제) |

The seat will be taken soon. 그 자리는 곧 누군가가 차지할 것이다.
The books have been written by him. 그 책들은 그에 의해 쓰여졌다.

## 7 수동태 전환

Step 1. 능동태의 목적어를 수동태의 주어로 한다.
Step 2. 능동태의 동사를 「be+p.p.」 형태로 바꾼다.
Step 3. 능동태의 주어를 「by+목적격」의 형태로 바꾸어 문장의 끝에 둔다.

능동태    The game excited the supporters. 그 게임은 팬들을 흥분시켰다.
                S               O
➡ 수동태  The supporters were excited by the game. 팬들은 그 게임에 의해 흥분했다.

## 8 수동태의 전치사

be known ┬ by ~에 의해 알 수 있다 (판단 기준 by)
          ├ to ~에게 알려지다 (대상 to)
          ├ for ~으로 알려져 있다 / ~으로 유명하다 (이유 for)
          └ as ~로 알려져 있다 (신분, 자격 as)

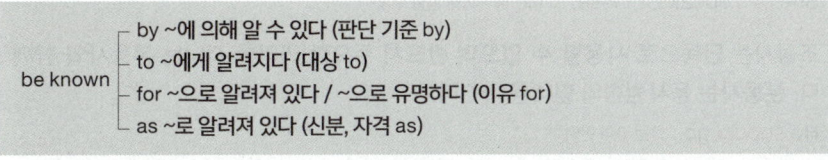

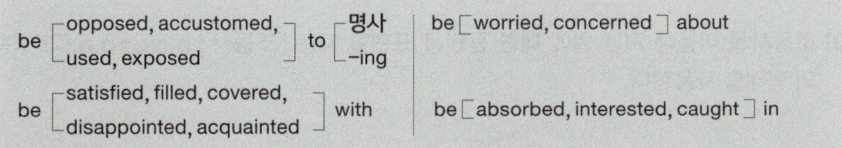

### Check up!

[ 01-03 ] 각 문장을 수동태로 고치시오.

01 They are treating her in hospital.
02 He will paint the roof of his house tomorrow.
03 He has watched TV for almost an hour.

**정답** 01 She is being treated in hospital (by them).    02 The roof of his house will be painted tomorrow (by him).
03 TV has been watched for almost an hour (by him).

**해석** 01 그들은 병원에서 그녀를 치료하고 있다.    02 그는 그의 집 지붕을 내일 칠할 것이다.
03 그는 거의 한 시간 동안 TV를 보고 있다.

**해설** 01 are treating이 현재진행이므로 is being treated로 진행형 수동태를 만든다.
02 will paint가 미래 시제이므로 미래 수동인 will be painted로 수동태를 만든다.
03 has watched가 현재완료 시제이므로 「has been+과거분사」를 사용하여 has been watched로 수동태를 만든다.

## 조동사

**어디까지 알고 있니?**  ○ 조동사의 형태    ○ 주요 조동사

### 조동사
다른 동사와 함께 쓰여 그 동사의 의미나 문법적인 기능을 도와주는 동사를 조동사라고 한다.
She can swim.  그녀는 수영을 할 수 있다.
What do you do?  무슨 일을 하십니까?

### 9 조동사의 형태

**(1) 조동사는 주어의 인칭과 수에 따라 변함이 없이 늘 원형 그대로 사용한다.**

| 조동사 + 동사원형 |
|---|

She can speak Chinese.  그녀는 중국어를 말할 수 있다.

**(2) 조동사는 단독으로 사용할 수 없으며 반드시 주요한 의미를 지니는 본동사와 함께 쓰인다. 본동사는 동사원형의 형태를 가진다.**
He should go.  그는 가야 한다.
The professor must be over 60.  그 교수님은 60세가 넘었음에 틀림없다.

**(3) 조동사를 이용해 지난 일에 대한 판단을 표현할 때는 「조동사+have+p.p.(과거분사)」의 형태를 사용한다.**

| 조동사 + have + p.p.(과거분사) |
|---|

He might have liked you.  그는 너를 좋아했을지도 모른다.

**(4) need & dare**
need(~할 필요가 있다)와 dare(감히 ~하다)는 일반동사와 조동사로 모두 쓰일 수 있다. 각 용법에 따라 뒤따르는 형태가 달라지므로 주의해야 한다.

| 구분 | 부정 | 뒤따르는 요소 |
|---|---|---|
| 일반동사 용법 | don't / doesn't / didn't + need / dare | to부정사(목적어) |
| 조동사 용법 | need / dare / dared + not | 동사원형(본동사) |

He doesn't need to go there.  그는 거기에 갈 필요가 없다.    He need not go there.
He didn't dare to insult me.  그는 감히 나를 모욕하지 않았다.    He dared not insult me.

## 10 주요 조동사

다양한 조동사 중 능력, 허가, 추측, 의무, 당위의 조동사를 꼭 알아두어야 한다.

| 능력<br>(~할 수 있다) | can / could | | | be able to |
| --- | --- | --- | --- | --- |
| 허가<br>(~해도 좋다) | can / could | may | | |
| 추측<br>(~일지도 모른다) | can / could | may / might | must<br>'~임에 틀림없다'<br>(강한 추측) | cannot<br>'~일 리 없다'<br>(강한 추측) |
| 의무<br>(~해야 한다) | | | must | should<br>have to<br>ought to |

### Check up!

[ 01-05 ] 다음 밑줄 친 부분을 바르게 고치시오.

01  He cans sing different kinds of songs.

02  She must being a teacher.

03  He should have buy a new car.

04  His grand mother must is over 60.

05  The boys can spoke English.

(정답) 01 cans ➡ can   02 being ➡ be   03 buy ➡ bought   04 is ➡ be   05 spoke ➡ speak
(해석) 01 그는 다양한 종류의 노래를 부를 수 있다.
02 그녀는 선생님임에 틀림없다.
03 그는 새로운 차를 샀어야 했다.
04 그의 할머니는 60세가 넘었음에 틀림없다.
05 그 소년들은 영어를 말할 수 있다.

# 출제유형 019

**POINT 12 완료시제**

## 현재완료 have/has p.p.

---

**밑줄 친 부분에 들어갈 말로 가장 적절한 것은?**

> She _____ very successful since she had a breakthrough in her research.

① is  
② was  
③ has been  
④ had been

### 유형 분석 & 전략

「for + 기간」, 「since + 과거 시점」이 보이면 동그라미 후 동사에 밑줄 그어 현재완료 시제인지 확인해야 합니다.

### 포인트 분석

She has been very successful since she had a breakthrough in her research.

현재완료 시제는 과거와 현재가 연결된 시제로 「have/has + 과거분사」의 형태로 표현되며, 다음 네 가지의 의미를 갖는다.

**1. 완료: ~했다**
I have just finished the work.
나는 방금 일을 끝냈다.

**2. 계속: 계속해서 ~하고 있다**
He has worked for this company since 1988.
그는 1988년 이래로 이 회사에서 일하고 있다.

**3. 경험: ~한 적이 있다**
She has been to New York.
그녀는 뉴욕에 가 본 적이 있다.

**4. 결과: ~해 버렸다(그 결과 …하다)**
She has gone to the U.S.
그녀는 미국으로 가 버렸다. (현재 그녀는 여기 없다.)

#### Check!

**완료 시제와 주로 사용되는 부사**
since + 과거(시점), for + 기간, over + 기간, during + 기간
so far, up to now, until now, lately, recently, of late, in recent years

**완료형과 함께 쓰일 수 없는 표현**
① ago, yesterday, last year, then, in+특정 과거 시간
② When ~? (의문문), What time ~? (의문문)

### 구문분석 공식

**공식 13** 현재완료 시제의 의미 중 「계속」의 의미가 가장 자주 사용된다.

> S    V
> I have lived / in the apartment / since last year.
> 나는 살고 있다 / 그 아파트에서 / 작년부터.
> **해석** 나는 작년부터 그 아파트에서 살고 있다.

> S           V
> The festival has been held / in every second year / since 1743.
> 그 축제는 열리고 있다 / 2년마다 / 1743년 이후로.
> **해석** 그 축제는 1743년 이후로 2년마다 열리고 있다.

### 해설

**문법포인트** 현재완료 since 이후에 과거 시제 혹은 과거 시점을 나타내는 어구가 나오면 그 시점 이후로 동작이나 상태가 계속되어 왔다는 의미의 현재완료 시제가 쓰여야 한다.

**어휘**
breakthrough 획기적인 발견

**해석** 그녀는 자신의 연구에서 획기적인 발견을 한 이후로 매우 성공을 거두어왔다.

**정답** ③

# Exercises

※ 빈칸에 들어갈 알맞은 말을 고르시오.

1. I was born in Taiwan, but I _____ in Korea since I started work.

   ① live        ② lived
   ③ have lived  ④ had lived

2. It _____ a while since I had my hair permed.

   ① was      ② were
   ③ has been ④ had been

※ 밑줄 친 부분이 틀리면 바르게 고치시오.

3. I have been doing this work ever since I retired.

4. More than 150 people have fell ill, mostly in Hong Kong and Vietnam, over the past three weeks.

※ 다음 문장을 해석하고 구문분석하시오.

5. Since early 1999, Hallyu has become one of the biggest cultural phenomena across Asia.

6. Ever since the time of ancient Greek tragedy, Western culture has been haunted by the figure of the revenger.

---

1. 해설) since 뒤에는 기준이 되는 시점을 나타내는 과거 시제가 바르게 사용되었고 그 시점으로부터 계속하여 한국에서 살았다는 의미이므로 현재완료 have lived가 들어가야 한다.
   해석) 나는 대만에서 태어났지만, 내가 일을 시작한 이래로 한국에서 살고 있다.
   정답) ③

2. 해설) since 뒤에는 기준이 되는 시점을 나타내는 과거 시제가 바르게 사용되었고 그 시점으로부터 한참 지났다는 의미이므로 현재완료 has been이 들어가야 한다.
   해석) 내가 머리를 파마한 지 한참 지났다.
   정답) ③

3. 해설) 과거에서부터 현재까지 지속되는 상황은 현재완료로 나타낸다. 이 문장의 의미도 '은퇴 이후 지금까지 계속 이 일을 해오고 있다'는 의미이므로 현재완료 진행형으로 바르게 표현되었다. 특히 '~ 이후로'를 나타내는 since절은 뒤에 과거 시제가 와서 현재완료 시제와 함께 쓰인다는 것에 유의하자.
   해석) 나는 은퇴 이후로 내내 이 일을 해 오고 있다.
   정답) 틀린 부분 없음

4. 해설) 현재완료는 「have + p.p.」의 형태이다. fall은 fall-fell-fallen으로 변화하는 동사이므로 fell을 과거분사인 fallen으로 고쳐야 한다.
   해석) 지난 3주간 150명 이상의 사람들이 병에 걸렸는데, 대부분 홍콩과 베트남에서였다.
   정답) have fell ill → have fallen ill

5. 어휘) phenomenon 현상(pl. phenomena)
   해석) 1999년 초반 이래로 한류는 아시아에서 가장 큰 문화적 현상들 중에 하나가 되었다.
   분석) Since early 1999, / Hallyu(S) has become(V) one of the biggest cultural phenomena(C) / across Asia.

6. 어휘) tragedy 비극  haunt 사로잡다  figure 인물  revenger 복수자
   해석) 고대 그리스 비극 시대 이후로 줄곧 서양 문화는 복수자라는 인물에 사로잡혀왔다.
   분석) Ever since the time of ancient Greek tragedy, / Western culture(S) has been haunted(V) / by the figure of the revenger.

# 출제유형 020

**POINT 12 완료시제**

## 과거완료 had p.p.

### 밑줄 친 부분 중 어법상 옳지 않은 것은?

> More than ninety percent of shareholders ① had blamed the two executives ② for committing irregularities before they decided to express strong opposition to ③ their second term. However, it ④ being decided that they would not be dismissed.

### 유형 분석 & 전략

「had + p.p.」가 보이면 밑줄 긋고, '과거'로 표시된 기준 시제에 동그라미, 그 이전 사건임을 알려주는 단서에 동그라미 표시하여 과거완료가 올바르게 쓰였는지 확인합니다.

### 포인트 분석

> More than ninety percent of shareholders ① had blamed the two executives for committing irregularities before they decided to express strong opposition to their second term.

### 해설

④ **문법포인트** 문장의 구성 문장에는 주어와 동사가 반드시 있어야 하므로 준동사인 being decided를 올바른 동사 형태인 was decided로 고쳐야 한다. (being decided → was decided)
① **문법포인트** 과거완료 기준 시점이 과거(before they decided ~)이고 그것보다 먼저 발생한 일을 설명하고 있으므로 과거완료가 바르게 쓰였다.
② **문법포인트** 완전타동사와 함께 사용되는 주요 전치사 blame은 비난의 대상을 목적어로 취하고 그 뒤에 전치사 for를 써서 비난할 만한 행위를 적는다.
③ **문법포인트** 인칭대명사 의미상 두 명의 중역들(the two executives)의 연임을 반대하는 것이므로 복수 대명사를 지칭하는 their가 바르게 쓰였다.

### 어휘

shareholder 주주   executive 중역   commit 저지르다
irregularity 비리   second term 연임   dismiss 해임하다

### 해석

90퍼센트 이상의 주주들은 두 중역의 연임에 강력한 반대를 표명하겠다고 결정하기 전에 비리를 저지른 것에 대해 그들을 비난했다. 하지만, 그들은 해임되지 않는 것으로 결정되었다.

**정답** ④

---

과거완료 시제는 대과거, 즉 과거 이전에 있었던 일을 설명하는 시제로 「had + 과거분사」의 형태로 사용된다.
대과거는 과거라는 기준 시점에서 볼 때 그보다 이전에 발생한 일이므로 각 문장에서 기준 시점이 과거일 때, 그보다 먼저 발생한 일이면 과거완료의 형태를 쓸 수 있다.

She **had left** before I **arrived** at the classroom.
　　과거완료　　　　　과거(기준 시점)
내가 교실에 도착하기 전에 그녀는 떠났다.

○ 과거 기준 시점을 통해 과거보다 이전 발생임을 알 수 있는 경우 과거완료를 사용할 수 있다.

I couldn't find the wallet I **had lost**.
　　과거(기준 시점)　　　　　과거완료
나는 잃어버린 지갑을 찾을 수 없었다.

○ 지갑을 찾는 일보다 지갑을 잃어버린 일이 선행하므로 지갑을 잃어버린 것은 대과거의 일임을 알 수 있다.

---

**Check!**

after, before 등을 통해 시간의 선후 관계가 명백한 경우나 시간의 선후 관계가 중요하지 않은 경우, 과거완료 시제 대신 과거 시제를 사용할 수 있다.

Even **before** he announced his retirement, the manager **began** to find a new employee.
그가 은퇴를 발표하기 전임에도 그 관리자는 새로운 직원을 찾기 시작했다.

# Exercises

※ 빈칸에 들어갈 알맞은 말을 고르시오.

1. The CEO _____ some bad decisions, which finally led to the downfall of the company.

   ① makes　　　② will make
   ③ has made　　④ had made

2. She _____ already finished her homework when he arrived.

   ① is　　　② have
   ③ were　　④ had

※ 밑줄 친 부분이 틀리면 바르게 고치시오.

3. Before I made a decision about what to do, I <u>had weighed</u> all the alternatives.

4. By the time I arrived at the station, the train <u>had already departed</u>.

※ 다음 문장을 해석하고 구문분석하시오.

5. My son had never visited the Disneyland until I brought him there.

6. I had just started my dinner when they came into my house.

---

1. **해설** 회사가 몰락한 시점보다 CEO가 잘못된 결정을 내린 시점이 먼저이므로 빈칸에는 과거완료 had made가 들어가는 것이 적절하다.
   **어휘** downfall 몰락
   **해석** CEO는 몇 가지 잘못된 결정을 내렸고, 이는 결국 회사의 몰락으로 이어졌다.
   **정답** ④

2. **해설** 그가 도착하기 전에 이미 끝냈다는 것이므로 대과거인 과거완료로 써야 하므로 had가 들어가야 한다. 대과거는 just, already 등의 부사와 자주 사용된다.
   **해석** 그녀는 그가 도착했을 때 이미 숙제를 끝냈다.
   **정답** ④

3. **해설** before절에 앞서 일어난 일이므로 주절에 과거완료인 had weighed가 바르게 쓰였다.
   **어휘** weigh 신중히 고려하다　alternative 대안
   **해석** 내가 무엇을 해야 할지 결정하기 전에, 나는 모든 대안들을 신중히 고려해 보았다.
   **정답** 틀린 부분 없음

4. **해설** 내가 역에 도착했을 때 열차가 이미 떠난 더 이전의 일을 나타내므로 과거완료 had departed가 바르게 쓰였다.
   **해석** 내가 역에 도착했을 때 열차가 이미 떠났다.
   **정답** 틀린 부분 없음

5. **해석** 내 아들은 내가 디즈니랜드로 데려갔을 때까지 거기에 간 적이 없다.
   **분석** My son(S) had never visited(V) the Disneyland(O) // until I(S') brought(V') him(O') there.

6. **해석** 나는 그들이 내 집에 들어왔을 때 막 저녁을 먹기 시작했다.
   **분석** I(S) had just started(V) my dinner(O) // when they(S') came(V') into my house.

# 출제유형 021

**POINT 13 시제 사용 제한**

## 진행형 불가 동사

**밑줄 친 부분 중 어법상 옳지 않은 것은?**

> The company, ① expanding rapidly, has added several new departments in the past year. It ② has tripled in size since the beginning of the previous decade. The CEO often emphasizes ③ what matters most is innovation and customer satisfaction. These values ④ are belonging to the core philosophy of the business.

### 유형 분석 & 전략

「be -ing」 형태가 보이면 밑줄 긋고, 동사가 진행형 불가 동사에 속하는 것이 아닌지 확인해야 합니다.

### 포인트 분석

These values ④ are belonging to the core philosophy of the business. → belong to

### 해설

④ **문법포인트** 시제 사용 제한 belong to 등의 소유동사는 상태를 나타내기 때문에 진행형이 불가능하다. 따라서 are belonging to를 belong to로 고쳐야 한다. (are belonging to → belong to)

① **문법포인트** 분사구문 의미상 주어는 주절의 주어인 The company이다. 회사가 확장된다는 능동의 의미이므로 현재분사의 쓰임이 바르다.

② **문법포인트** 완료시제 '~이래로'의 의미를 갖는 since와 호응하여 현재완료 시제가 바르게 사용되었다.

③ **문법포인트** 명사절 접속사의 선택 emphasizes의 목적어로 what ~ satisfaction의 명사절이 왔다. 이 명사절 안에 what matters most라는 또 다른 명사절이 주어로 사용된 구문이다. what 뒤에 바로 동사가 와서 주어가 없는 불완전한 형태의 문장이므로 명사절 접속사 what이 바르게 쓰였다.

### 어휘

expand 확장하다   rapidly 빠르게   department 부서   triple 세 배가 되다   emphasize 강조하다   innovation 혁신   belong to ~에 속하다   philosophy 철학

### 해석

회사는 빠르게 확장하며 지난해 여러 새로운 몇몇 부서를 추가했다. 이 회사는 지난 십년 기간의 초반 이래로 크기가 세 배로 증가했다. CEO는 가장 중요한 것이 혁신과 고객 만족이라고 종종 강조한다. 이러한 가치들은 그 비즈니스의 핵심 철학에 속한다.

**정답** ④

## 1. 진행형

진행형은 계속 진행 중인 동작을 표현하기 위해 사용되며 「be동사 + 현재분사(-ing)」 형태로 표현된다.

We **are playing** tennis now.
우리는 지금 테니스를 치는 중이다. (현재진행)

She **was singing** a song on the stage.
그녀는 무대에서 노래를 부르는 중이었다. (과거진행)

## 2. 진행형 불가 동사

동작이 아닌 상태를 표현하는 감정, 인식, 소유, 감각, 상태 동사는 진행형으로 쓸 수 없다.

| 감정동사 | like, want, hate, mind, fear, prefer, adore |
|---|---|
| 인식동사 | know, understand, realize, believe, imagine, suppose, guess, remember, forget |
| 소유동사 | have, possess, contain, belong to, own, include |
| 감각, 상태동사 | taste, smell, look, sound, resemble, remain, lack, keep, seem, appear, live |

I **know** the language.
I am knowing the language. ( × )
나는 그 언어를 알고 있다.

### 구문분석 공식

**공식 14** 진행형은 동작이 계속됨을 강조하여 해석한다.

동사가 「be동사 + -ing」 형태의 진행형은 '주어가 ~하는 중이다/~하는 중이었다'로 해석할 수 있다.

> S  V(be+-ing: 진행형)
> I am listening to the music.

**해석** 나는 음악을 듣는 중이다.

> S                V(be+-ing: 진행형)    O
> Biological researchers are exploring the molecular structure (of DNA).

**해석** 생물학 연구자들은 (DNA의) 분자 구조를 탐구하는 중이다.

**어휘** biological 생물학의   explore 탐구하다   molecular 분자의   structure 구조

# Exercises

※ 빈칸에 들어갈 알맞은 말을 고르시오.

1. The list shows all articles that _____ the owner.

   ① belong to          ② belonging to
   ③ are belonging to   ④ have been belonging to

2. I _____ Jose until I was seven.

   ① knew               ② was knowing
   ③ had been knowing   ④ have known

※ 밑줄 친 부분이 틀리면 바르게 고치시오.

3. He <u>isn't possessing</u> a sense of humor.

4. I <u>have been knowing</u> him ever since I was a child.

5. I <u>was having</u> a shower when you called.

6. The company <u>is belonging to</u> a multinational corporate group.

7. He <u>was appearing</u> tired yesterday when he presented this month's goal.

8. The food sold in the store <u>is tasting</u> good.

---

1. 해설 belong to 등의 소유동사는 상태를 나타내기 때문에 동작의 동사에 대해 사용하는 진행형이 불가능하다. 따라서 진행형은 쓸 수 없고 belong to가 들어가야 한다.

   해석 그 목록은 그 소유자에 속한 모든 물품을 보여준다.

   정답 ①

2. 해설 know는 '알다, 알고 지내다'를 의미하여 인지나 지각의 상태를 말하므로 동작의 동사에 대해 사용하는 진행형을 사용하지 않는다. 과거의 일이므로 과거 시제 또는 일곱 살 이전의 일이므로 과거완료 시제를 써야 한다. 따라서 과거 시제인 knew이나 과거완료인 had known으로 써야 한다.

   해석 일곱 살 때까지 나는 Jose와 알고 지냈다.

   정답 ①

3. 해설 possess 등의 소유동사는 상태를 나타내기 때문에 동작의 동사에 대해 사용하는 진행형이 불가능하다. 따라서 isn't possessing을 doesn't possess로 고쳐야 한다.

   해석 그는 유머 감각이 없다.

   정답 isn't possessing → doesn't possess

4. 해설 know는 '알다, 알고 지내다'를 의미하여 인지나 지각의 상태를 말하므로 동작의 동사에 대해 사용하는 진행형을 사용하지 않는다.

   해석 나는 어렸을 때부터 쭉 그와 알고 지내왔다.

   정답 have been knowing → have known

5. 해설 have가 소유를 의미할 때는 진행형으로 쓸 수 없지만 '(특정 행동을) 하다'라는 동작을 의미할 때는 진행형으로 쓸 수 있다. have a shower가 '샤워를 하다'라는 동작을 의미하므로 was having으로 진행형이 바르게 쓰였다.

   해석 네가 전화했을 때 난 샤워를 하는 중이었다.

   정답 틀린 부분 없음

6. 해설 소유 동사인 belong to는 진행형으로 쓸 수 없으므로 현재 시제로 써야 한다.

   어휘 multinational 다국적의  corporate 기업의

   해석 그 회사는 다국적 기업 그룹에 속한다.

   정답 is belonging to → belongs to

7. 해설 상태동사인 appear는 진행형으로 쓸 수 없다. 따라서 was appearing은 appeared로 고쳐야 한다.

   해석 그는 어제 이번 달 목표를 발표할 때 피곤해 보였다.

   정답 was appearing → appeared

8. 해설 감각동사인 taste는 진행형으로 쓸 수 없다. 따라서 is tasting은 tastes로 고쳐야 한다.

   해석 이 가게에서 팔리는 음식은 맛이 좋다.

   정답 is tasting → tastes

# 출제유형 022

**POINT 14** 시제일치와 예외

## 시제의 일치

### 밑줄 친 부분 중 어법상 옳지 않은 것은?

The committee decided ① that during the period prisoners ② will have the right to meet their family and ③ to read newspapers. Importantly, they suggested there ④ be no discrimination on the grounds of race, color or religion.

### 유형 분석 & 전략

종속절의 동사에 will이 보이면 밑줄 후, 주절의 동사에 동그라미하고 과거 시제라면 will에 X를 표시합니다.

### 포인트 분석

The committee decided that during the period prisoners ② will have the right to meet their family and to read newspapers.
→ would have

### 해설

② 문법포인트 시제일치와 예외 주절의 시제가 decided로 과거이므로 종속절에 쓰인 will을 would로 고쳐야 한다. (will have → would have)
① 문법포인트 명사절 접속사의 선택 that의 앞에 타동사가 쓰였고 that의 뒤에 완전한 절이 왔으므로 목적절을 이끄는 명사절 접속사 that이 바르게 쓰였다.
③ 문법포인트 등위접속사의 병렬 구조 명사 the right를 뒤에서 수식하는 형용사적 용법의 to부정사인 to meet ~과 to read ~가 등위접속사 and로 바르게 연결되었다.
④ 문법포인트 당위의 조동사 should 제안의 동사 suggest 뒤의 that절에서 동사는 「(should)+동사원형」의 형태가 되어야 한다. should가 생략된 be가 바르게 쓰였다.

### 어휘

committee 위원회  period 기간  prisoner 죄수  right 권리
discrimination 차별  religion 종교

### 해석

위원회는 그 기간에 죄수들이 가족을 만나고 신문을 읽을 권리를 가질 것이라고 결정했다. 무엇보다, 그들은 인종이나 피부색, 종교를 기반으로 한 차별이 없어야 한다고 주장했다.

정답 ②

---

주절과 종속절 사이에서 발생 시기가 같은 일들은 반드시 동일한 시제로 일치시켜야 하고, 반면 발생 시기가 다른 일들은 각 시간에 맞는 시제를 선택하여 표현해야 한다.

### 1. 주절의 시제가 현재, 현재완료, 미래인 경우

주절이 현재, 현재완료, 미래인 경우 종속절에는 과거완료를 제외한 모든 시제를 사용할 수 있다.

I agree that fine dust is [was / will be] a serious problem.
　현재　　　　　　　현재　과거　　미래

나는 미세먼지가 심각한 문제라는[였다는/일 거라는] 것에 동의한다.

### 2. 주절의 시제가 과거인 경우

주절이 과거인 경우 종속절에는 과거, 과거완료, 과거에서 본 미래 시제(would)만 사용할 수 있다.

She thought that he was [had been / would be] an utter fool.
　과거　　　　　　과거　과거완료　　과거에서 본 미래

그녀는 그가 완전한 바보라고[였다고/일 것이라고] 생각했다.

She thought that he will be an utter fool. ( × )

# Exercises

※ 빈칸에 들어갈 알맞은 말을 고르시오.

1. He believed that his sons _____ good students.

   ① will become  ② would become
   ③ will be become  ④ would be become

2. She told me that she _____ to America next month.

   ① goes  ② went
   ③ will go  ④ would go

※ 밑줄 친 부분이 틀리면 바르게 고치시오.

3. He felt he would have at least a fighting chance of success.

4. They had to fight against winds that will blow over 40 miles an hour.

※ 다음 문장을 해석하고 구문분석하시오.

5. The president declared that the nation would hold Germany to "strict accountability" for the loss.

6. A financial analyst predicted that such marketplace lending would command $150 billion to $490 billion globally by 2020.

---

1. **해설** 주절의 시제가 과거이면 종속절의 시제는 과거와 과거완료, 과거에서 본 미래 시제(would)만 쓸 수 있다. will의 과거형이 would이므로 ②가 정답이다. 이때 become은 자동사라서 수동태로 쓸 수 없다.
   **해석** 그는 자신의 아들들이 훌륭한 학생이 될 것이라고 믿었다.
   **정답** ②

2. **해설** 주절의 시제가 과거이면 종속절의 시제는 과거와 과거완료, 과거에서 본 미래 시제(would)만 쓸 수 있다. will의 과거형이 would이므로 ④가 정답이다.
   **해석** 그녀는 내게 다음 달에 미국에 갈 것이라고 말했다.
   **정답** ④

3. **해설** 주절의 시제가 과거이면 종속절의 시제는 과거와 과거완료, 과거에서 본 미래 시제(would)만 쓸 수 있다. will의 과거형이 would이므로 would have가 바르게 쓰였다.
   **어휘** fighting chance (열심히 노력하면 성공할 수도 있는) 성공의 가능성
   **해석** 그는 자신이 적어도 열심히 노력하면 성공할 수도 있는 가능성은 있다는 것을 알았다.
   **정답** 틀린 부분 없음

4. **해설** 주절의 동사가 과거일 경우 종속절의 시제는 과거 또는 과거완료가 되어야 하므로 will blow라는 미래 시제는 올 수 없다. 과거 시제인 blew로 고쳐야 한다. will을 과거인 would로 고쳐 시제를 맞출 수도 있지만 의미상 시속 40마일로 불 예정인 바람과 싸운다는 것은 적합하지 않으므로 과거 시제인 blew가 바르다.
   **해석** 그들은 한 시간에 40마일이 넘는 바람과 싸워야 했다.
   **정답** will blow → blew

5. **어휘** strict 엄정한  accountability 책임
   **해석** 대통령은 국가가 독일에 그 손실에 대한 '엄정한 책임'을 물을 것이라고 선언했다.
   **분석** The president(S) declared(V) // that the nation(S') would hold(V') Germany(O') to "strict accountability" for the loss.

6. **어휘** analyst 분석가  lending 대출  command 차지하다
   **해석** 한 금융 분석가는 이러한 시장 대출이 2020년까지 전 세계적으로 1,500억 달러에서 4,900억 달러를 차지할 것이라고 예측했다.
   **분석** A financial analyst(S) predicted(V) // that such marketplace lending(S') would command(V') $150 billion to $490 billion(O') globally by 2020.

# 출제유형 023
**POINT 14** 시제일치와 예외
## 시제일치의 예외

**밑줄 친 부분 중 어법상 옳지 않은 것은?**

> People are sometimes ① surprised by realizing ② how provisional science is in its conclusions. For instance, people once doubted that the Earth ③ orbited the Sun, but the heliocentrism, proposed by Copernicus and supported by Galileo's observations, ultimately turned out ④ to be true. This reinforces the notion that science is not an unchanging absolute truth.

### 유형 분석 & 전략
과학적 사실이나 역사적 사건에 해당하는 명사에 동그라미 후, 동사에 밑줄 그어 시제를 확인해야 합니다. 특히, the sun, the earth 등을 설명하는 과학적 사실과 세계 대전을 설명하는 역사적 사건이 자주 출제됩니다.

### 포인트 분석

> people once doubted that the Earth ③ orbited the Sun,
> → orbits

### 해설
③ **문법포인트** 시제 일치와 예외 지구가 태양 주위를 돈다는 것과 같은 과학적 사실은 시제일치의 예외로서 항상 현재 시제로 표현한다. (orbited → orbits)
① **문법포인트** 현재분사 vs. 과거분사 주어인 people이 의미상 감정의 대상이 되므로 감정유발동사 surprise의 과거분사가 바르게 쓰였다.
② **문법포인트** 의문문의 어순 타동사 realize의 목적어로 간접의문문이 「접속사+주어+동사」의 어순으로 바르게 쓰였다.
④ **문법포인트** 불완전자동사의 보어 turn out은 '판명되다'라는 뜻의 불완전자동사로 '(to be) 형용사'를 보어로 취할 수 있다.

### 어휘
provisional 임시적인  conclusion 결론  orbit ~의 주위를 돌다
heliocentrism 태양 중심설  observation 관찰  ultimately 결국
reinforce 강화하다  notion 개념  absolute 절대적인

### 해석
사람들은 과학이 그 결론에 있어 얼마나 임시적인지 깨닫고 때로 놀라워한다. 예를 들어, 사람들은 지구가 태양 주위를 돈다는 사실을 한때 의심했지만, 코페르니쿠스가 제안하고 갈릴레이의 관측으로 뒷받침된 태양 중심설은 결국 사실로 판명되었다. 이는 과학이 불변의 절대 진리가 아니라는 개념을 강화한다.

정답 ③

---

종속절 동사의 시제는 시제일치의 원칙에 따라 결정되지만, 아래와 같은 경우에는 시제일치의 원칙에서 제외된다.

### 1. 불변의 진리, 과학적 사실, 현재의 규칙적인 행동, 습관 : 현재 시제

- The teacher said the earth goes round the sun.
  선생님은 지구가 태양 주위를 돈다고 말씀하셨다.
- The scientist found that the brain is active during sleep.
  그 과학자는 뇌가 수면 중에도 활동한다는 것을 발견했다.
- She said she goes to bed late every night.
  그녀는 매일 밤늦게 잠자리에 든다고 말했다.

### 2. 역사적 사실: 과거 시제

- We learned that the Korean War broke out in 1950.
  우리는 한국 전쟁이 1950년에 발발했다고 배웠다.
- The teacher said Columbus discovered the New World.
  선생님은 Columbus가 신세계를 발견했다고 말씀하셨다.

# Exercises

※ 빈칸에 들어갈 알맞은 말을 고르시오.

1. Columbus proved that the earth _____ round.

   ① is          ② was
   ③ has been    ④ had been

2. Jamie learned from the book that World War I _____ in 1914.

   ① breaks out        ② broke out
   ③ were broken out   ④ had broken out

※ 밑줄 친 부분이 틀리면 바르게 고치시오.

3. My teacher said water <u>boiled</u> at 100 degrees.

4. Students discovered that the American Civil War <u>had started</u> in 1861.

※ 다음 문장을 해석하고 구문분석하시오.

5. It is said that Columbus discovered America in 1492.

6. The scientist reminded us that light travels at a tremendous speed.

---

1. **해설** 불변의 진리, 과학적 사실은 시제일치의 예외로서 항상 현재 시제로 표현한다. 지구가 둥글다는 것은 과학적 사실이므로 현재 시제 is가 들어가야 한다.
   **해석** 콜럼버스는 지구가 둥글다는 것을 증명했다.
   **정답** ①

2. **해설** 역사적 사건은 주절과의 시간적 선후 관계와 상관없이 항상 과거형 broke out으로 써야 한다. break out은 자동사이므로 수동태로 쓰지 못한다.
   **해석** Jamie는 책에서 제1차 세계 대전이 1914년에 일어났다고 배웠다.
   **정답** ②

3. **해설** 물이 100도에 끓는 것은 과학적 사실이므로 현재 시제로 써야 한다.
   **해석** 선생님은 물은 100도에서 끓는다고 말씀하셨다.
   **정답** boiled → boils

4. **해설** 역사적 사실은 항상 과거 시제로 써야 한다. 미국 남북전쟁이 1861년에 시작된 것은 역사적 사실이므로 had started는 과거 시제인 started로 고쳐야 한다.
   **어휘** American Civil War 미국 남북전쟁
   **해석** 학생들은 미국 남북전쟁이 1861년에 시작되었다는 것을 알아냈다.
   **정답** had started → started

5. **해석** 콜럼버스가 1492년에 아메리카 대륙을 발견했다고 전해진다.
   **분석** <u>It</u>(가S) is said // <u>that</u>(진S) Columbus discovered America in 1492.

6. **해석** 그 과학자는 빛이 굉장한 속도로 이동한다는 것을 우리에게 상기시켜 주었다.
   **분석** The scientist(S) reminded(V) us(IO) // that light travels at a tremendous speed.(DO)

Chapter 02 동사의 형태

# 출제유형 024

**POINT 14** 시제일치와 예외
## 시간·조건 부사절에서 시간의 표현

**밑줄 친 부분에 들어갈 말로 가장 적절한 것은?**

인사혁신처 1차 예시

> By the time she ＿＿＿＿＿＿ her degree, she will have acquired valuable knowledge on her field of study.

① will have finished
② is finishing
③ will finish
④ finishes

### 유형 분석 & 전략

시간이나 조건의 부사절 접속사가 보이면 동그라미하고, 부사절 동사에 밑줄을 치세요. will이 사용되었다면 틀린 문장입니다.

### 포인트 분석

> By the time she finishes her degree, she will have acquired valuable knowledge on her field of study.

### 해설

**문법포인트** 시제 일치와 예외 미래를 표현할 때는 원칙적으로 미래 시제를 사용하지만, 시간이나 조건의 부사절에서는 미래를 표현할 때 will 대신 현재 시제를 사용한다. 따라서 빈칸에는 동사의 현재형인 ④ finishes가 들어가야 한다.

### 어휘

degree 학위 과정  acquire 얻다  valuable 귀중한  field 분야

### 해석

그녀가 학위 과정을 끝마칠 때쯤에, 그녀는 자신의 연구 분야에서 귀중한 지식을 얻었을 것이다.

**정답** ④

---

미래를 표현할 때 원칙적으로 미래 시제를 사용한다.
하지만 시간, 조건의 부사절에서는 미래를 표현할 때 will 대신 현재 시제를 사용해야 한다.

| 종속절(시간, 조건의 부사절) | | | 주절 |
|---|---|---|---|
| 종속접속사 | | | |
| When<br>As soon as<br>Next time<br>In case | After<br>The moment<br>If<br>Provided (that) | Before<br>By the time<br>Unless | +S'+V'+~,<br>will(×)<br>↓<br>현재 시제 | S+V+~ |

When she **comes** back home, I will give her some presents.
그녀가 집에 돌아오면, 나는 그녀에게 몇 개의 선물을 줄 것이다.

When you **come** next, be sure to take your camera.
다음에 올 때, 네 카메라를 챙기는 것을 확실히 해라(확실히 챙겨라).

### Check!

부사절이 아닌 명사절 또는 형용사절인 경우 will을 사용할 수 있다.

| | |
|---|---|
| 부사절 | He will leave when she comes back home.<br>그녀가 집에 돌아올 때 그는 떠날 것이다. |
| 명사절 | I don't know when she will come back home.<br>나는 그녀가 언제 집으로 돌아올지를 모른다. |
| 형용사절 | I don't know the time when she will come back home.<br>나는 그녀가 집으로 돌아올 시간을 모른다. |

# Exercises

※ 빈칸에 들어갈 알맞은 말을 고르시오.

1. As soon as I _____ all the vaccinations done, I will be leaving for a break.

    ① get    ② got
    ③ will get    ④ would get

2. You had better take an umbrella in case it _____.

    ① rain    ② rains
    ③ will rain    ④ is rain

※ 밑줄 친 부분이 틀리면 바르게 고치시오.

3. We must arrive in the city before the sun <u>will set</u>.

4. I'll think of you when <u>I'll be lying</u> on the beach next week.

※ 다음 문장을 해석하고 구문분석하시오.

5. I'll lend you money provided that you pay me back by Saturday.

6. Please come to the headquarters as soon as you receive this letter.

---

1. **해설** 시간, 조건의 부사절에서는 미래를 표현할 때 will 대신 현재 시제를 써야 한다. As soon as는 '~하자마자'를 의미하는 시간의 접속사이고 미래의 의미이므로 get이 들어가야 한다.

   **해석** 나는 모든 예방 주사를 맞자마자, 휴식을 위해 떠날 것이다.

   **정답** ①

2. **해설** in case는 '만약 ~할 경우를 대비하여'라는 조건의 부사절을 이끄는 접속사이다. 비가 올 수도 있는 미래의 경우를 대비한다는 의미이지만 조건의 부사절이므로 미래 시제 대신 현재 시제를 써야 하므로 rains가 들어가야 한다.

   **해석** 너는 비가 올 경우에 대비하여 우산을 갖고 가는 게 낫겠다.

   **정답** ②

3. **해설** 시간의 접속사 before로 시작하는 시간의 부사절에서는 미래를 표현하는 조동사 will을 현재 시제로 대체하여 사용한다. 따라서 will set은 sets로 고쳐야 한다.

   **해석** 우리는 해가 지기 전에 그 도시에 도착해야 한다.

   **정답** will set → sets

4. **해설** 시간, 조건의 부사절에서는 미래를 표현할 때 will 대신 현재 시제를 써야 한다. when 이하가 시간의 부사절이므로 I'll be lying이 아니라 I'm lying이 되어야 한다.

   **해석** 내가 다음 주에 해변에 누워있을 때 너를 생각할 것이다.

   **정답** I'll be lying → I'm lying

5. **어휘** provided (that) ~한다면

   **해석** 토요일까지 돈을 갚을 수 있다면, 돈을 빌려줄게.

   **분석** I'll lend you money // provided that you pay me back by Saturday.
   (S V IO DO    S' V' O')

6. **어휘** headquarters 본사

   **해석** 이 편지를 받는 대로 곧 본사로 와 주십시오.

   **분석** Please come to the headquarters // as soon as you receive this letter.
   (V    S' V' O')

# 출제유형 025

**POINT 15 시제 관련 표현**

## ~하자마자 …했다

**밑줄 친 부분 중 어법상 옳지 않은 것은?**

> No sooner ① he appeared than he sat on the broomstick of the witch, ② holding it ③ hard by his tiny fingers. He spun round and round so fast ④ that he felt dizzy and sick.

### 유형 분석 & 전략

No sooner 또는 Hardly/Scarcely에 동그라미 후, 먼저 접속사에 밑줄 긋고, 이어 주절 동사에 밑줄 그어, 접속사의 선택과 도치, 시제가 올바른지 확인해야 합니다.

### 포인트 분석

No sooner ① he appeared than he sat on the broomstick
　　　　　→ had he appeared
of the witch, holding it hard by his tiny fingers.

### 해설

① **문법포인트** 시제 관련 표현 「No sooner ~ than」으로 '~하자마자 …했다'를 표현할 경우 시제와 도치에 주의해야 한다. No sooner 뒤가 먼저 일어난 일이므로 과거완료 시제를 써야 하고 than 이후가 나중에 일어난 일이라서 과거 시제로 써야 한다. 또한 No sooner가 부정부사이므로 도치되어야 한다. 따라서 he appeared는 had he appeared로 고쳐야 한다. (he appeared → had he appeared)

② **문법포인트** 분사구문 주어인 he와 분사구문에 쓰인 동사의 관계가 능동이므로 현재분사가 바르게 쓰였다.

③ **문법포인트** 주의할 형용사와 부사 hard는 holding을 수식하는 부사이며 '열심히, 세게'라는 의미이다.

④ **문법포인트** 부사절 접속사의 선택 「so+형용사/부사+that+S+V」의 형태는 '너무 ~해서 …하다'라는 의미를 나타낸다. 부사절 접속사 that이 바르게 쓰였다.

### 어휘

broomstick 빗자루　witch 마녀　tiny 작은　spin 돌다　dizzy 어지러운
sick 메스꺼운

### 해석

그는 나타나자마자 마녀의 빗자루 위에 앉아서, 작은 손가락으로 빗자루를 세게 쥐었다. 그는 너무 빨리 빙글빙글 돌아서 어지럽고 메스꺼웠다.

**정답** ①

## ~하자마자 …했다

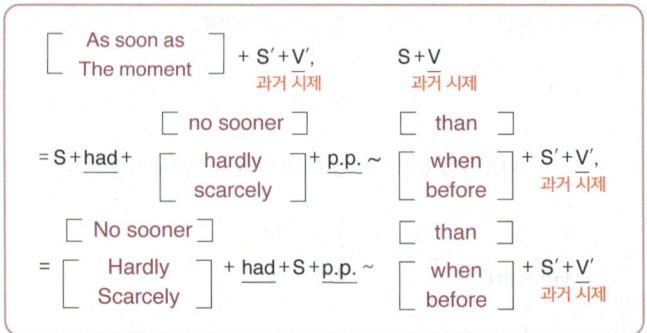

As soon as we went out, it began to rain.
우리가 나가자마자 비가 내리기 시작했다.

= We had no sooner gone out than it began to rain.
= We had hardly/scarcely gone out when/before it began to rain.
= No sooner had we gone out than it began to rain.
= Hardly/Scarcely had we gone out when/before it began to rain.

# Exercises

※ 빈칸에 들어갈 알맞은 말을 고르시오.

1. _____ closed my eyes when I began to think of her.

   ① Hardly I  ② Hardly I had
   ③ Hardly had I  ④ I hardly have

2. _____ reached there when it began to snow.

   ① Scarcely we  ② Scarcely had we
   ③ Scarcely we had  ④ We scarcely have

※ 밑줄 친 부분이 틀리면 바르게 고치시오.

3. The boy had no sooner fallen asleep when his father came home.

4. Hardly did she enter the house when someone turned on the light.

※ 다음 문장을 해석하고 구문분석하시오.

5. No sooner had I finished the meal than I started feeling hungry again.

6. Hardly had the violinist finished his performance before the audience stood up and applauded.

---

1. 해설 '~하자마자 …했다'라는 의미는 「Hardly/Scarcely + had + S + p.p. when/before + S' + V'」의 구문으로 표현할 수 있다. 따라서 ③이 정답이다.
   해석 눈을 감자마자 나는 그녀를 생각하기 시작했다.
   정답 ③

2. 해설 '~하자마자 …했다'라는 의미는 「Hardly/Scarcely + had + S + p.p. when/before + S' + V'」의 구문으로 표현할 수 있다. 따라서 ②가 정답이다.
   해석 우리가 그곳에 도착하자마자 눈이 내리기 시작했다.
   정답 ②

3. 해설 '~하자마자, …했다'라는 의미는 「S + had + no sooner + p.p. + than + S' + V'(과거)」로 표현하므로 when은 than으로 고쳐야 한다.
   해석 소년이 잠들자마자 그의 아버지가 집에 왔다.
   정답 when → than

4. 해설 '~하자마자 …했다'라는 의미는 「Hardly/Scarcely + had + S + p.p., when/before + S' + V'」의 구문으로 표현할 수 있다. 주절이 먼저 이뤄지는 경우이므로 주절은 과거완료 시제, 이어지는 부사절은 과거 시제로 써야 한다. 따라서 did she enter는 had she entered가 되어야 한다.
   해석 그녀가 집에 들어가자마자 누군가가 불을 켰다.
   정답 did she enter → had she entered

5. 해석 식사를 마치자마자 나는 다시 배고프기 시작했다.
   분석 No sooner had I finished the meal // than I started feeling hungry again.

6. 해석 바이올린 연주자가 연주를 끝내자마자 관객들은 일어나서 갈채를 보냈다.
   분석 Hardly had the violinist finished his performance // before the audience stood up and applauded.

Chapter 02 동사의 형태

# 출제유형 026

**POINT 15 시제 관련 표현**
## ~가 되어서야 (비로소) …하다

**밑줄 친 부분 중 어법상 옳지 않은 것은?**

> The first successful British colony ① was founded in 1607. The first settlers ② depended on the Indians ③ to learn how to survive. Not until they began cultivating tobacco for sale ④ they financed their activities to develop the country.

### B(~)가 되어서야 (비로소) A(…)하다

> not A until B
> = Not until B A (A는 「동사+주어」의 도치 어순)
> = It was not until B that A (A는 「주어+동사」의 정상 어순)

He didn't realize the value of health until he got sick.
그는 아프고 나서야 건강의 소중함을 알게 되었다.
= Not until he got sick did he realize the value of health.
= It was not until he got sick that he realized the value of health.

### 유형 분석 & 전략

not과 until이 한 문장에 있으면 not에 동그라미, until에 밑줄 긋고, 이후 「It ~ that … 강조구문」의 형태나 「Not until ~」 강조에 의한 도치를 확인해야 합니다.

### 포인트 분석

Not until they began cultivating tobacco for sale ④ they financed their activities to develop the country.
→ did they finance

### 해설

④ **문법포인트** 시제 관련 표현 「Not until B A」의 문형은 'B가 되어서야 비로소 A하다'라는 의미로 A는 주어와 동사가 도치된 어순이 되어야 한다. 일반동사의 도치는 조동사 do/does/did를 사용한다. (they financed → did they finance)

① **문법포인트** 능동태 vs. 수동태 구분 / 혼동하기 쉬운 동사의 불규칙 변화
'식민지가 건설되다'라는 수동의 의미를 나타내야 하므로 수동태가 바르게 쓰였다. 또한 '발견한다'는 의미의 find의 과거형, 과거분사형 found와 '건설한다'의 의미인 found를 구별할 줄 알아야 한다.

② **문법포인트** 완전자동사 depend는 완전자동사이므로 목적어를 취할 때는 반드시 동사 뒤에 전치사 on이나 upon이 와야 한다.

③ **문법포인트** to부정사의 역할 to부정사가 목적의 의미를 나타내는 부사적 용법으로 바르게 쓰였다.

### 어휘

colony 식민지   found 건설하다   settler 이주민
depend on ~에 의지하다   cultivate 재배하다   finance 자금을 대다

### 해석

영국의 첫 번째 성공적인 식민지는 1607년에 건설되었다. 첫 번째 이주민들은 살아남는 법을 배우기 위해 인디언들에 의지했다. 그들은 판매 목적으로 담배를 재배하기 시작하고 나서야 나라를 발전시키기 위한 활동에 자금을 댔다.

**정답** ④

### Check!

**머지않아 ~할 것이다**
It will not be long before S + V
                                현재 시제

전체적인 시제는 미래이지만 before로 시작하는 시간의 부사절에서 미래 시제 will은 현재 시제로 표현한다는 점에 주의하자.

It will not be long before she comes back.
머지않아 그녀가 돌아올 것이다.
It will not be long before we know the outcome.
머지않아 우리는 그 결과를 알게 될 것이다.

# Exercises

※ 빈칸에 들어갈 알맞은 말을 고르시오.

1. Not until he called me _____ I had lost my wallet.

   ① I realized        ② I had realized
   ③ did I realize     ④ have I realized

2. It was not until he arrived home that _____ he'd left his cell phone in the taxi.

   ① he found         ② did he find
   ③ he finds         ④ had he found

※ 밑줄 친 부분이 틀리면 바르게 고치시오.

3. It was not until he failed the math test that <u>did he decide</u> to study hard.

4. The financial rewards of owning your own business may not happen <u>until</u> you put in years of hard work.

※ 다음 문장을 해석하고 구문분석하시오.

5. It was not until she was sixty that she started to paint with iPad.

6. Not until the accident happened did they recognize the need for better safety measures.

---

1. (해설) Not until이 강조되어 문장의 맨 앞으로 나가면 이어지는 주절의 주어와 동사가 도치되어야 한다.
   (해석) 그가 전화를 하고 나서야 나는 지갑을 잃어버린 것을 알았다.
   (정답) ③

2. (해설) '~가 되어서야 (비로소) …하다'라는 표현 중 「Not until B A」는 도치가 이뤄지지만 「It was not until ~ that S+V」는 도치하지 않으므로 ①이 정답이다. ③은 시제가 맞지 않는다.
   (해석) 그가 핸드폰을 택시에 두고 내린 것을 안 것은 집에 도착해서였다.
   (정답) ①

3. (해설) 'B가 되어서야 A하다'를 의미하는 「not A until B」 구문의 변형 중 하나로 「It ~ that …」 강조 구문을 사용하여 It was not until B that A로 쓴 문장이다. 이때 not until과는 다르게 도치가 발생하지 않으므로 did he decide는 he decided로 고쳐야 한다.
   (해석) 수학 시험을 망치고서야 그는 공부를 열심히 하기로 결심했다.
   (정답) did he decide → he decided

4. (해설) 「not A until B」는 'B하고 나서야 A하다'를 의미한다. 당신이 수년간 열심히 일하고 나서야 금전적인 보상을 갖게 된다는 의미이므로 until이 바르게 쓰였다.
   (해석) 자신의 사업체를 소유한 것에 대한 금전적인 보상은 수년간 열심히 일하고 나서야 생길 수 있다.
   (정답) 틀린 부분 없음

5. (해석) 그녀는 60세가 되어서야 아이패드로 그림을 그리기 시작했다.
   (분석) It was not until she was sixty // that she started to paint with iPad.

6. (어휘) recognize 인식하다    measure 조치
   (해석) 사고가 발생하고 나서야 그들은 더 나은 안전 조치의 필요성을 인식했다.
   (분석) Not until the accident happened // did they recognize the need for better safety measures.

# 출제유형 027

**POINT 16 능동태 vs. 수동태 구분**

## 능동태/수동태

---

**밑줄 친 부분에 들어갈 말로 가장 적절한 것은?**

> A telephone _____ in your office next week.

① installs  ② is installed
③ will install  ④ will be installed

### 유형 분석 & 전략

동사의 형태가 단순하지 않다면 이는 동사의 형태 문제로서 동사의 수/태/시제를 묻는 문제입니다.
따라서 동사에 밑줄 긋고, 주어 – 동사의 수 일치를 먼저 확인한 후 이상이 없다면 문맥과 목적어 유무를 통해 능동태/수동태가 올바르게 쓰였는지 확인해야 합니다.

### 포인트 분석

목(X)
A telephone will be installed in your office next week.

### 1. 주어와의 의미 관계 파악에 의한 능동/수동의 구분

The books were written by him.  그 책들은 그에 의해 쓰였다.
　주어　　　동사

### 2. 동사의 유형과 목적어의 존재 유무에 의한 능동/수동의 구분

| Step 1 | Step 2 |
|---|---|
| 동사의 유형 파악 | 타동사의 목적어 유무 파악 |
| ┌자동사: 수동태 불가 | ┌목적어가 있으면 능동태 |
| └타동사: 수동태 가능(→ Step 2) | └목적어가 없으면 수동태 |

Scientists discovered the fact.
과학자들이 그 사실을 발견했다.

The fact was discovered (by the scientists).
그 사실은 (과학자들에 의해) 발견되었다.

---

### 해설

**문법포인트** 능동태 vs. 수동태 구분 능동태 문장에서 타동사 install의 목적어인 A telephone이 수동태 문장의 주어가 된 형태이고, 의미상으로도 주어와 동사가 수동의 관계이다. 또한 next week이라는 미래를 나타내는 부사구가 있으므로 미래 시제의 선택지를 골라야 한다.

### 어휘

install 설치하다

### 해석

다음 주에 전화기가 당신의 사무실에 설치될 것이다.

정답 ④

### 구문분석 공식

**공식 15** 수동태는 주어가 동사의 행동을 당한다는 의미이다.

　　　　　　　S　　　　　　　　　　V(be+p.p.:수동태)
The feeling (of being loved) is triggered / by nonverbal cues.

　　　　　　(사랑받는) 느낌은 일어난다　　　　/
비언어적 신호에 의해.

**해석** 사랑받는 느낌은 비언어적 신호에 의해 일어난다.

　　　　　S　　　　　　　　　V(be+p.p.: 수동태)
Many lost pets (likewise) are found.

**해석** 많은 잃어버린 반려동물들이 (또한) 발견된다.

**어휘** trigger 일으키다  nonverbal 비언어적  cue 신호  pet 반려동물
likewise 또한, 마찬가지로

# Exercises

※ 빈칸에 들어갈 알맞은 말을 고르시오.

1. She _____ primarily as a political cartoonist throughout her career.

   ① knows          ② knew
   ③ has known      ④ has been known

2. The new policy _____ with caution, considering its potential risks.

   ① approached        ② was approaching
   ③ was approached    ④ has been approaching

※ 밑줄 친 부분이 틀리면 바르게 고치시오.

3. I regret to inform you that your loan application <u>has not approved</u>.

4. The Aswan High Dam <u>has been protected</u> Egypt from the famines of its neighboring countries.

※ 다음 문장을 해석하고 구문분석하시오.

5. Deserts cover more than one-fifth of the Earth's land area, and they are found on every continent.

6. At that time, books were created using raised print, which was difficult for peolpe to read.

---

1. **해설** know는 타동사인데 뒤에 목적어가 없다. 문맥적으로도 주어인 She가 '알려졌다'는 수동의 의미이므로 수동태인 has been known이 들어가야 한다.
   **해석** 그녀는 경력 내내 주로 정치 풍자만화가로 알려져 왔다.
   **정답** ④

2. **해설** approach는 '스스로 접근하다'라는 의미의 자동사와 '~에 접근하다'라는 의미의 타동사로 쓰인다. 정책이 스스로 접근한다는 것은 어색하고, '정책에 접근하다'라는 의미가 되어야 자연스러우므로 타동사로 사용되었다. policy가 주어 자리에 있으므로 '정책이 접근되다'라는 수동 관계이므로 was approached가 적절하다.
   **어휘** policy 정책   with caution 신중하게   considering ~을 고려하여   potential 잠재적인   risk 위험
   **해석** 그 새로운 정책은 잠재적 위험을 고려하여 신중하게 접근되었다.
   **정답** ③

3. **해설** '승인되지 않다'라는 수동의 의미이고 approve는 타동사인데 뒤에 목적어가 없으므로 수동태가 되어야 함을 알 수 있다. 능동태인 has not approved는 수동태인 has not been approved로 고쳐야 한다.
   **해석** 당신의 대출 신청이 승인되지 않았음을 알려드리게 되어 유감입니다.
   **정답** has not approved → has not been approved

4. **해설** 동사 protect 뒤로 Egypt라는 목적어가 있는 것으로 미루어 보아 수동이 아닌 능동의 의미이므로 능동태로 고쳐야 한다.
   **어휘** famine 기근
   **해석** 아스완 하이 댐은 이웃 국가들의 기근으로부터 이집트를 보호해 왔다.
   **정답** has been protected → has protected

5. **해석** 사막은 지구 육지의 5분의 1 이상을 덮고 있으며 모든 대륙에서 발견된다.
   **분석** <u>Deserts</u>(S1) <u>cover</u>(V1) <u>more than one-fifth</u>(O1) (of the Earth's land area), // and <u>they</u>(S2) <u>are found</u>(V2) on every continent.

6. **해석** 그 당시에 책들은 돋음 인쇄법을 이용하여 만들어졌는데, 그것은 사람들이 읽기에는 어려웠다.
   **분석** At that time, / <u>books</u>(S) <u>were created</u>(V) / using raised print, (which was difficult for peolpe to read).

# 출제유형 028

**POINT 17 동사의 유형별 수동태**

## 자동사의 수동태

**밑줄 친 부분 중 어법상 옳지 않은 것은?** 인사혁신처 2차 예시

> We have already ① arrived in a digitized world. Digitization affects not only traditional IT companies, but companies across the board, in all sectors. New and changed business models ② are emerged: cars ③ are being shared via apps, languages learned online, and music streamed. But industry is changing too: 3D printers make parts for machines, robots assemble them, and entire factories are intelligently ④ connected with one another.

### 유형 분석 & 전략

동사에 「be p.p.」가 보이면 밑줄 긋고, 만일 자동사라면 뒤의 전치사의 유무를 통해 수동태가 올바른지 확인해야 합니다.

### 포인트 분석

New and changed business models ② are emerged
→ emerge

### 해설

② **문법포인트** 동사의 유형별 수동태 emerge는 완전자동사로 수동태로 전환할 수 없으므로 능동태로 고쳐야 한다. (are emerged → emerge)
① **문법포인트** 완전자동사 arrive는 완전자동사로 주로 전치사 in, at 등과 함께 쓰인다.
③ **문법포인트** 능동태 vs. 수동태 구분 동사 뒤에 목적어가 없고 주어와 동사가 의미상 수동의 관계이므로 수동태 진행형이 바르게 쓰였다.
④ **문법포인트** 능동태 vs. 수동태 구분 동사 뒤에 목적어가 없고 주어와 동사가 의미상 수동의 관계이므로 be동사 are와 함께 수동태가 바르게 쓰였다.

### 어휘

across the board 전반적으로　sector 부문　emerge 등장하다
via ~을 통해　part 부품　assemble 조립하다

### 해석

우리는 디지털화된 세계에 이미 도달했다. 디지털화는 전통적인 IT 기업들뿐 아니라, 모든 부문에서 전반적으로 기업에 영향을 미친다. 새롭고 변화된 비즈니스 모델이 등장하고 있다: 자동차는 앱을 통해 공유되고, 언어는 온라인으로 학습되며, 음악은 스트리밍된다. 그러나 산업 또한 변화하고 있다: 3D 프린터가 기계 부품을 만들고, 로봇이 그것들을 조립하며, 전체 공장은 지능적으로 서로 연결되어 있다.

정답 ②

---

**1. 자동사는 목적어를 취하지 않으므로 목적어가 주어로 전환되는 수동태로 쓸 수 없다.**

능동태　The accident occurred. 사고가 발생했다.
➡ 수동태　The accident was occurred. (×)

**빈출 수동태 불가 동사**

| | | |
|---|---|---|
| occur | retire | happen |
| expire | arise | appear |
| emerge | seem | become |
| consist of | result from | belong to |

**2. 일부 「자동사 + 전치사」의 동사구는 전치사가 목적어를 취하여 타동사와 같은 기능을 하므로 수동태가 가능하다. 수동태로 전환할 때는 전치사를 빠뜨리지 않도록 주의하자.**

능동태　She looked at the painting in admiration.
그녀는 감탄하며 그 그림을 보았다.
➡ 수동태　The painting was looked at in admiration by her.
능동태　They laughed at me.
그들은 나를 비웃었다.
➡ 수동태　I was laughed at by them.
I was laughed by them. (×)

**수동태 빈출 「자동사 + 전치사」**

| | |
|---|---|
| laugh at ~를 비웃다 | look at ~를 쳐다보다 |
| look after ~를 돌보다 | deal with ~을 다루다 |
| run over ~을 치다 | |

# Exercises

※ 빈칸에 들어갈 알맞은 말을 고르시오.

1. That wonderful thought _____ after I came to Jeju.

   ① has suddenly been occurred
   ② suddenly occurred
   ③ was suddenly occurred
   ④ was suddenly being occurred

2. This story was about the incidents that _____ in the 1920s.

   ① happened
   ② were happened
   ③ has been happened
   ④ had been happened

※ 밑줄 친 부분이 틀리면 바르게 고치시오.

3. The picture was looked at carefully by the art critic.

4. The group was consisted of ten people.

※ 다음 문장을 해석하고 구문분석하시오.

5. The boy was laughed at by his classmates, so he ran out of the classroom.

6. That economic crisis was effectively dealt with by the government.

---

1. 해설) occur는 자동사이다. 자동사는 수동태로는 쓸 수 없고 능동태로만 써야 하므로 suddenly occurred가 들어가야 한다.
   해석) 그 아주 멋진 생각은 내가 제주에 온 후에 갑자기 떠올랐다.
   정답) ②

2. 해설) happen은 자동사이며 자동사는 수동태로 쓸 수 없고 능동태로만 써야 하므로 happened가 들어가야 한다.
   해석) 이 이야기는 1920년대에 발생한 사건들에 관한 것이었다.
   정답) ①

3. 해설) look at은 「자동사+전치사」의 구조이다. 자동사는 수동태로 쓰지 못하지만 「자동사+전치사」의 동사구가 타동사처럼 사용되어 수동태가 되기도 한다. '조사하다'는 의미의 look at 역시 수동태로 쓰일 수 있다. 따라서 수동태로 바르게 쓰였다.
   해석) 그 그림은 미술 평론가에 의해 조심스럽게 조사되었다
   정답) 틀린 부분 없음

4. 해설) 동사 consist는 '구성되다'를 의미하는 자동사로서 수동태로 표현할 수 없고, 뒤에 목적어를 취하기 위해 전치사 of를 함께 써야 하는 동사이다. consist of 역시 수동태로 쓰지 않으며 능동태로만 써야 한다. 따라서 was consisted of는 consisted of라고 고쳐야 한다.
   해석) 그 그룹은 10명으로 구성되었다
   정답) was consisted of → consisted of

5. 해석) 그 소년은 반 친구들에게 비웃음을 당해서 교실 밖으로 뛰쳐나갔다.
   분석) The boy [S1] was laughed at [V1] by his classmates, // so he [S2] ran out of [V2] the classroom.

6. 해석) 그 경제 위기는 정부에 의해 효과적으로 다뤄졌다.
   분석) That economic crisis [S] was effectively dealt with [V] / by the government.

Chapter 02 동사의 형태 97

# 출제유형 029

**POINT 17 동사의 유형별 수동태**

## 완전타동사의 수동태

### 밑줄 친 부분 중 어법상 옳지 않은 것은?

> Companies ensure that workers ① are informed the policies ② that affect their work. Clear communication helps employees ③ understand new regulations. As a result, workers can adapt ④ quickly enough to meet the company's expectations.

#### 유형 분석 & 전략

동사에 「be p.p.」가 보이면 밑줄 긋고, 동사의 유형별로 주의할 점을 근거로 표시하며 문법이 적절한지 확인해야 합니다.

#### 포인트 분석

Companies ensure that workers ① are informed the policies that affect their work.
전치사 필요
→ are informed of

#### 해설

① **문법포인트** **동사의 유형별 수동태** inform은 주로 전치사 of와 함께 사용되는 타동사로 「inform A(사람) of B(내용)」가 'A에게 B를 통보하다'의 의미로 사용된다. 이를 목적어 A를 주어로 하는 수동태 문장으로 전환 시 전치사 of가 빠지지 않도록 유의해야 한다. (are informed → are informed of)

② **문법포인트** **관계대명사의 선택 / 주어 – 동사 수 일치** 관계대명사 that의 선행사가 policies이고 뒤에 주어가 없는 불완전한 절이 왔으므로 관계대명사 that이 바르게 쓰였다. 또한 선행사가 복수이므로 동사도 복수형으로 바르게 쓰였다.

③ **문법포인트** **불완전타동사와 동작의 목적격보어** help는 불완전타동사로 목적어와 목적격보어를 가지며 목적격보어로 to부정사와 원형부정사 둘 다 쓸 수 있다. 원형부정사 목적격보어 understand가 바르게 쓰였다.

④ **문법포인트** **형용사 vs. 부사** 부사 enough가 형용사나 다른 부사를 수식할 때는 그 뒤에서 수식하므로 부사 quickly를 뒤에서 바르게 수식하고 있다.

#### 어휘

ensure 보장하다　policy 정책　regulation 규정　adapt 적응하다　expectation 기대

#### 해석

기업들은 근로자들이 자신의 업무에 영향을 줄 정책에 대해 통보 받도록 보장한다. 명확한 의사소통은 직원들이 새로운 규정을 이해하는 것을 돕는다. 그 결과, 근로자는 회사의 기대를 충족할 수 있을 만큼 충분히 빠르게 적응할 수 있다.

정답 ①

### 1. 주로 전치사와 함께 사용되는 타동사의 경우 수동태 전환 시 전치사가 빠지지 않아야 한다.

능동태　The picture reminded me of the accident.
그 사진은 나에게 그 사고를 생각나게 했다.

➡ 수동태　I was reminded of the accident by the picture.
I was reminded the accident by the picture. (×)

### 2. that절의 주어가 수동태의 주어가 되는 경우 뒤에 to부정사가 오는 점을 유의하자.

능동태　They say that he is sick. 그들은 그가 아프다고 말한다.
➡ 수동태　He is said to be sick. 그가 아프다고 한다.

능동태　People believe that monkeys have great intelligence.
사람들은 원숭이가 뛰어난 지능을 가지고 있다고 믿는다.
➡ 수동태　Monkeys are believed to have great intelligence.
원숭이들은 뛰어난 지능을 가지고 있다고 믿어진다.

### 3. 수여동사의 수동태

두 개의 목적어가 있으므로 두 개의 목적어를 각각 주어로 하는 두 개의 수동태 문장이 가능하다.
따라서 동사의 뒤에 목적어가 하나 있어도 수동일 수 있으므로 주의하자.
(give, offer 등이 자주 출제된다.)

능동태　They gave us a small gift.
그들은 우리에게 작은 선물을 주었다.
➡ 수동태　We were given a small gift (by them).
우리는 작은 선물을 (그들에게) 받았다.
➡ 수동태　A small gift was given to us (by them).
작은 선물이 (그들에 의해서) 우리에게 주어졌다.

---

### 구문분석 공식

**공식 15-1** 수동태 동사에 이어지는 to부정사는 주어의 행동에 대한 설명이다.

　　　　　S　　　　　V(수동태)　　　　C
A company may be allowed / to revalue its assets.

회사는 허용될 수도 있다　/ 자산의 가치를 재평가하도록.

해석　회사는 자산의 가치를 재평가하도록 허용될 수도 있다.

어휘　revalue 재평가하다　asset 자산

# Exercises

※ 빈칸에 들어갈 알맞은 말을 고르시오.

1. In the USA, this _____ as the preponderance of the evidence.

   ① referred to     ② is referring to
   ③ is referred to     ④ is to refer

2. Athletes are believed _____ mentally stronger and healthier than ordinary people.

   ① be     ② to be
   ③ being     ④ been

※ 밑줄 친 부분이 틀리면 바르게 고치시오.

3. They were reminded their duty by his speech.

4. He was finally offered the job by the company he wanted to join.

※ 다음 문장을 해석하고 구문분석하시오.

5. They were given a name and asked to judge whether it was male or female.

6. *The Iliad* and *the Odyssey*, as well as *The Arabian Nights*, can all be referred to as mythological texts.

---

1. **해설** 「refer to A as B」는 'A를 B로 부르다'라는 의미이므로 수동태가 되면 「A be referred to as B」의 형태가 되어야 하므로 is referred to가 들어가야 한다.
   **어휘** preponderance 우월성, 우위
   **해석** 미국에서 이것은 증거의 우월성이라고 불린다.
   **정답** ③

2. **해설** People(They) believe athletes are mentally stronger and healthier than ordinary people.을 수동태로 바꾼 문장이다. that절의 주어가 수동태의 주어가 되는 경우 뒤에 to부정사가 와야 한다.
   **어휘** athlete 운동선수   mentally 정신적으로   ordinary 평범한
   **해석** 운동선수들은 평범한 사람들보다 정신적으로 더 강하고 건강하다고 믿어진다.
   **정답** ②

3. **해설** remind는 타동사로서 수동태인 경우 목적어가 없어야 하는데 뒤에 their duty가 나와 맞지 않다. 'A에게 B를 상기시켜주다, 일깨우다'라는 의미의 「remind A of B」의 구문이 수동태가 된 것임을 알 수 있다. 따라서 were reminded는 were reminded of로 고쳐야 한다.
   **해석** 그들은 그의 연설로 자신들의 의무에 대해 다시 한번 일깨워졌다.
   **정답** were reminded → were reminded of

4. **해설** offer는 수여동사로 뒤에 목적어가 있어도 수동태가 가능하다. 그가 자리를 제공받았다는 수동의 의미이므로 수동태 형태가 올바르다.
   **해석** 그는 마침내 그가 들어가기를 원하는 회사에서 일을 제안받았다.
   **정답** 틀린 부분 없음

5. **해석** 그들은 이름을 하나 받고 그것이 남성인지 여성인지 여부를 판단하도록 요청받았다.
   **분석** They(S) were given(V1) a name(O1) // and asked(V2) to judge(C2) // whether it was male or female.

6. **해석** <아라비안나이트>뿐만 아니라 <일리아드>와 <오디세이>도 모두 신화적인 글로 불릴 수 있다.
   **분석** *The Iliad* and *the Odyssey*(S), as well as *The Arabian Nights*, can all be referred to(V) as mythological texts(C).

Chapter 02 동사의 형태   99

## 출제유형 030

**POINT 17 동사의 유형별 수동태**

# 불완전타동사의 수동태 (사역·지각동사)

**밑줄 친 부분에 들어갈 말로 가장 적절한 것은?**

> The team was made _____ an intensive training program to enhance their skills.

① join
② joined
③ joining
④ to join

### 유형 분석 & 전략

사역동사·지각동사가 「be p.p.」 형태로 쓰이면 동그라미, 바로 뒤에 이어지는 목적격보어에 밑줄 그어, 그 형태가 동사원형이 아닌 to부정사인 것을 확인해야 합니다.

### 포인트 분석

> The team was made to join an intensive training program to enhance their skills.

### 1. 사역·지각동사의 수동태

사역·지각동사의 경우 능동태의 목적격보어인 동사원형이 수동태에서는 to부정사의 형태가 된다.

능동태  I made him repair my car.
나는 그에게 내 차를 수리하게 했다.

➡ 수동태  He was made to repair my car (by me).
그는 내 차를 수리하게 되었다.

**쌤's TIP**

지각동사 능동태의 목적격보어인 현재분사는 수동태에서 그대로 쓴다.

She saw her son singing a song.
→ Her son was seen singing a song.

### 2. 명사를 목적격보어로 취하는 동사의 수동태

주로 명사를 목적격보어로 취하는 불완전타동사(call, name, elect 등)의 경우, 동사의 뒤에 명사가 있어도 이는 목적어가 아니라 목적격보어이므로 수동이 될 수 있음에 유의하자.

능동태  We elected her the chairperson.
                   목적어  목적격보어
우리는 그녀를 의장으로 선출했다.

➡ 수동태  She was elected the chairperson (by us).
그녀는 (우리에 의해서) 의장으로 선출되었다.

### 해설

**문법포인트** 동사의 유형별 수동태 사역동사(make)가 수동태로 쓰일 때는 능동태 문장의 원형부정사인 목적격보어는 to부정사로 바뀌어야 한다. was made라는 수동태가 왔으므로 목적격보어인 join은 to join의 형태로 와야 한다.

### 어휘

intensive 집중적인   enhance 강화하다

### 해석

그 팀은 그들의 기술을 강화시키기 위해 집중 훈련 프로그램에 들어가게 되었다.

**정답** ④

# Exercises

※ 빈칸에 들어갈 알맞은 말을 고르시오.

1. Steve was made _____ his suitcase by the custom officer.

   ① open    ② opened
   ③ to open    ④ openning

2. My daughter was heard _____ the piano downstairs.

   ① play    ② played
   ③ to play    ④ to playing

※ 밑줄 친 부분이 틀리면 바르게 고치시오.

3. Bakers have been made come out, asking for promoting wheat consumption.

4. He was noticed shed tears during the sermon.

※ 다음 문장을 해석하고 구문분석하시오.

5. Performing from memory is often seen to have the effect of boosting musicality and musical communication.

6. He ordered that Tell's little boy should be made to stand up in the public square with an apple on his head.

---

1. (해설) 사역동사가 수동태로 될 때 능동태 문장의 원형부정사 목적격보어는 수동태 문장에서 to부정사로 고쳐야 한다. 사역동사 make가 수동태가 된 문장이므로 to open이 들어가야 한다.
   (해석) Steve는 세관원에 의해 자신의 여행 가방을 열게 되었다.
   (정답) ③

2. (해설) 지각동사가 수동태가 되면 능동태의 원형부정사 목적격보어는 수동태에서 to부정사로 고치고, 현재분사 목적격보어는 현재분사 그대로 써야 한다. 지각동사 hear가 수동태가 된 문장이므로 to play 또는 playing이 정답이다.
   (해석) 내 딸이 아래층에서 피아노 연주하는 것이 들렸다.
   (정답) ③

3. (해설) 사역동사가 수동태가 될 때 능동태 문장의 원형부정사 목적격보어는 수동태 문장에서 to부정사로 고쳐야 한다. 사역동사 make가 수동태가 된 문장이므로 come out은 to come out으로 고쳐야 한다.
   (해석) 제빵사들은 밀의 소비 장려를 요구하며 거리로 나오도록 강요받아 왔다.
   (정답) come out → to come out

4. (해설) 지각동사가 수동태가 되면 능동태의 원형부정사 목적격보어는 수동태에서 to부정사로 고치고, 현재분사 목적격보어는 현재분사 그대로 써야 한다. 지각동사 notice가 수동태가 된 문장이므로 shed tears는 to shed tears로 고쳐야 한다.
   (어휘) shed (눈물을) 흘리다    sermon 설교
   (해석) 그가 설교 중에 눈물을 흘리는 것이 목격되었다.
   (정답) shed tears → to shed tears/shedding tears

5. (어휘) perform 연주하다    effect 효과    boost 신장시키다    musicality 음악성
   (해석) 외워서 연주를 하는 것은 흔히 음악성과 음악적 소통을 신장시키는 효과를 가지고 있다고 보여진다.
   (분석) Performing (from memory) is often seen / to have the effect of boosting musicality and musical communication.

6. (해석) 그는 Tell의 어린 아들이 사과를 머리에 이고 공공 광장에 서 있게 해야 한다고 명령했다.
   (분석) He ordered // that Tell's little boy should be made / to stand up in the public square / with an apple on his head.

# 출제유형 031

**POINT 18 조동사의 선택**

## 주요 조동사

---

**밑줄 친 부분에 들어갈 말로 가장 적절한 것은?**

> The principal _____ be over 60 now because she just celebrated her 50th birthday 3 or 4 years ago.

① cannot
② must
③ used not to
④ has to

### 유형 분석 & 전략

조동사의 의미를 묻는 경우, 조동사의 개념(능력, 가능, 허가, 추측, 의무)을 구분하여 판단해야 합니다. 문장 내에서 힌트가 되는 내용이 오는지 확인하는 것이 좋습니다.

### 포인트 분석

> The principal **cannot** be over 60 now because she
> (~일 리가 없다)
> celebrated her 50th birthday 3 or 4 years ago.

### 1. 능력 '~ 할 수 있다' – can, could, be able to
He **can** swim. = He **is able to** swim.
그는 수영을 할 수 있다.

### 2. 허가 '~해도 좋다' – can, could, may
You **may** come in. 너는 들어와도 좋다.
You **may not** smoke in this building.
너는 이 건물 안에서 흡연을 해서는 안 된다.

### 3. 추측

① 추측 '~일지도 모른다' – can, could, may, might
The company **may** build a large factory near my town.
그 회사는 내가 사는 마을 근처에 큰 공장을 지을지도 모른다.
They **might** become more powerful.
그것들은 더욱 강력해질지도 모른다.

> **쌤's TIP**
> could, might 등이 추측의 의미로 쓰일 때는 과거가 아닌 현재 시제이다.

② '~임에 틀림없다' must, '~일 리 없다' cannot
It's raining heavily. The roads **must** be slippery.
비가 많이 내리고 있다. 도로가 틀림없이 미끄러울 것이다.
He looks so young. He **cannot** be a teacher.
그는 매우 어려 보인다. 그는 선생님일 리가 없다.

### 4. 의무 '~해야 한다' – must, have to, ought to, should
All students **must** keep quiet in the library.
모든 학생들은 도서관에서 조용해야 한다.
You **ought not to** drive if you're sick.
아프면 운전을 하지 말아야 한다(하지 않은 것이 좋다).

---

**해설**

**문법포인트** 조동사의 선택 can은 부정어 not을 붙여 강한 부정의 추측인 '~일 리가 없다'라는 의미로 쓸 수 있다. because 이하를 볼 때 3~4년 전에 50세 생일을 축하하였으므로 지금은 60이 넘었을 리가 없다는 의미가 오는 것이 적합하다.

**어휘**
principal 교장   celebrate 축하하다

**해석**
교장 선생님은 3~4년 전에 그녀의 50번째 생일을 축하했으므로 60살이 넘었을 리가 없다.

**정답** ①

---

### 구문분석 공식

**공식 16** 각 조동사의 의미를 본동사의 의미에 덧붙여 해석한다.

| S | 조V | 본V | O |
A child should overcome fear (of failure) / through success.
아이는 (실패의) 두려움을 극복해야 한다 / 성공을 통해.

**해석** 아이는 성공을 통해 실패의 두려움을 극복해야 한다.

**어휘** overcome 극복하다   fear 두려움

# Exercises

※ 다음 문장을 해석하고 구문분석하시오.

1. Public expenditure can be justified through a proper investment.

2. This handbag is fake. It can't be expensive.

3. Students' concentration during class may also decrease due to external noises.

4. You may go home when you are done with the exam.

5. She must be tired because she had no sleep last night.

6. You ought not to go out at night by yourself as it is dangerous.

---

1. 해석) 공공 지출은 적절한 투자를 통해 정당화될 수 있다.
   분석) Public expenditure can be justified / through a proper investment.
   (S) (V)

2. 해석) 이 핸드백은 가짜다. 비쌀 리가 없다.
   분석) This handbag is fake. // It can't be expensive.
   (S V C) (S V C)

3. 해석) 수업 중 학생의 집중력은 외부의 소음으로 인해 떨어질 수 있다.
   분석) Students' concentration (during class) may also decrease / due to external noises.
   (S) (V)

4. 어휘) be done with ~을 마치다
   해석) 시험을 마치면 너희들은 집에 가도 좋다.
   분석) You may go home // when you are done with the exam.
   (S V) (S' V')

5. 해석) 그녀는 지난밤에 잠을 전혀 자지 않았기 때문에 틀림없이 피곤할 것이다(피곤함에 틀림없다).
   분석) She must be tired // because she had no sleep last night.
   (S V C) (S' V' O')

6. 해석) 위험하니 혼자서 밤에 나가지 않는 것이 좋다(나가서는 안 된다).
   분석) You ought not to go out at night by yourself // as it is dangerous.
   (S V) (S' V' C')

# 출제유형 032

**POINT 18 조동사의 선택**

## 조동사 사용 주요 표현

---

**밑줄 친 부분 중 어법상 옳지 않은 것은?**

> The capacity of local governments ① to increase productivity and ② promote economic growth in their areas, ③ was not properly developed. They have been used to ④ implement national policies and programs.

### 유형 분석 & 전략

「used to/be used to」가 보이면 동그라미 후 이어지는 동사의 형태가 동사원형인지 동명사인지 밑줄 그어 확인해야 합니다.
「may as well」은 이어지는 동사의 형태를 확인하고 「cannot ~ too」는 문맥상 적합한 의미인지 확인해야 합니다.

### 포인트 분석

They have been used to ④ implement national policies and programs.
→ implementing

### 해설

④ **문법포인트** 조동사의 선택 They는 local governments를 지칭한다. 의미상 be used to는 '~하는 데 익숙하다'라는 의미로 to는 전치사이므로 implement는 동명사 implementing으로 고쳐야 한다. (implement → implementing)

① **문법포인트** to부정사의 역할 to increase는 to부정사의 형용사적 용법으로 사용되어 앞의 명사 The capacity of local governments를 뒤에서 바르게 수식하고 있다.

② **문법포인트** 등위접속사의 병렬 구조 to increase ~와 (to) promote가 등위접속사 and로 바르게 연결되었다.

③ **문법포인트** 주어 – 동사 수 일치 주어는 단수 명사인 The capacity이므로 동사 역시 단수형인 was가 바르게 사용되었다.

### 어휘

capacity 역량   productivity 생산성   implement 시행하다

### 해석

자기 지역에서 생산성을 늘리고 경제 성장을 촉진하는 지방 정부의 역량은 적절히 개발되지 않았다. 그들은 국가적인 정책과 프로그램을 시행하는 데 익숙해져 왔다.

**정답** ④

---

### 1. used to & be used to

| | |
|---|---|
| used to + 동사원형 | ~하곤 했다 (현재와 다른 과거의 습관이나 과거의 사실) |
| be used to -ing/명사 | ~하는 데 익숙하다 |
| be used to + 동사원형 | ~하기 위해 사용되다 |

He used to take a walk every morning.
그는 매일 아침 산책을 하곤 했다.

He is used to staying up late at night.
그는 밤에 늦게까지 자지 않는 것에 익숙하다.

The box is used to keep spare keys.
이 상자는 여분의 열쇠를 보관하기 위해 사용된다.

### 2. may 사용 주요 관용 어구

| | |
|---|---|
| may well + 동사원형 | ~이 당연하다 |
| may as well + 동사원형 | ~하는 것이 낫다(= had better) |
| may as well A as B | B하기 보다는 A하는 편이 낫다 |

He may as well leave as stay.
그는 머무르기보다는 떠나는 것이 낫다.

### 3. can 사용 주요 관용 어구

| | |
|---|---|
| cannot ~ too | 아무리 ~해도 지나치지 않다 |

You cannot be too careful in choosing your friends.
친구를 선택할 때 아무리 주의해도 지나치지 않다.

# Exercises

※ 빈칸에 들어갈 알맞은 말을 고르시오.

1. I am used to _____ early every day.

   ① get up  ② getting up
   ③ got up  ④ be getting up

2. They used to _____ books much more when they were younger.

   ① love  ② loving
   ③ be loved  ④ being loved

※ 밑줄 친 부분이 틀리면 바르게 고치시오.

3. Specialized multilayer fabric systems are used to <u>meeting</u> the thermal challenges presented.

4. You may as well hang the washing out to dry <u>than</u> help your mother set the table.

※ 다음 문장을 해석하고 구문분석하시오.

5. You might as well try to turn a stone into gold as try to persuade me.

6. You can't be too careful in changing jobs in this difficult economic situation.

---

1. **해설** '~에 익숙하다'를 의미하는 표현인 be used to에서 to는 to부정사가 아닌 전치사이므로 뒤에는 목적어로 동명사가 적합하다. 따라서 getting up이 들어가야 한다.
   **해석** 나는 매일 일찍 일어나는 것에 익숙하다.
   **정답** ②

2. **해설** 「used to + 동사원형」은 '~하곤 했다'라는 의미로 현재와는 다른 과거의 습관이나 과거의 사실을 나타내는 조동사이다. used to 뒤에는 동사원형이 나와야 하고 목적어 books가 있으므로 능동의 love가 들어가야 한다.
   **해석** 그들이 더 어렸을 때 책을 훨씬 더 사랑했었다.
   **정답** ①

3. **해설** 「be used to 동사원형」은 동사 use의 수동태로 '~하기 위해 사용되다'라는 의미이다. 문맥상 '열 자극에 대처하기 위해 사용된다'의 의미이므로 meeting은 meet로 고쳐야 한다. 참고로 「be used to -ing」는 '~에 익숙하다'라는 의미의 표현이므로 구분해서 사용해야 한다.
   **어휘** multilayer 여러 겹의  fabric 섬유의  thermal 열의  present 드러내다
   **해석** 특수화된 여러 겹의 섬유 조직이 제시된 열 자극에 대처하기 위해 사용된다.
   **정답** meeting → meet

4. **해설** 'B하기보다는 A하는 편이 낫다'라는 의미를 나타내기 위해서 「may as well A as B」의 표현을 쓸 수 있다. 따라서 비교 대상을 나타내기 위해 than은 as로 고쳐야 한다.
   **해석** 너는 어머니가 상 차리시는 것을 도와주는 것보다 차라리 빨래를 너는 편이 낫겠다.
   **정답** than → as

5. **해석** 나를 설득하는 것보다 돌을 금으로 바꾸는 편이 나을 것이다.
   **분석** You(S) might as well try(V) to turn a stone into gold(O) // as try(V') to persuade me(O').

6. **해석** 지금과 같은 어려운 경제 상황에서 이직하는 것은 아무리 조심해도 지나치지 않다.
   **분석** You(S) can't be(V) too careful(C) / in changing jobs / in this difficult economic situation.

# 출제유형 033

**POINT 19** 당위의 조동사 should

## (should) + 동사원형

**밑줄 친 부분에 들어갈 말로 가장 적절한 것은?**

> The committee recommended that the plan _____ carried out.

① be  ② was
③ have  ④ would be

### 유형 분석 & 전략

주장/요구/제안/명령 동사에 동그라미, 또는 「it ~ that ...」 가주어·진주어 구문에서 판단의 형용사에 동그라미 후, that절의 동사에 밑줄 그어 「(should) + 동사원형」의 형태인지 확인해야 합니다.

### 포인트 분석

The committee recommended that the plan be carried out.
(should)+R

### 해설

**문법포인트** 당위의 조동사 should 제안의 동사인 recommend가 주절의 동사로 사용되었으므로 목적어인 that절의 동사는 「(should) + 동사원형」의 형태가 되어야 한다.

### 어휘

committee 위원회   recommend 권고하다   carry out 실행하다

### 해석

위원회는 그 계획이 실행되어야 한다고 권고했다.

**정답** ①

## 1. 주장, 요구, 제안, 명령 동사

| | 주절 | 종속절 |
|---|---|---|
| S + | 주장 insist | + that + S' + (should) 동사원형 |
| | 요구 ask, demand, require, request | |
| | 제안 suggest, propose, recommend, advise | |
| | 명령 order, urge, command | |

The judge **ordered** that the prisoner (should) be detained.
판사는 죄수가 구금되어야 한다고 명령했다.

There was **a suggestion** that a hospital (should) be built in our town.
병원이 우리 마을에 지어져야 한다는 제안이 있었다.

## 2. 판단의 형용사

| 가주어 It + 판단의 형용사 | 진주어 that절 |
|---|---|
| It + be동사 + important, of importance, essential, crucial, necessary, appropriate, desirable, natural | + that + S' + (should) 동사원형 |

It is **necessary** that he (should) work hard.
그가 열심히 일해야 하는 것은 필수적이다.

### 구문분석 공식

**공식 16-1** 주장, 요구, 제안, 명령 동사에 대한 목적어는 '~해야 한다'라는 의미를 갖게 된다.

S  V       (that)  S'  V'(should+동사원형)   O'
He insisted // that I should check the old car carefully.

그는 주장했다 // 내가 그 낡은 자동차를 주의 깊게 검사해야 한다고.

**해석** 그는 내가 그 낡은 자동차를 주의 깊게 검사해야 한다고 주장했다.

S  V                              (that) V'(should+동사원형)
I urged (in my previous letter) // that they be treated
/ as his colleagues.

나는 (나의 이전 편지에서) 주장했다 // 그들이 대해져야 한다고
/ 그의 동료로.

**해석** 나는 나의 이전 편지에서 그들이 그의 동료로 대해져야 한다고 주장했다.

# Exercises

※ 빈칸에 들어갈 알맞은 말을 고르시오.

1. The broker recommended that she _____ the stocks immediately.

   ① buy            ② buys
   ③ will buy       ④ has bought

2. It is important that you _____ it yourself rather than rely on others.

   ① do             ② did
   ③ will do        ④ have done

※ 밑줄 친 부분이 틀리면 바르게 고치시오.

3. His lawyer advised that the suspect <u>remains</u> silent until further notice.

4. It is necessary that the language in any advertising campaign <u>is examined</u> carefully.

※ 다음 문장을 해석하고 구문분석하시오.

5. It is necessary that the government take steps to prevent an uprising.

6. A number of scholars suggested that people use music as psychotherapeutic agent.

---

1. (해설) 주장, 요구, 제안, 명령 동사의 목적어로 that절이 오는 경우 that절의 동사는 「(should)+동사원형」의 형태를 취해야 한다. 제안을 나타내는 recommend가 왔으며, that절의 동사로는 should가 생략된 buy가 들어가야 한다.
   (해석) 중개인은 그녀가 그 주식을 즉시 사야 한다고 권고했다.
   (정답) ①

2. (해설) 「It ~ that」의 가주어, 진주어 구문에서 판단의 형용사 important가 사용된 문장으로 이때 that절의 동사는 「(should)+동사원형」의 형태를 취해야 한다. should가 생략된 do가 들어가야 한다.
   (해석) 남에게 의존하지 말고 네가 직접 그것을 하는 것이 중요하다.
   (정답) ①

3. (해설) 주절에 명령, 주장, 제안, 조언의 동사가 있는 경우 종속절의 동사는 「(should)+동사원형」이 되어야 한다. 따라서 remains를 (should) remain으로 고쳐야 한다.
   (어휘) lawyer 변호사   advise 조언하다   suspect 용의자
   remain 유지하다   further 추가의   notice 공지
   (해석) 그의 변호사는 추가 공지가 있을 때까지 용의자에게 침묵을 유지하라고 조언했다.
   (정답) remains → remain/should remain

4. (해설) 「It ~ that」의 가주어, 진주어 구문에서 판단의 형용사 necessary가 사용된 경우 that절의 동사는 「(should)+동사원형」이 되어야 한다. 따라서 is examined는 (should) be examined로 고쳐야 한다.
   (해석) 모든 광고 캠페인에서 사용되는 언어는 주의 깊게 검토될 필요가 있다.
   (정답) is examined → (should) be examined

5. (어휘) uprising 폭동
   (해석) 정부가 폭동을 막기 위해 조치를 취해야 할 필요가 있다.
   (분석) It is necessary // that the government (should 생략) take steps / to prevent an uprising.

6. (해석) 많은 학자들은 사람들이 음악을 심리요법 치료제로 사용할 것을 제안했다.
   (분석) A number of scholars suggested // that people (should 생략) use music / as psychotherapeutic agent.

# 출제유형 034

**POINT 20 조동사 + have p.p.**

## 조동사 + have p.p.

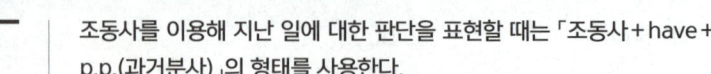

### 밑줄 친 부분에 들어갈 말로 가장 적절한 것은? 2025 국가직 9급

> Whitworths, a retailer offering online grocery shopping, says it has discovered that some staff members who are paid a salary _____ paid enough in recent years.

① may not have been  
② should not have  
③ would not be  
④ will not be

**[ 유형 분석 & 전략 ]**

문맥상 '~했을지도 모른다/~했어야 했다'라는 의미를 나타낼 경우, 「may have p.p./should have p.p.」가 올바르게 쓰였는지 확인해야 합니다.

**[ 포인트 분석 ]**

Whitworths, a retailer offering online grocery shopping, says it has discovered that some staff members who are paid a salary (may) not have been paid enough in recent years.

조동사를 이용해 지난 일에 대한 판단을 표현할 때는 「조동사 + have + p.p.(과거분사)」의 형태를 사용한다.

| | | | |
|---|---|---|---|
| 추측 | may | have p.p. | ~했을 지도 모른다 |
| | would | have p.p. | ~했을 것이다 |
| | must | have p.p. | ~했음에 틀림없다 |
| | cannot | have p.p. | ~했을 리가 없다 |
| 후회 | should / ought to | have p.p. | ~했어야 했다(그런데 안 했다) |
| | shouldn't | have p.p. | ~하지 않았어야 했다 (그런데 했다) |
| 필요 | need not | have p.p. | ~할 필요가 없었다 (그런데 했다) |

You should have gone. 너는 갔어야 했다(그런데 가지 않았다).
He must have known the way. 그는 그 길을 알았음에 틀림없다.
He cannot have known the way. 그가 그 길을 알았을 리가 없다.

### Check!

must have p.p. '~했음에 틀림없다' (강한 추측)
vs. should have p.p. '~했어야 했다' (후회, 아쉬움)

He must have been to U.S. last month.
그는 지난달에 미국에 있었음에 틀림없다.
You should have studied hard when in college.
너는 대학에서 열심히 공부했어야만 했다(열심히 공부하지 않았다).

**[ 해설 ]**

**[문법포인트]** 조동사 + have pp / 능동태 vs. 수동태 구분 타동사 pay(paid) 뒤에 목적어가 없고 임금을 받는다는 수동의 의미이고, in recent years(최근 몇 년)이라는 시간의 부사를 통해 미래가 아닌 과거의 일을 추측하는 ① may not have been이 들어가야 한다. 「should not have p.p.」는 '~ 하지 말았어야 했다'라는 의미여서 의미상 적합하지 않고 또한 타동사 pay 뒤에 목적어가 없으므로 수동의 형태가 되어야 하는데 능동이 되므로 답이 될 수 없다. 또한, 시간의 부사구인 in recent years가 있으므로 과거에서 본 미래의 의미인 ③이나 미래 시제인 ④는 들어갈 수 없다. 참고로 in recent years는 현재완료 시제 및 과거 시제와 함께 쓸 수 있다.

**[ 어휘 ]**

retailer 소매업체  grocery 식료품  discover 발견하다  staff 직원  salary 급료  in recent years 최근 몇 년간

**[ 해석 ]**

온라인 식료품 쇼핑을 제공하는 소매업체인 Whitworths는 급료를 받는 직원 일부가 최근 몇 년간 충분한 급여를 받지 못했을 수 있다는 것을 발견했다고 말했다.

**정답** ①

## 구문분석 공식

**공식 16-2** 조동사의 과거 시제를 표현하는 특별한 방법을 알아두자.

    S  V(could have p.p.)
As the song says, // "I could have danced all night."
 노래에서 말하듯이,   "나는 밤새 춤을 췄을 수도 있었다."

**[해석]** 노래에서 말하듯이, "나는 밤새 춤을 췄을 수도 있었다."

 S  V (must have p.p.)   O
She must have bought the tickets (for the concert)
/ in advance / to secure good seats.

    그녀는 (콘서트) 티켓을 구입했음에 틀림없다
/ 미리 / 좋은 좌석을 확보하기 위해.

**[해석]** 그녀는 좋은 좌석을 확보하기 위해 콘서트 티켓을 미리 구입했음에 틀림없다.

**[어휘]** in advance 미리  secure 확보하다

# Exercises

※ 빈칸에 들어갈 알맞은 말을 고르시오.

1. He told the authorities he _____ the gun after it had fired by accident.

   ① should not have checked
   ② should have checked
   ③ should not check
   ④ will check

2. She _____ the meeting because she was hospitalized that day.

   ① must have attended
   ② should have attended
   ③ cannot have attended
   ④ would have attended

※ 다음 문장을 해석하고 구문분석하시오.

3. Thomas should have apologized earlier.

4. He must have known the truth in advance.

5. He couldn't have done such a stupid thing.

6. The Europeans may have practiced slavery on the largest scale.

---

1. **해설** 총을 점검했어야 하는데 하지 않아 발사된 일, 즉 과거 사건에 대한 후회를 나타내고 있으므로 ② should have checked가 정답이다. 「should not have p.p.」는 과거에 하지 말았어야 할 일을 했다는 것에 대한 후회이므로 답이 될 수 없다.
   **어휘** authorities (pl.) 당국  gun 총  fire 발사되다
   by accident 실수로
   **해석** 그는 총이 실수로 발사된 이후에 총을 점검했어야 했다고 당국에 말했다.
   **정답** ②

2. **해설** 병원에 입원한 상태여서 회의에 참석했을 리 없다는 내용이 문맥상 자연스러우므로 과거에 대한 강한 부정의 추측인 ③ cannot have attended가 정답이다. ①, ④는 과거에 대한 추측, ②는 과거의 후회를 나타내는 표현이므로 모두 답이 될 수 없다.
   **어휘** hospitalize 입원시키다  attend 참석하다
   **해석** 그녀는 그날 병원에 입원해 있었기 때문에 회의에 참석했을 리 없다.
   **정답** ③

3. **해석** 토마스는 더 일찍 사과했어야 했다.
   **분석** Thomas(S) should have apologized(V) earlier.

4. **해석** 그는 그 사실을 미리 알고 있었음에 틀림없다.
   **분석** He(S) must have known(V) the truth(O) in advance.

5. **해석** 그가 그렇게 어리석은 짓을 했을 리가 없다.
   **분석** He(S) couldn't have done(V) such a stupid thing(O).

6. **해석** 유럽인들이 노예제도를 가장 큰 규모로 실행했을지도 모른다.
   **분석** The Europeans(S) may have practiced(V) slavery(O) / on the largest scale.

# Chapter 03
# 명사, 대명사, 일치

**POINT 21** **명사의 이해**
출제 유형 035 명사의 표시
출제 유형 036 수식어 – 명사 수 일치
출제 유형 037 절대 불가산명사
출제 유형 038 집합명사

**POINT 22** **관사의 이해**
출제 유형 039 관사의 용법

**POINT 23** **관사의 위치**
출제 유형 040 관사의 위치

**POINT 24** **인칭대명사**
출제 유형 041 재귀대명사
출제 유형 042 가주어/가목적어 it
출제 유형 043 명사 – 대명사 수 일치

**POINT 25** **부정대명사**
출제 유형 044 one, another, other
출제 유형 045 every의 용법

**POINT 26** **부분부정 vs. 전체부정**
출제 유형 046 부분부정

**POINT 27** **주어–동사 수 일치**
출제 유형 047 주어가 복잡한 경우의 주어 – 동사 수 일치
출제 유형 048 주어의 수를 혼동하기 쉬운 경우의 주어 – 동사 수 일치
출제 유형 049 도치 구문의 주어 – 동사 수 일치

## 동기쌤의 문법OT

###  명사

**어디까지 알고 있니?**  ○ 셀 수 있는 명사    ○ 셀 수 없는 명사

명사란 사물을 대표하는 이름을 알려 주는 품사이다. 명사는 문장에서 주어, 목적어, 보어와 같이 중요한 성분으로 사용된다.
문법적으로 명사는 셀 수 있는 명사와 셀 수 없는 명사로 구분한다.

### 1 셀 수 있는 명사

**(1) 보통명사**

개념을 대표해서 나타내는 명사를 보통명사라고 한다. 셀 수 있는 명사이기 때문에 지칭하는 대상에 따라 단수나 복수로 써야 한다.

I should buy some books to study.  나는 공부할 책 몇 권을 사야 한다.

> **쌤's TIP**
> ▫ 보통명사
> woman, book, friend, wife, brother, desk, wall

#### Check!

**보통명사의 추상명사화**

셀 수 있는 보통명사에 정관사 the를 붙여 추상명사의 의미를 나타낼 수 있다.

> the+보통명사=추상명사

The pen is mightier than the sword.  글의 힘은 무력보다 강하다.
➡ pen과 sword는 각각 '펜'과 '칼'을 의미하는 보통명사다. 정관사 the를 앞에 붙여 the pen과 the sword라고 쓰면 각각 펜과 칼이 가진 추상적인 개념을 설명하는 '글의 힘', '무력'이라는 의미의 추상 명사로 활용된다.

**(2) 집합명사**

집합적인 개념을 표현하는 명사를 집합명사라고 한다. 집합명사는 보통명사와 마찬가지로 셀 수 있는 명사이며 지칭하는 대상에 따라 단수나 복수로 써야 한다.

The family has been a stable unit but is undergoing changes nowadays.
가족은 안정적인 구성단위였지만 요즘에는 변화를 겪고 있다.

The family are all healthy.
그 가족은 모두 건강하다.

> **쌤's TIP**
> ▫ 집합명사
> family, committee, audience, staff, crowd, team, cattle, poultry, the police

## 2 셀 수 없는 명사

### (1) 고유명사
고유한 것을 지칭하는 명사를 고유명사라고 한다. 세상에 하나밖에 없는 유일한 것이므로 복수로 표현할 수 없다.
Seoul is the capital city of Korea. 서울은 한국의 수도이다.

### (2) 추상명사
추상적인 개념을 지칭하는 명사를 추상명사라고 부른다. 형태가 없기 때문에 기본적으로 셀 수 없다.
Love is mutual. 사랑은 상호적이다.

### (3) 물질명사
일정한 형태가 없는 물질을 지칭하는 명사를 물질명사라고 한다. 형태가 없으므로 셀 수 없다.
Water is essential for all life. 물은 모든 생물에게 필수적이다.

> **쌤's TIP**
> ▶ 고유명사
> Desert Sahara, Apollo Eleven, Europe

> **쌤's TIP**
> ▶ 추상명사
> information, love, beauty, progress, success, ease, help, experience, invention

> **쌤's TIP**
> ▶ 물질명사
> sound, wind, water, fire, rain, iron, stone, glass

**Check!**

**물질명사의 수 표시**
물질명사의 수를 세기 위해서는 단위명사를 사용해야 한다.
I will give you two sheets of paper. 내가 네게 두 장의 종이를 줄 거야.

| | |
|---|---|
| a bar of soap 비누 한 조각 | a glass of water/milk 물/우유 한 잔 |
| a loaf of bread 빵 한 덩어리 | a sheet/piece of paper 종이 한 장 |
| a cup of tea/coffee 차/커피 한 잔 | a spoonful of sugar/salt 설탕/소금 한 숟가락 |

### Check up!

[01-03] 다음 밑줄 친 부분을 바르게 고치시오.

01  The committee was divided on the question.

02  He bought a bread on the way home.

03  For more informations, please visit our website.

**정답** 01 was ➡ were  02 a bread ➡ a loaf of bread  03 informations ➡ information

**해석** 01 그 위원회는 그 문제에 대해 의견이 나뉘었다.
02 그는 집에 오는 도중에 빵 한 덩어리를 샀다.
03 더 많은 정보를 위해서라면, 저희 웹사이트를 방문하세요.

**해설** 01 committee는 집합명사로 의미가 단체이면 복수, 구성원이면 단수로 취급해야 한다. 위원회의 위원들 사이에서 의견이 나뉜 것이므로 복수로 취급해야 한다.
02 bread는 물질명사로 불가산명사이다. 따라서 단위명사로 세어야 한다.
03 information은 추상명사이므로 복수형으로 사용되지 않는다. informations는 단수인 information으로 고쳐야 한다.

# 동기쌤의 문법OT

## 관사

**어디까지 알고 있니?**  ○ 부정관사    ○ 정관사    ○ 무관사

### 관사
관사는 명사의 앞에 놓여 명사의 수나 의미를 한정해 주는 단어이다. 관사의 종류는 두 가지로 부정관사와 정관사이다.

### 3 부정관사의 주요 용법
부정관사에서 '부정'이란, '한정하지 않는다'는 의미이다. 따라서 부정관사가 올 경우, 그 명사는 특정한 대상으로 한정되지 않음을 의미한다.

| 부정관사: a/an + 명사 |
|---|

a/an + 명사
- ① one: 하나
- ② certain: 어떤
- ③ per: 마다
- ④ the same: 같은
- ⑤ 대표단수

**쌤's TIP**

부정관사는 뒤에 오는 단어의 첫 음절이 모음으로 시작되면 an, 자음으로 시작되면 a를 써야 한다. 특히 철자가 h-로 시작하는 단어들 중 h-가 묵음이 되면서 발음이 나지 않아 모음으로 발음되는 경우 an을 사용하고, 철자가 u-로 시작되어도 반자음 [j-] 발음이 나면 a를 사용해야 한다.
Professor Jang is <u>an</u> <u>honorable</u> person.
장 교수는 훌륭한 사람이다.
He teaches English at <u>a</u> <u>university</u>.
그는 한 대학에서 영어를 가르친다.

It helps keep one's health to eat <u>a</u> banana <u>a</u> day.
　　　　　　　　　　　　　　　하나(one)　마다(per)
하루에 바나나 하나를 먹는 것은 건강을 유지하는 데 도움이 된다.

You can connect this printer with <u>a</u> computer.
　　　　　　　　　　　　　　　어떤(certain)
너는 이 프린터를 (어떤) 컴퓨터에 연결할 수 있다.

Birds of <u>a</u> feather flock together.   같은 깃털의 새는 함께 모인다. (유유상종)
　　　　 같은(the same)

### 4 정관사의 주요 용법
정관사에서 '정'이란 특정한 대상으로 한정한다는 의미이다. 따라서 정관사가 올 경우, 그 명사는 일반적 의미가 아니라 특정한 명사에 한정지어져 있음을 알 수 있다.

| 정관사: the + 명사 |
|---|

① 앞에 언급된 명사를 다시 언급할 때    ② 대표단수    ③ 유일한 물체
④ the + [서수/최상급/same/next/very/only] + 명사
⑤ [most/some/one/all] + of + the/소유격 + 명사

114  Part 1 문법과 구문

I bought a computer yesterday, but the keyboard of the computer was broken.
　　　　　　　　　　　　　　　　　　　　　　　　　　앞의 명사(a computer)
나는 어제 컴퓨터를 하나 샀지만, 그 컴퓨터의 키보드가 고장 났다.
Most of the streets were laid out systematically.
그 도로들 대부분은 체계적으로 설계되었다.

## 5  무관사의 기본 용법

수를 한정할 수 없는 명사와 특정한 대상임을 밝힐 필요가 없는 명사에는 관사를 쓰지 않으며, 이를 문법적으로 무관사라고 한다.

| ① 「명사 + 기수」의 앞 | ② 보어로 쓰인 신분·관직 앞 |
| --- | --- |
| ③ 관직 뒤 고유명사가 있는 경우 | ④ by + 교통·통신 수단 |

During World War II, lots of people were killed.  제2차 세계 대전 동안 많은 사람들이 죽었다.
　　　　명사+기수
He is mayor of the city.  그는 그 도시의 시장이다.
　　　보어로 쓰인 관직
I prefer to go by bus.  나는 버스로 가는 것을 선호한다.
　　　　　　　by+교통수단

### Check up!

[ 01-05 ] 밑줄 친 관사의 종류 및 그 관사가 사용된 이유를 쓰시오.

01  I will buy a new smartphone.

02  He bought a smartphone and the smartphone was very expensive.

03  Do you mind if I open the window?

04  Water consists of hydrogen and oxygen.

05  She was wearing a hat.

**정답** 01 부정관사: 한정 받지 않은 불특정 명사이므로.
　　 02 부정관사: 일반적인 스마트폰을 의미하는 불특정한 의미이므로 / 정관사: 앞에 언급된 그가 산 특정한 스마트폰을 가리키므로.
　　 03 정관사: 특정한 창문을 지칭하고 있으므로.
　　 04 무관사: 수를 한정할 수 없는 물질명사이므로.
　　 05 부정관사: 일반적인 모자를 의미하는 불특정 명사이므로.
**해석** 01 나는 새 스마트폰을 살 것이다.
　　 02 그는 스마트폰을 샀는데 그 스마트폰은 매우 비쌌다.
　　 03 내가 그 창문을 열어도 되겠습니까?
　　 04 물은 수소와 산소로 이루어져 있다.
　　 05 그녀는 모자를 쓰고 있었다.

## 대명사의 종류

**어디까지 알고 있니?**
- ○ 인칭대명사    ○ 지시대명사    ○ 부정대명사
- ○ 의문대명사    ○ 관계대명사

### 대명사

명사를 대신하는 말을 대명사라고 하며, 앞에서 언급된 명사를 다시 언급하게 되는 경우, 그 명사를 반복하여 사용하지 않고 대명사를 사용하여 나타낸다. 대명사는 사용에 따라 크게 인칭대명사, 지시대명사, 부정대명사, 의문대명사, 그리고 관계대명사로 구분할 수 있다.

### 6  인칭대명사

사람이나 사물을 가리키는 대명사로서 말하는 사람이 스스로를 지칭할 때 1인칭, 말하는 사람이 듣는 사람을 지칭할 때 2인칭, 그 외의 사람을 지칭할 때 3인칭이라고 한다.
인칭대명사는 문장에서의 역할에 따라 격이 결정되는데 주어의 역할을 하는 주격, 소유자를 의미하여 명사를 수식하는 소유격, 동사의 목적어와 전치사의 목적어 역할을 하는 목적격으로 분류할 수 있다.
소유 대상물을 가리켜 '~의 것'을 의미하는 소유대명사와 '~ 자신'을 의미하는 재귀대명사도 사용된다.

| 구분 | | 주격 | 소유격 | 목적격 | 소유대명사 | 재귀대명사 |
| --- | --- | --- | --- | --- | --- | --- |
| 1인칭 | 단수 | I | my | me | mine | myself |
| | 복수 | we | our | us | ours | ourselves |
| 2인칭 | 단수 | you | your | you | yours | yourself |
| | 복수 | you | your | you | yours | yourselves |
| 3인칭 | 단수 | he | his | him | his | himself |
| | | she | her | her | hers | herself |
| | | it | its | it | – | itself |
| | 복수 | they | their | them | theirs | themselves |

Exercise is good for <u>your</u> health.  운동은 당신의 건강에 좋다.
<small>소유격 인칭대명사</small>

I have never met <u>him</u> before. This is the first time.
<small>목적격 인칭대명사</small>
나는 전에 결코 그를 만난 적이 없다. 이번이 처음이다.

Whenever your computer goes down, you can use <u>mine</u>.
<small>소유대명사(= my computer)</small>
네 컴퓨터가 고장이 날 때마다 내 것(내 컴퓨터)을 써도 된다.

## 7 지시대명사

특정한 사람이나 사물을 가리키는 대명사를 지시대명사라 한다. this, that, so, such 등이 있다.

**This** makes us feel comfortable. 이것은 우리들이 편안하게 느끼게 만든다.
지시대명사

## 8 부정대명사

지정된 것이 아닌, 정해지지 않은 것을 지칭할 때 쓰이는 대명사를 부정대명사라고 한다.

He is willing to help **others**. 그는 기꺼이 다른 사람들을 도우려 한다.
부정대명사

## 9 의문대명사

의문대명사는 그 대상이 사람인지 혹은 사물인지에 따라, 그리고 격에 따라 다르므로 구분하도록 하자.

| 구분 | 주격 | 소유격 | 목적격 |
|---|---|---|---|
| 사람 | who | whose | whom |
| 사물 | which | | which |
| | what | | what |

**What** is your name? 너의 이름은 무엇이니?
의문대명사 주격(사물)

**Whom** do you want to meet? 너는 누구를 만나길 원하니?
의문대명사 목적격(사람)

## 10 관계대명사

접속사와 대명사의 역할을 동시에 하는 대명사를 관계대명사라고 한다.

He wants to return the book which he bought yesterday.
그는 어제 구입한 그 책을 환불하고 싶어 한다.

### 쌤's TIP

1. **의문대명사**: 단독으로 주어, 목적어의 역할
   **What** do you like?
   무엇을 좋아하니?

2. **의문형용사**: 명사를 한정하여 주어, 목적어로 활용
   **Which** book is yours?
   어떤 책이 너의 것이니?

3. **의문부사**: 시간, 장소, 방법, 이유 등의 뜻을 전달하는 부사적 역할(where, when, how, why)
   **Where** do you go skiing?
   스키 타러 어디로 가니?

---

### Check up!

[ 01-03 ] 다음 문장에서 밑줄 친 부분을 바르게 고치시오.

01  My pencil is much longer than <u>her</u>.

02  I had three books. I sold <u>it</u> to my close friend.

03  <u>Who</u> is his name?

정답  01 her ➡ hers   02 it ➡ them   03 Who ➡ What
해석  01 내 연필이 그녀의 것보다 훨씬 더 길다.   02 나는 책이 세 권 있었다. 나는 그것들을 친한 친구에게 팔았다.   03 그의 이름은 무엇이니?
해설  01 나의 연필이 그녀의 연필보다 길다는 의미이므로 '그녀의 것'을 의미하는 소유대명사인 hers로 고쳐야 한다.
　　 02 it이 앞의 three books를 가리키므로 복수인 them이 되어야 한다.
　　 03 의문대명사는 묻는 대상을 명확히 해야 한다. 이름은 사물이므로 what으로 물어야 한다.

## 수 일치

**어디까지 알고 있니?**  ○ 주어 – 동사 수 일치

### 일치
영어에는 '일치'라는 개념이 있는데 이는 뒤에 나오는 요소가 앞에 나오는 요소와 수가 일치해야 함을 말하며, 대표적인 일치 용법에는 주어 – 동사 수 일치가 있다.

### 11 주어-동사 수 일치
주어의 수에 동사의 수를 일치시켜야 한다. 주어가 단수 명사이면 단수 동사로, 주어가 복수 명사이면 복수 동사로 쓴다.

<u>The temperature</u> <u>begins to fall</u>.  기온이 떨어지기 시작한다.
　주어(단수)　　　동사(단수)

### Check up!

[ 01-03 ] 밑줄 친 부분을 바르게 고치시오.

01　Tom and Mary <u>is</u> my friends.

02　Two children in the grass <u>is</u> looking up the sky.

03　There <u>is</u> boys in the room.

(정답) 01 is ➡ are　02 is ➡ are　03 is ➡ are
(해석) 01 Tom과 Mary는 내 친구들이다.
　　　02 잔디밭의 두 아이들이 하늘을 보고 있다.
　　　03 그 방에 소년들이 있다.
(해설) 01 A and B의 주어는 복수이므로 동사도 복수 형태인 are가 되어야 한다.
　　　02 Two children이 복수이므로 동사도 복수인 are로 고쳐야 한다.
　　　03 There가 문장의 앞에 쓰이면 뒤의 주어와 동사는 「동사―주어」의 어순으로 도치한다. 주어가 boys라는 복수이므로 동사도 복수인 are가 되어야 한다.

공무원 영어의 시작과 끝
2026 이동기 영어

# 출제유형 035

**POINT 21 명사의 이해**

## 명사의 표시

---

**밑줄 친 부분 중 어법상 옳지 않은 것은?**

> Recently, the cartoon character SpongeBob is ① in a hot water. A study contends ② watching just nine minutes of that program can cause short-term attention in ③ four-year-old kids. However, the argument ④ should be interpreted cautiously because of the study's small size.

### 유형 분석 & 전략

명사의 형태를 묻는 문제라면 명사에 동그라미 후, 우선 셀 수 있는 명사/셀 수 없는 명사인지 판단하고 이에 따라 관사 유무, 수식어 선택, 명사의 형태가 올바른지 확인해야 합니다.

### 포인트 분석

Recently, the cartoon character SpongeBob is ① in a̶ hot water.  → in hot water

---

셀 수 있는 명사와 셀 수 없는 명사는 각각 표시하는 방법이 다르므로 주의해야 한다.

| 구분 | 셀 수 있는 명사<br>(보통명사, 집합명사) | 셀 수 없는 명사<br>(고유명사, 추상명사, 물질명사) |
|---|---|---|
| 형태 | · 단수: a/an+명사<br>· 복수: 명사 -s/-es | · 단수: a/an+명사 (×)<br>· 복수: 명사 -s/-es (×) |

My father should buy a new car.
나의 아버지가 새로운 차를 구입해야 한다.
My father should buy new car. (×)
The man washed his hands in hot water.
그 남자는 뜨거운 물에 손을 씻었다.
The man washed his hands in a hot water. (×)

---

### 해설

① **문법포인트** 명사의 이해 water는 셀 수 없는 물질명사이므로 앞에 관사를 붙여 쓸 수 없다. (in a hot water → in hot water)
② **문법포인트** 동명사의 역할 동명사 watching이 명사 역할을 하여 동사 can cause의 주어로 바르게 사용되었다.
③ **문법포인트** 주의할 형용사와 부사 수량형용사가 측정단위명사와 쓰일 때 측정단위명사는 단수로 쓴다. year가 단수로 바르게 쓰였다.
④ **문법포인트** 능동태 vs. 수동태 주어인 the argument와 동사가 의미상 수동의 관계이므로 수동태가 바르게 쓰였다.

### 어휘

recently 최근에   cartoon 만화   in hot water 곤경에 처한
contend 주장하다   interpret 해석하다   cautiously 신중하게

### 해석

최근에, 만화 캐릭터인 스펀지밥이 곤경에 처해 있다. 한 연구는 그 프로그램을 9분간 시청하는 것만으로도 4세 아동들에게 단기 집중력 문제를 유발할 수 있다고 주장한다. 하지만, 그 연구의 작은 규모 때문에 그 주장은 신중하게 해석되어야 한다.

**정답 ①**

# Exercises

※ 밑줄 친 부분이 틀리면 바르게 고치시오.

1. I have to buy book for the new semester.

2. She bought papers to use in her drawing class.

3. This machine cooks food using a hot air.

4. What a love means to you depends on how it makes you feel.

5. She bought five breads for her family.

6. A success in the early age made him arrogant.

---

1. 해설) 보통명사는 단독으로 쓸 수 없고 관사를 붙이거나 복수형으로 써야 한다. 따라서 book은 a book이나 the book, 또는 books로 고쳐야 한다.
   해석) 나는 신학기를 위해 책을 사야 한다.
   정답) book → a book/the book/books

2. 해설) 종이를 뜻하는 paper는 물질명사로 복수형으로 쓸 수 없다. 종이 몇 장을 의미할 때는 two sheets of paper로 단위명사를 쓰거나 some paper를 써서 막연히 종이 약간을 의미할 수 있다.
   해석) 그녀는 그녀의 그림 수업을 위해 종이 몇 장을 샀다.
   정답) papers → several sheets of paper/some paper

3. 해설) air는 공기를 의미할 때 셀 수 없는 물질명사이므로 부정관사를 붙일 수 없다. 뜨거운 공기를 이용한다는 의미이므로 관사 없이 hot air라고 써야 한다.
   해석) 이 기계는 뜨거운 공기를 이용하여 음식을 조리한다.
   정답) a hot air → hot air

4. 해설) love는 셀 수 없는 추상명사이므로 관사를 붙일 수 없다. 따라서 관사 없이 love로 써야 한다.
   해석) 사랑이 네게 어떤 의미인지는 그것이 너를 어떤 기분으로 만드는가에 달렸다.
   정답) a love → love

5. 해설) bread는 셀 수 없는 물질명사로 복수형으로 쓸 수 없고 부정관사나 수사가 바로 앞에 나올 수 없다. 빵 다섯 개는 단위명사를 써서 five loaves of bread로 써야 한다.
   해석) 그녀는 가족을 위해 빵 다섯 개를 샀다.
   정답) five breads → five loaves of bread

6. 해설) success는 셀 수 없는 추상명사로 관사를 붙일 수 없다. 따라서 A success는 Success로 고쳐야 한다.
   해석) 어린 나이의 성공이 그를 거만하게 만들었다.
   정답) A success → Success

Chapter 03 명사, 대명사, 일치

# 출제유형 036

**POINT 21 명사의 이해**

## 수식어 – 명사 수 일치

### 밑줄 친 부분에 들어갈 말로 가장 적절한 것은?

The speaker said that _____ headhunters had approached him with three different propositions.

① a little
② a few
③ much
④ a great deal of

**유형 분석 & 전략**

수식어 many/much, few/little이 보이면 밑줄, 수식받는 명사에 동그라미 후, 셀 수 있는 명사/셀 수 없는 명사인지 판단하고 앞선 수식어가 올바르게 쓰였는지 확인합니다.

**포인트 분석**

The speaker said that a few (headhunters) had approached him with three different propositions.

### 수식어 – 명사 수 일치

**수 형용사**
- many 많은  a few 조금  few 적은
- quite a few 상당수의
- a number of 다수의
- several 몇몇의  various 여러 가지의
- a variety of 여러 가지의

+셀 수 있는 명사

**양 형용사**
- much 많은  a little 조금  little 적은
- quite a little 꽤 많은
- a good/great deal of 다량의
- a good/large amount of 다량의

+셀 수 없는 명사

· The room was crowded, but there were a few seats left.
  방은 혼잡했지만 몇몇 자리는 남아 있었다.
· Meteorology is divided into a number of specialized sciences.
  기상학은 많은 전문적인 과학들로 나누어진다.
· She has little experience in this kind of work.
  그녀는 이런 종류의 일에 경험이 거의 없다.
· A great deal of archaeological research still takes place on the ground.
  많은 고고학 연구가 여전히 현장에서 일어난다.

**해설**

**문법포인트** 명사의 이해 셀 수 있는 명사의 복수형인 headhunters를 수식할 수 있는 것은 many, a few, few, several 등의 수 형용사이다. much, a little, a great deal of는 양을 의미하는 양 형용사로 셀 수 있는 명사는 수식할 수 없다.

**어휘**

headhunter 인재 스카우트 담당자  proposition 제안

**해석**

그 연설자는 몇 명의 인재 스카우트 담당자가 세 가지 다른 제안을 들고 그에게 접근했다고 말했다.

**정답** ②

### 쌤's TIP

**수·양 공통 형용사**
a lot of / lots of      plenty of
some / any / no

**긍정 vs. 부정 형용사**
a few / a little  조금 있음(긍정)
few / little  거의 없음(부정)

# Exercises

※ 빈칸에 들어갈 알맞은 말을 고르시오.

1. He spends _____ money on the fantasy online game.

   ① many　　　　② few
   ③ much　　　　④ a number of

2. I had grown up around _____ brothers and sisters.

   ① much　　　　② a little
   ③ many　　　　④ a lot

※ 밑줄 친 부분이 틀리면 바르게 고치시오.

3. The speaker said a few <u>thing</u> that were interesting.

4. The weather is perfect and <u>a great deal of</u> people are swarming to the beach.

※ 다음 문장을 해석하고 구문분석하시오.

5. Noise pollution is different from other forms of pollution in a number of ways.

6. It's time consuming and it takes a lot of energy to collaborate with others during a conflict.

---

1. **해설** money가 양을 의미하는 셀 수 없는 명사이므로 much가 들어가야 한다.
   **해석** 그는 판타지 온라인 게임에 많은 돈을 쓴다.
   **정답** ③

2. **해설** brother와 sister는 보통명사로 셀 수 있는 명사를 수식할 수 있는 단어로 수식을 받아야 한다. much, a little은 셀 수 없는 명사만 수식하므로 a lot of나 many가 들어가야 한다.
   **해석** 나는 많은 형제와 누이들에 둘러싸여 자랐다.
   **정답** ③

3. **해설** thing은 가산명사로 a few가 수식하므로 복수형이 되어야 한다.
   **해석** 발표자는 흥미로운 몇 가지를 말했다.
   **정답** thing → things

4. **해설** people은 셀 수 있는 명사의 복수형이므로 양 형용사인 a great deal of가 아닌 수 형용사의 수식을 받아야 한다.
   **어휘** swarm 몰려들다
   **해석** 날씨가 아주 좋아서 수많은 사람이 바닷가로 몰려들고 있다.
   **정답** a great deal of → a number of/many

5. **해석** 소음 공해는 많은 점에서 다른 유형의 공해와는 다르다.
   **분석** Noise pollution(S) is(V) different(C) / from other forms of pollution / in a number of ways.

6. **해석** 갈등 중에 다른 사람과 협력하는 것은 시간이 걸리고 많은 에너지가 필요하다.
   **분석** It(가S1) 's(V1) time consuming(C1) // and it(가S2) takes(V2) a lot of energy(O2) to collaborate with others(진S) / during a conflict.

Chapter 03 명사, 대명사, 일치　123

# 출제유형 037

**POINT 21 명사의 이해**

## 절대 불가산명사

### 밑줄 친 부분 중 어법상 옳지 않은 것은?

In 1941, Japanese submarines and carrier planes ① launched an attack of the U.S. Pacific Fleet at Pearl Harbor. This attack and ② its effects were very intensive, destroying two hundred American ③ aircraft and a lot of naval and military ④ equipments.

### 유형 분석 & 전략

절대 불가산명사가 보이면 동그라미 후, a/an, -s, 수식어, 동사의 수가 올바른지 확인해야 합니다.

### 포인트 분석

This attack and its effects were very intensive, destroying two hundred American aircraft and a lot of naval and military ④ equipments.
→ equipment

### 해설

④ **문법포인트** 명사의 이해 equipment는 절대 불가산명사로 복수형으로 쓸 수 없다. (equipments → equipment)
① **문법포인트** 시제일치와 예외 역사적 사실은 항상 과거 시제로 표현하므로 과거 시제가 바르게 쓰였다.
② **문법포인트** 인칭대명사 its는 This attack을 지칭하므로 사물을 지칭하는 3인칭 단수 대명사의 소유격이 바르게 쓰였다.
③ **문법포인트** 명사의 이해 aircraft는 단수와 복수의 형태가 같다.

### 어휘

submarine 잠수함  carrier plane 함재기  launch 개시하다
intensive 강렬한  aircraft 항공기  naval 해군의  equipment 장비

### 해석

1941년, 일본의 잠수함과 함재기가 진주만의 미국 태평양 함대에 대한 공격을 개시했다. 이 공격과 그것의 효과는 대단히 강렬해서, 200대의 미국 항공기와 수많은 해군과 군의 장비를 파괴했다.

**정답** ④

아래의 절대 불가산명사는 복수 형태로 사용되면 틀리고, much, little, a little, some 등과 쓰인다.

| information | news | knowledge | money |
| homework | furniture | machinery | equipment |
| jewelry | clothing | traffic | baggage |
| luggage | advice | evidence | |

We have a few informations on that subject. ( × )
➡ We have much information on that subject. (O)
우리는 그 주제에 관한 많은 정보를 갖고 있다.

# Exercises

※ 빈칸에 들어갈 알맞은 말을 고르시오.

1. Your brain tries to record as _____ information as possible.

   ① few      ② many
   ③ much      ④ a number of

2. This skill will give you tips to help you detect _____ fake news.

   ① few      ② many
   ③ a number of      ④ much

※ 밑줄 친 부분이 틀리면 바르게 고치시오.

3. Undergraduates are not allowed to use equipments in the laboratory.

4. My sister was upset last night because she had to do too many homeworks.

※ 다음 문장을 해석하고 구문분석하시오.

5. Mass production is the manufacture of machinery and other articles in standard sizes and large numbers.

6. Humanists quickly realized the power of the printing press for spreading their knowledge.

---

1. (해설) information은 절대 불가산명사이므로 불가산명사를 수식할 수 있는 much만 들어갈 수 있다.
   (해석) 당신의 뇌는 가능한 많은 정보를 기억하려고 노력한다.
   (정답) ③

2. (해설) news는 복수의 형태를 보이지만 절대 불가산명사이므로 불가산명사를 수식할 수 있는 much만 들어갈 수 있다.
   (해석) 이 기술은 당신이 많은 가짜 뉴스를 탐지해내도록 도움을 주는 요령을 당신에게 줄 것이다.
   (정답) ④

3. (해설) equipment는 절대 불가산명사이므로 부정관사를 붙이거나 복수형으로 쓸 수 없다. 따라서 equipments는 equipment로 고쳐야 한다.
   (해석) 학부생들은 실험실 장비를 사용하도록 허락되지 않는다.
   (정답) equipments → equipment

4. (해설) homework는 절대 불가산명사이므로 부정관사를 붙이거나 복수형으로 쓸 수 없고, 수를 의미하는 형용사로 수식할 수 없다. 양을 의미하는 형용사로 수식해야 한다. 따라서 many homeworks는 much homework로 고쳐야 한다.
   (해석) 나의 누나는 너무 많은 숙제를 해야 해서 어젯밤 화가 났다.
   (정답) many homeworks → much homework

5. (어휘) manufacture (기계를 이용한 대량) 생산    article 물품
   (해석) 대량생산은 기계류나 다른 물품들을 표준 크기와 많은 수로의 생산이다.
   (분석) Mass production(S) is(V) the manufacture of machinery and other articles(C) (in standard sizes and large numbers).

6. (해석) 인문주의자들은 그들의 지식을 퍼뜨리는 인쇄기의 힘을 재빨리 깨달았다.
   (분석) Humanists(S) quickly realized(V) the power of the printing press(O) (for spreading their knowledge).

# 출제유형 038

**POINT 21** 명사의 이해

## 집합명사

### 밑줄 친 부분 중 어법상 옳은 것은?

> Diversity and innovation are core values that ① drives our organization forward. The team ② are all professionals from various backgrounds, bringing a wide range of perspectives and expertise to the table. This unique blend of talents enables us ③ solve complex problems and come up with innovative solutions, ④ that in turn fosters a culture of creativity and continuous improvement.

#### 유형 분석 & 전략

집합명사가 주어로 사용된 경우 동그라미 후, 동사를 찾아 밑줄을 그어 주어-동사의 수 일치를 확인해야 합니다.
특히, 그 의미가 구성원들을 의미할 때 복수형태의 동사와 쓰일 수 있음을 기억해야 합니다.

#### 포인트 분석

> The team ② are all professionals from various backgrounds, bringing a wide range of perspectives and expertise to the table.

#### 해설

② **문법포인트** 명사의 이해 team이 집합명사로 구성원들을 지칭할 때는 복수 취급한다. 다양한 배경을 갖춘 전문가라고 했으므로 team이 구성원들을 가리키고 있음을 알 수 있어 복수형인 are는 올바른 형태이다
① **문법포인트** 주어 - 동사 수 일치 core values를 선행사로 하여 주격 관계대명사 that이 사용된 문장이다. 선행사인 core values가 복수형이므로 동사도 복수형인 drive가 되어야 한다. (drives → drive)
③ **문법포인트** 불완전타동사와 동작의 목적격보어 enable은 불완전타동사로 목적격보어로 to부정사를 취한다. 따라서 목적격보어 solve를 to부정사의 형태로 고쳐야 한다. (solve → to solve)
④ **문법포인트** 관계대명사의 선택 관계대명사 that은 계속적 용법으로 사용될 수 없다. 따라서 which로 고쳐야 한다. (that → which)

#### 어휘

diversity 다양성   core value 핵심 가치   perspective 관점
expertise 전문지식   blend 혼합   foster 촉진한다

#### 해석

다양성과 혁신은 우리 조직을 앞으로 나아가게 하는 핵심 가치이다. 팀은 다양한 배경을 가진 전문가들로 구성되어 있으며, 다양한 관점과 전문지식을 제공한다. 이러한 독특한 재능의 조합은 우리가 복잡한 문제를 해결하고 혁신적인 해결책을 찾아내게 해주며, 이는 차례로 창의성과 지속적인 개선의 문화를 촉진한다.

**정답** ②

## 1. 집합명사

(1) 지칭하는 대상에 따라 단수, 복수 취급이 다른 집합명사

> family, committee, audience, staff, crowd,
> team, group, class, army, jury

The committee consists of twelve members.
그 위원회는 위원 열두 명으로 구성되어 있다.
○ committee는 위원회라는 집합체를 지칭하므로 단수 취급하여 단수형 동사 consists가 온다.

The committee are all Harvard graduates.
위원들은 모두 하버드 졸업생들이다.
○ committee는 위원회의 구성원인 위원들을 지칭하므로 복수 취급하여 복수형 동사 are가 온다.

(2) 반드시 복수 취급하는 집합명사

> cattle 소(떼)   poultry 가금류
> the police 경찰   the clergy 성직자들   the peasantry 소작농

Cattle were grazing on the field.
소들이 들판에서 풀을 뜯고 있었다.

The police in Britain wear blue uniforms.
영국의 경찰은 푸른색 제복을 입는다.

## 2. 단수와 복수 동형

단수와 복수가 같은 형태이므로 복수라고 해서 복수의 어미인 -s/-es를 붙이지 않는다.

> species 종   aircraft 비행기   series 연속
> percent 퍼센트   means 수단

Species in the tropics have less varied sets of genes.
열대지방의 종들은 덜 다양한 집합의 유전자 세트를 가지고 있다.

# Exercises

※ 밑줄 친 부분이 틀리면 바르게 고치시오.

1. This team usually work late on Fridays.

2. The committee are divided on one minor point.

3. The jury are made up of a variety of people that accurately represent wider community.

4. In Korea cattle has been being raised since 2000 B.C.

※ 다음 문장을 해석하고 구문분석하시오.

5. The services are excellent and the staff is very helpful and courteous.

6. Your target audience are the individuals, groups and communities that have influence over your brands' products or services.

---

1. 해설) team은 집합명사로 그 안의 구성원을 의미하면 복수, 하나의 팀을 의미하면 단수로 취급한다. 팀원들이 일을 한다는 의미로 this team은 복수로 취급될 수 있다.
   해석) 이 팀은 보통 금요일마다 늦게까지 일을 한다.
   정답) 틀린 부분 없음

2. 해설) committee는 집합명사로 그 안의 구성원을 의미하면 복수, 하나의 위원회를 의미하면 단수로 취급한다. 작은 문제점에 대해서 위원들이 나뉘었다는 것이므로 복수 취급할 수 있다.
   해석) 위원회는 하나의 소소한 문제로 나뉘었다.
   정답) 틀린 부분 없음

3. 해설) jury는 집합명사로 그 안의 구성원을 의미하면 복수, 하나의 배심원단을 의미하면 단수로 취급한다. 다양한 사람들로 구성되는 것은 배심원단인 집단을 의미하므로 단수로 취급해야 한다. 따라서 are는 단수인 is로 고쳐야 한다.
   해석) 배심원단은 더 넓은 지역사회를 정확하게 대변하는 다양한 사람들로 구성되어 있다.
   정답) are → is

4. 해설) cattle, poultry, the police 등은 항상 복수로 취급한다. 따라서 has는 복수인 have로 고쳐야 한다.
   해석) 한국에서는 기원전 2000년 이래로 소가 길러지고 있다.
   정답) has been being raised → have been being raised

5. 해석) 서비스는 훌륭하고 직원들은 매우 도움이 되고 정중하다.
   분석) The services (S1) are (V1) excellent (C1) // and the staff (S2) is (V2) very helpful and courteous (C2).

6. 해석) 귀사의 목표 시청자는 귀사 브랜드의 제품이나 서비스에 영향을 미치는 개인, 그룹 및 공동체이다.
   분석) Your target audience (S) are (V) the individuals, groups and communities (C) (that have (V') influence (O') over your brands' products or services).

Chapter 03 명사, 대명사, 일치

# 출제유형 039

**POINT 22 관사의 이해**

## 관사의 용법

### 밑줄 친 부분 중 어법상 옳은 것은?

In times of crisis, the impact on different socioeconomic groups can ① be vary significantly. ② The poor were more adversely affected by the accident ③ as the wealthy, facing greater challenges ④ because limited access to resources and support networks.

### 유형 분석 & 전략

「the＋형용사/분사」가 보이면 동그라미, 형용사/분사의 형태가 올바른지 확인합니다.
주어로 쓰인 경우 동사에 밑줄 그어 주어와 수 일치가 올바른지 확인해야 합니다

### 포인트 분석

② The poor were more adversely affected by the accident than the wealthy,

### 해설

② **문법포인트** 관사의 이해 「the＋형용사/분사」는 '~하는 사람들'의 의미를 갖는 복수 보통명사로 사용된다. 문장 맨 끝의 the wealthy와 호응하여 '가난한 사람들' 그리고 '부유한 사람들'의 의미로 각각 사용되었다. 복수 보통명사이므로 복수형 동사인 were의 형태도 바르다.
① **문법포인트** 문장의 구성 본동사로 be와 vary 두 개가 접속사도 없이 왔으므로 틀린 문장이다. 문맥상 be를 삭제하고 vary로 써야 한다. (be vary → vary)
③ **문법포인트** 비교 구문 more adversely라는 비교급이 왔으므로 비교급 비교이다. 따라서 as가 아니라 than이 와야 한다. (as → than)
④ **문법포인트** 부사절 접속사의 선택 because는 부사절을 이끄는 접속사로 뒤에 「주어＋동사」가 와서 절을 이룬다. 그러나 limited access라는 명사만 왔으므로 이유를 나타내는 전치사인 because of나 due to 등으로 고쳐야 한다. (because → because of/due to)

### 어휘

crisis 위기  socioeconomic 사회경제적  vary 다양하다
adversely 부정적으로  limited 제한된  access 접근  resources 자원

### 해석

위기의 시기에, 다양한 사회경제적 집단에 미치는 영향은 상당히 다양할 수 있다. 사고로 인해 가난한 사람들은 부유한 사람들보다 더 부정적인 영향을 받았으며, 자원과 지원 네트워크에 대한 제한된 접근성 때문에 더 큰 어려움에 직면했다.

**정답** ②

## 1. 관사 빈출 용법

① the ＋ 형용사/분사 ＝ 복수 보통명사
② 동사 ＋ 목적어 ＋ 전치사 ＋ the ＋ 신체 부위

The young respect the old.
젊은이들은 노인들을 존경한다.

The rich pay more in taxes.
부자들은 더 많은 세금을 낸다.

He pulled me by the hand.
그는 나의 손을 잡아당겼다.

He patted her on the shoulder.
그는 그녀의 어깨를 토닥거렸다.

## 2. 무관사 빈출 용법

「무관사＋특정 장소」(장소의 상징적 의미)
go to school  학교에 가다(수업을 받으러)
go to bed  침대에 가다(잠을 자러)
go to church  교회에 가다(예배를 드리러)
go to prison  감옥에 가다(형벌을 위한 수감을 위해)
go to hospital  병원에 가다(진찰을 받기 위해)

She goes to church every Sunday.
그녀는 일요일마다 예배를 드리러 교회에 간다.

She went to the church to see her father.
그녀는 아버지를 만나러 교회에 갔다.

○ 정관사 the를 쓰면 본래의 목적이 아닌 다른 목적으로 그 장소를 언급한 것이다.

# Exercises

※ 빈칸에 들어갈 알맞은 말을 고르시오.

1. After the traffic accident, the injured _____ to hospital.

   ① takes  ② take
   ③ was taken  ④ were taken

2. More doctors were required to tend _____.

   ① sick and wounded
   ② the sick and the wounded
   ③ a sick and a wounded
   ④ sick and wound

※ 밑줄 친 부분이 틀리면 바르게 고치시오.

3. Raisins were once an expensive food, and only the wealth ate them.

4. I like people who look me in the eye when I have a conversation.

※ 다음 문장을 해석하고 구문분석하시오.

5. These facts run contrary to the common belief that the undocumented do not pay taxes on their wages.

6. 7 is regarded as the lucky number because you are most likely to roll a 7 in a dice game when you roll two dice at the same time.

---

1. **해설** 「the+형용사/분사」는 복수 보통명사로 취급한다. the injured도 「the+분사」의 구조이므로 복수로 취급해야 하고, '옮겨지다'라는 수동의 의미이므로 수동태로 써야 한다.
   **해석** 교통사고 후에 부상자들은 병원으로 옮겨졌다.
   **정답** ④

2. **해설** 정관사 the 뒤에 형용사나 분사가 오면 복수 보통명사가 된다. 문맥상 아픈 사람들과 부상자들이라는 복수 보통명사가 필요하므로 빈칸에는 the sick and the wounded가 들어가야 한다.
   **어휘** tend 돌보다  wounded 부상을 입은  wound 상처
   **해석** 아픈 사람들과 부상자들을 돌보기 위해 더 많은 의사가 필요했다.
   **정답** ②

3. **해설** 「the+형용사/분사」는 복수 보통명사가 된다. wealth는 '부'를 의미하는 명사이므로 사람들을 의미하게끔 형용사인 wealthy로 고쳐 '부자들'이란 의미로 바꿔야 한다.
   **해석** 건포도는 한때 비싼 식품이었고, 그래서 단지 부자들만이 그것들을 먹었다.
   **정답** wealth → wealthy

4. **해설** 「동사+목적어(사람)+전치사+the+신체 부위」라는 정관사의 용법대로 접촉 동사 look의 목적어로 me가 쓰였을 때, 신체 부위를 나타내는 단어 앞에는 정관사를 써야 한다.
   **해석** 나는 대화할 때 내 눈을 보는 사람들을 좋아한다.
   **정답** 틀린 부분 없음

5. **어휘** run contrary to ~에 배치되다  undocumented 미등록된
   **해석** 이런 사실들은 미등록자들이 그들의 임금에 대한 세금을 내지 않을 것이라는 일반적인 믿음과는 배치된다.
   **분석** These facts run / contrary to the common belief [that the undocumented do not pay taxes on their wages].

6. **해설** 7은 주사위 두 개를 동시에 굴리는 주사위 게임에서 7이 나올 가능성이 가장 높기 때문에 행운의 숫자로 간주된다.
   **분석** 7 is regarded as the lucky number // because you are most likely to roll a 7 in a dice game // when you roll two dice at the same time.

Chapter 03 명사, 대명사, 일치

# 출제유형 040

**POINT 23 관사의 위치**

## 관사의 위치

**밑줄 친 부분에 들어갈 말로 가장 적절한 것은?**

> The concert was _____ that it drew crowds from all over the city.

① such a remarkable event
② so a remarkable event
③ a such remarkable event
④ a so remarkable event

### 유형 분석 & 전략

부사인 so, too, as, 한정사인 such가 보이면 동그라미하고 이어지는 관사와 명사에 각각 밑줄 표시하며 어순을 확인해야 합니다.

### 포인트 분석

The concert was such a remarkable event that it drew crowds from all over the city.
(a/an 형용사 명사)

### 해설

**문법포인트** 관사의 위치 「such + a/an + 형용사 + 명사」, 혹은 「so + 형용사 + a/an + 명사」의 어순으로 사용된다. 따라서 정답은 ①이다. so가 올 경우, so remarkable an event가 되어야 한다.

### 어휘

concert 콘서트  draw 끌다  crowd 관중  remarkable 훌륭한  event 행사

### 해석

그 콘서트는 너무나 훌륭한 행사여서 도시 전체에서 군중을 끌어들였다.

**정답** ①

## 1. 관사의 일반적 위치

> 관사 + 부사 + 형용사 + 명사

He is **a** very good teacher.
그는 매우 훌륭한 선생님이다.

## 2. 주의할 관사의 위치

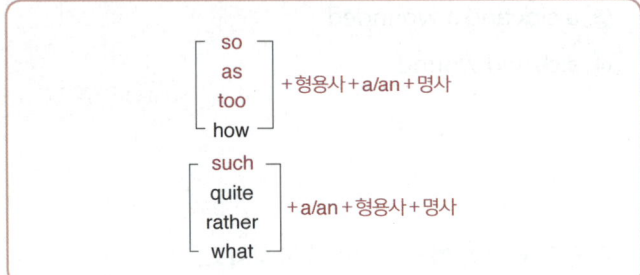

He is **so** good a teacher.
그는 매우 훌륭한 선생님이다.

This is **too** good a chance to lose.
이것은 잃어버리기엔 너무 좋은 기회이다.

He is **such** a good teacher that everyone likes him.
그는 매우 훌륭한 선생님이라서 모든 사람이 그를 좋아한다.

## 3. so vs. such

| so : 너무, 대단히 | such : 너무나 ~한 |
|---|---|
| 부사로 뒤의 형용사나 부사를 수식 | 한정사로 뒤에 반드시 명사를 취해야 함 |

He is **so** kind that everyone likes him.
그는 매우 친절해서 모든 사람이 그를 좋아한다.

= He is **so** kind a man that everyone likes him.
= He is **such** a kind man that everyone likes him.
　He is such kind that everyone likes him. ( × )

# Exercises

※ 빈칸에 들어갈 알맞은 말을 고르시오.

1. She felt that she was _____ as he was, if not better.

   ① as good a swimmer    ② so a good swimmer
   ③ as a good swimmer    ④ so good a swimmer

2. It was _____ that we watched it all night.

   ① so a beautiful meteor storm
   ② such a beautiful meteor storm
   ③ such beautiful a meteor storm
   ④ too a beautiful meteor storm

※ 밑줄 친 부분이 틀리면 바르게 고치시오.

3. She sang with <u>so a pleasant voice</u> that she made the children present happy.

4. It was <u>such great a speech</u> that the American law courts let him off.

※ 다음 문장을 해석하고 구문분석하시오.

5. The movie star admitted starring in the new movie was too good an opportunity to refuse.

6. His address at the luncheon meeting was so great that the entire audience appeared to support him.

---

1. **해설** as ~ as의 원급 비교 구문으로 as가 사용되면 뒤의 어순은 「as+형용사+a(n)+명사」가 되어야 한다.
   **해석** 그녀는 자신이 그보다 더 낫지는 않더라도 그만큼 수영을 잘 한다고 느꼈다.
   **정답** ①

2. **해설** 뒤에 that절이 오고, 의미상 '너무 ~해서 ~하다'를 의미할 때는 「such ~ that」 또는 「so ~ that」의 구문을 써야 한다. 「such ~ that」 접속사의 경우 such 다음에 관사가 바로 와서 such a beautiful meteor storm으로 쓰고, 「so ~ that」은 형용사가 먼저 와야 해서 so beautiful a meteor storm으로 써야 한다.
   **해석** 그것은 너무나 아름다운 유성 폭풍이어서 우리는 밤새 그것을 보았다.
   **정답** ②

3. **해설** '너무 ~해서 ...하다'라는 의미의 「so ~ that」 구문의 경우 so 다음에 형용사가 먼저 이어져야 한다. 따라서 so를 such로 고치거나 so a pleasant voice를 so pleasant a voice로 고쳐야 한다.
   **어휘** pleasant 유쾌한  present 참석한
   **해석** 그녀는 너무나 유쾌한 목소리로 노래를 해서 참석한 아이들을 기쁘게 했다.
   **정답** so a pleasant voice → so pleasant a voice/such a pleasant voice

4. **해설** '너무 ~해서 ...하다'는 의미의 「such ~ that」 구문의 경우 such 다음에 관사가 먼저 이어져야 한다. 따라서 such great a speech는 such a great speech로 고쳐야 한다.
   **어휘** law court 법정  let off 풀어주다
   **해석** 이는 너무나도 훌륭한 연설이어서 미국 법정은 그를 풀어주었다.
   **정답** such great a speech → such a great speech

5. **해석** 그 영화배우는 그 새 영화에 출연하는 것이 거절하기엔 너무 좋은 기회였다고 인정했다.
   **분석** The movie star admitted // starring (in the new movie) was too good an opportunity (to refuse).

6. **해석** 오찬 간담회에서 그의 연설은 너무 대단해서 청중 전체가 그를 지지하는 것처럼 보였다.
   **분석** His address (at the luncheon meeting) was so great // that the entire audience appeared to support him.

Chapter 03 명사, 대명사, 일치

# 출제유형 041

**POINT 24 인칭대명사**

## 재귀대명사

### 밑줄 친 부분 중 어법상 옳지 않은 것은?

Michael Phelps is one of ① the most decorated swimmers of all time. ② Standing at 6 feet 4 inches, he has longer arms than those of ordinary people, which allow him ③ to create more downward thrust in the water. His long arms serve like propellers to shoot ④ himself through the water.

#### 유형 분석 & 전략

-self/-selves가 목적어로 쓰인 경우 밑줄 표시 후, 앞에 위치한 동사의 주어를 찾아 동그라미 후 목적어와 주어가 동일 대상인지 확인해야 합니다.

#### 포인트 분석

His long arms serve like propellers to shoot ④ himself → him through the water.

#### 해설

④ **문법포인트** 인칭대명사 이 문장의 주어는 His long arms이고 의미상 himself는 Phelps를 가리키므로 주어와 목적어가 동일하지 않다. 따라서 himself는 Phelps를 가리키는 인칭대명사 him으로 고쳐야 한다. (himself → him)

① **문법포인트** 비교 구문 형용사 decorated의 최상급으로 the most decorated의 형태가 바르게 쓰였고 이 최상급이 swimmers를 수식하고 있다.

② **문법포인트** 분사구문 stand는 '(키, 높이가) ~이다'라는 뜻의 자동사이다. 자동사가 분사구문이 되었으므로 현재분사가 바르게 쓰였다.

③ **문법포인트** 불완전타동사와 동작의 목적격보어 allow는 to부정사를 목적격보어로 취하는 동사로 allow의 목적격보어로 to create가 바르게 쓰였다.

#### 어휘

decorated 상을 받은    downward 아래로 향하는    thrust 추력

#### 해석

마이클 펠프스는 역사상 가장 상을 많이 받은 수영선수 중 한 명이다. 키가 6피트 4인치에 달하는 그는 일반인보다 더 긴 팔을 가지고 있고, 이는 그가 물속에서 더 아래로 향하는 추력을 만들어내게 했다. 그의 긴 팔은 그를 물을 가로질러 쏘아 보내는 프로펠러 같은 역할을 한다.

**정답** ④

---

주어의 행위 결과가 다시 주어 자신에게 미치는 경우를 재귀적 용법이라 말한다.

즉, 주어와 목적어가 동일한 대상인 경우 목적어로 재귀대명사를 써야 한다.

$$S = O \ (\text{-self}/\text{-selves})$$

**She** has to support **herself**. (she = herself)
그녀는 스스로를 부양해야 한다.

**They** liked itself. ( × )  그들은 그것을 좋아했다.
　　　　→ it

○ 주어인 They와 목적어인 itself가 동일한 대상이 아니므로 재귀대명사인 itself를 쓸 수 없다.

# Exercises

※ 빈칸에 들어갈 알맞은 말을 고르시오.

1. Most importantly, allow _____ enough time.

   ① you                ② your
   ③ yours              ④ yourself

2. I had to isolate _____ emotionally to survive when I was a child.

   ① I                  ② my
   ③ me                 ④ myself

※ 밑줄 친 부분이 틀리면 바르게 고치시오.

3. The result of his listening didn't make <u>himself</u> popular.

4. I am always very proud of <u>me</u>, and I will be a good man.

※ 다음 문장을 해석하고 구문분석하시오.

5. He must set himself to realize not what is bad in a book, but what is good.

6. He tried to defend himself by saying he did the thing in a state of weakness.

---

1. (해설) 동사의 목적어가 주어와 동일한 경우 재귀대명사를 써야 한다. allow의 목적어가 필요한데 문장이 명령문이고 명령문은 주어 you를 생략한 형태이므로 빈칸에는 재귀대명사 yourself가 들어가야 한다.
   (해석) 가장 중요하게는, 자신에게 충분한 시간을 허락해줘라.
   (정답) ④

2. (해설) 빈칸에는 isolate의 목적어가 들어가야 하는데 목적어가 주어와 동일하므로 재귀대명사인 myself가 들어가야 한다.
   (해석) 어렸을 때 나는 살아남기 위해 정서적으로 나 자신을 고립시켜만 했다
   (정답) ④

3. (해설) make의 목적어로 himself가 왔는데 주어는 The result이다. 주어와 목적어가 동일하지 않으므로 재귀대명사는 쓸 수 없다. 의미상 himself는 him으로 고쳐야 한다.
   (해석) 그의 경청의 결과는 그를 인기 있게 만들지 않았다.
   (정답) himself → him

4. (해설) 전치사 of의 목적어로 me가 왔는데 주어가 I로 동일인이다. 목적어가 주어와 동일인인 경우 재귀대명사를 써야 하므로 me는 myself로 고쳐야 한다.
   (해석) 나는 항상 나 자신을 자랑스러워하며, 훌륭한 사람이 될 것이다.
   (정답) me → myself

5. (해설) 그는 책에서 무엇이 나쁜지가 아니라 무엇이 좋은지를 깨닫는 것에 전념해야 한다.
   (어휘) set oneself to + 동사원형 ~에 전념하다
   (분석) He must set himself to realize / not what is bad in a book, / but what is good.
   　　　　S　　V　　O

6. (해설) 그는 심신미약 상태에서 그 일을 했다고 말함으로써 자신을 방어하려 노력했다.
   (분석) He tried to defend himself / by saying // he did the thing / in a state of weakness.
   　　　　S　V　　　O

Chapter 03 명사, 대명사, 일치　133

# 출제유형 042

**POINT 24 인칭대명사**

## 가주어/가목적어 it

### 다음 빈칸에 알맞은 것은?

The welfare state in the United States has also been troubled by racial problems, which began with black slavery before the Civil War of the 1860s and continued with racial segregation in the South until 1960s. Segregation made it difficult for black Americans _____ into the larger middle-class culture and its values.

① assimilate
② becoming assimilated
③ assimilating
④ to become assimilated

#### 유형 분석 & 전략

문장 맨 앞의 it에 세모, 진주어인 to부정사/명사절을 찾아 세모 표시하며 형태가 올바른지 확인합니다.
5형식으로 사용된 문장에서 동사 뒤의 it 세모, 진목적어인 to부정사/명사절을 찾아 세모하고 문장의 형태가 올바른지 확인합니다.

#### 포인트 분석

Segregation made **it**(가O) difficult for black Americans **to become assimilated**(진O) into the larger middle-class culture and its values.

#### 해설

**문법포인트** 인칭대명사 빈칸 앞에 made와 가목적어 it 목적격보어 difficult가 있는 것으로 보아 빈칸에는 진목적어가 들어가야 함을 알 수 있다. 진목적어가 가능한 것은 to부정사와 명사절이므로 ④ to become assimilated가 들어가야 한다.

#### 어휘

welfare state 복지국가  trouble 애를 먹이다  racial 인종의
slavery 노예  segregation 차별  value 가치관  assimilate 동화시키다

#### 해석

미국의 복지국가는 인종 문제로 애를 먹어 왔는데, 이는 1860년대의 남북전쟁 이전의 흑인 노예제로 시작되어 1960년대까지의 남부에서의 인종 차별로 계속되었다. 인종 차별은 흑인 미국인들이 더 거대한 중산층 문화와 가치관에 동화되는 것을 어렵게 했다.

정답 ④

### 1. 가주어 It

> 가주어  보어  진주어
> It + be동사 + [형용사 / 분사 / 명사] + [to부정사구 / 명사절]

**It** is difficult **to be happy**.
행복하기는 어렵다.

**It** is certain **that he will succeed**.
그가 성공할 것이 확실하다.

### 2. 가목적어 It

> 가목적어  목적격보어  진목적어
> 주어 + 동사 + it + [형용사 / 분사 / 명사] + [to부정사구 / 명사절]

They found **it** natural for children **to want to keep playing with their friends**.
그들은 아이들이 친구들과 계속 놀기를 원하는 것이 당연하다는 것을 알았다.

### 구문분석 공식

**공식 17** 가주어 it이 보이면 진주어를 찾아 먼저 주어로 해석한다.

가S    C        진S
**It** was fashionable / **to** have a clock or a watch.
유행을 따르는 것이었다 /        시계를 갖는 것은.

(해석) 시계를 갖는 것이 유행을 따르는 것이었다.

**공식 17-1** 가목적어 it이 보이면 진목적어를 찾아 동사와 붙여 해석한다.

V    가O            OC       진O
You will find **it** increasingly easy / **to** break through the barriers.
당신은 점점 쉬워진다는 것을 알게 될 것이다 /  장벽을 돌파하는 것이.

(해석) 당신은 장벽을 돌파하는 것이 점점 쉬워진다는 것을 알게 될 것이다.

(어휘) fashionable 유행을 따르는  break through 돌파하다  barrier 장벽

# Exercises

※ 빈칸에 들어갈 알맞은 말을 고르시오.

1. _____ is easy to assemble and take apart the toy car

   ① It          ② This
   ③ That        ④ What

2. They find it hard _____ when several things have to be discussed at once.

   ① concentrate      ② concentrating
   ③ concentrated     ④ to concentrate

※ 밑줄 친 부분이 틀리면 바르게 고치시오.

3. It is easy <u>ignoring</u> the fact that French loan words can be found in Old English too.

4. Top software companies are <u>finding increasingly challenging</u> to stay ahead.

※ 다음 문장을 해석하고 구문분석하시오.

5. It is the President's duty to keep people safe and protect the country.

6. He found it natural for Europe and Israel to be allies as both were the result of dreams.

---

1. **해설** 문맥상 to assemble and take apart the toy car가 주어이다. 따라서 빈칸에는 가주어가 들어가야 한다. 참고로 easy 같은 난이형용사는 사람 주어보다는 행위를 주어로 하기 때문에 가주어, 진주어로 주로 표현한다.
   **해석** 그 장난감 자동차를 조립하고 분리하는 것은 쉽다.
   **정답** ①

2. **해설** find 뒤에 it과 hard가 나와 목적어와 목적격보어임을 알 수 있다. They find it hard가 완전한 문장이므로 동사나 분사가 나올 수 없다. 따라서 it을 가목적어로 보고 진목적어가 될 수 있는 to concentrate를 넣어주어야 한다.
   **해석** 그들은 여러 사항이 동시에 논의되어야 할 때 집중하기 어렵다는 것을 발견한다.
   **정답** ④

3. **해설** 문맥상 It은 가주어이므로 진주어가 있어야 한다. 뒤의 that은 the fact의 동격절이므로 진주어가 될 수 없다. 따라서 ignoring을 to ignore로 고쳐 진주어로 만들어 주어야 한다.
   **해석** 프랑스어 차용어가 고대 영어에서도 발견될 수 있다는 사실을 무시하기 쉽다.
   **정답** ignoring → to ignore

4. **해설** find 뒤에 challenging이라는 현재분사 형태의 형용사가 왔으므로 목적격보어로 볼 수 있다. 목적어가 나와 있지 않고, 목적격보어 뒤에 진목적어 to부정사구(to stay ahead)가 왔으므로 목적격보어 앞에 가목적어 it을 써야 한다.
   **해석** 최고의 소프트웨어 회사들은 앞서나가는 것이 점점 더 힘들다는 것을 알아가는 중이다.
   **정답** finding increasingly challenging → finding it increasingly challenging

5. **해설** 국민을 안전하게 보호하고 나라를 지키는 것이 대통령의 의무이다.
   **분석** It(가S) is(V) the President's duty(C) to keep people safe and protect the country(진S).

6. **어휘** natural 당연한   ally 동맹
   **해설** 그는 유럽과 이스라엘이 둘 다 꿈의 결과이므로 동맹이 되는 것이 당연하다고 생각했다.
   **분석** He(S) found(V) it(가O) natural(OC) for Europe and Israel(S') to be(V') allies(C')(진O) // as both were the result of dreams.

# 출제유형 043

**POINT 24 인칭대명사**

## 명사 – 대명사 수 일치

**다음 밑줄 친 부분 중 어법상 옳지 않은 것을 고르시오.**

> Indeed, it is the nature of men ① that whenever they see profit, they cannot help chasing after ② them, and whenever they see harm, they cannot help running away. To illustrate, when the merchant engages in trade and travels twice the ordinary distance in a day, ③ uses the night to extend the day, and covers a thousand miles without considering it too far, it is ④ because profit lies ahead.

### 유형 분석 & 전략

it/its, they/their/them 등 대명사에 밑줄이 있으면 앞에 위치한 대상 명사를 찾아 동그라미하고 수 일치를 확인해야 합니다

### 포인트 분석

> Indeed, it is the nature of men that whenever they see profit, they cannot help chasing after ② them,
> → it

### 해설

② **문법포인트** 인칭대명사 대명사 them은 앞에 나온 명사 profit을 받는다. profit이 단수이므로 them도 단수인 it이 되어야 한다. (them → it)

① **문법포인트** 명사절 접속사의 선택 가주어 it과 진주어 that 문장이다. that 이하에서 ~ away까지가 명사절로 진주어이다.

③ **문법포인트** 등위접속사의 병렬 구조 주어인 the merchant 뒤에 네 개의 동사(engages ~ and travels ~, uses ~, and covers ~)가 등위접속사 and를 통해 병렬 연결되어 있는 바른 문장이다.

④ **문법포인트** 명사절 접속사의 선택 접속사 because로 시작된 절이 동사 is의 보어로 사용된 구문이다. because는 부사절을 이끄는 종속접속사이지만 보어로 쓰일 때 명사절을 이끈다.

### 어휘

profit 이익   cannot help -ing ~하지 않을 수 없다   extend 늘이다

### 해석

사실 사람들이 이익을 보면 그들이 그것을 쫓지 않고는 못 배긴다는 것은, 그리고 위험을 보면 도망가지 않을 수 없다는 것은 인간의 본성이다. 예를 들어 설명하자면, 상인이 교역을 하며 하루에 통상적인 거리를 두 번 이동하고, 하루를 늘리기 위해 저녁을 이용하고, 그리고 그것이 얼마나 먼지를 고려하지 않고 천 마일을 여행할 때는, 이익이 앞에 놓여있기 때문이다.

**정답** ②

---

명사의 반복을 피하기 위해 대명사를 사용할 때는 대상 명사가 단수면 단수 대명사, 복수면 복수 대명사를 써야 한다.

| 명사 | 대명사 |
|---|---|
| 사람 단수 | he, she, his, her, him, himself, herself |
| 사물 단수 | it, its, itself |
| 사람·사물 복수 | they, their, them, themselves |

The earth's magnetic poles are not fixed, but slowly shift their position.
지구의 자극들은 고정된 것이 아니라 그 위치를 천천히 변경한다.
The earth's magnetic poles are not fixed, but slowly shift its position. ( × )

# Exercises

※ 빈칸에 들어갈 알맞은 말을 고르시오.

1. Scars will be cured naturally, so it is best to leave _____ untouched.

   ① it  ② them
   ③ their  ④ themselves

2. He inherited a lot of money, but he spent _____ away in doing nothing.

   ① it  ② him
   ③ them  ④ itself

※ 밑줄 친 부분이 틀리면 바르게 고치시오.

3. School-age children were able to learn about Cherokee culture and tradition in <u>its</u> own language.

4. There are two groups of tasks that will bring profit, and <u>it needs</u> discussing soon.

※ 다음 문장을 해석하고 구문분석하시오.

5. By reeducating youthful offenders, we have to turn them into good students who can readapt themselves to the school system.

6. The company has tried to dispel its bad reputation concerning its illegal union repression.

---

1. (해설) leave는 목적어와 목적격보어를 취하는 동사이다. untouched의 목적격보어만 나와 있어 목적어가 들어가야 하는데 문맥상 Scars를 지칭하는 대명사가 들어가야 하므로 them이 들어가야 한다.
   (해석) 상처는 자연적으로 치유되므로 손대지 않고 두는 것이 최선이다.
   (정답) ②

2. (해설) 문맥상 빈칸에는 상속받은 돈을 의미하고, money는 불가산명사로 단수 취급하므로 it이 들어가야 한다.
   (해석) 그는 많은 돈을 상속받았지만 그것을 빈둥거리며 다 써버렸다.
   (정답) ①

3. (해설) its가 지칭하는 것은 앞의 children(복수)이므로, 복수 대명사 their로 고쳐야 한다.
   (해석) 학령기 아이들은 체로키 문화와 전통에 대해 그들만의 언어로 배울 수 있었다.
   (정답) its → their

4. (해설) 문맥상 it이 지칭하는 것은 앞의 two groups of tasks로 복수이다. 따라서 it needs는 they need로 고쳐야 한다.
   (해석) 이익을 가져올 두 가지 작업 그룹이 있으며 그것들을 바로 논의해야 한다.
   (정답) it needs → they need

5. (어휘) reeducate 재교육하다  youthful 청소년의
   offender 범죄자  readapt 재적응시키다
   (해석) 우리는 청소년 범죄자를 재교육하여 학교 시스템에 재적응할 수 있는 선한 학생으로 만들어야 한다.
   (분석) By reeducating youthful offenders, / we have to(S)(V) turn them(O) into good students (who can readapt themselves to the school system).

6. (어휘) dispel 불식시키다  reputation 평판
   concerning ~에 관하여  union 노조  repression 탄압
   (해석) 그 회사는 불법 노조 탄압에 관한 나쁜 평판을 불식시키려고 노력해왔다.
   (분석) The company(S) has tried to dispel(V) its bad reputation(O) (concerning its illegal union repression).

Chapter 03 명사, 대명사, 일치

# 출제유형 044

**POINT 25 부정대명사**

## one, another, other

### 빈칸에 들어갈 말로 알맞은 것은?

> Reading what he wrote is one thing, but reading between the lines quite _____.

① others
② the other
③ another
④ the another

#### 유형 분석 & 전략

another/the other가 보이면 밑줄 긋고 지칭하는 대상에 동그라미, 그 수가 2개인지 3개 이상인지를 파악한 후 올바르게 쓰였는지 확인해야 합니다.

#### 포인트 분석

Reading what he wrote is (one thing), but reading between the lines quite another.

### 1. 개별 지칭 방법

| 두 개일 때 | 세 개 이상일 때 |
|---|---|
| one ~, the other ~<br>처음 하나 ~, 나머지 하나 ~ | one ~, another ~, the other ~<br>처음 하나 ~, 또 다른 하나 ~, 나머지 하나 ~<br>others ~, the others ~<br>다른 것들 ~, 나머지 것들 ~ |

My brothers are both abroad: one lives in England, and the other in Sweden.
내 형제들은 둘 다 외국에 있다: 한 명은 영국에 살고, 나머지 한 명은 스웨덴에 산다.

There are three kinds of fruit: one is banana, another is mango, and the other is orange.
세 종류의 과일이 있다: 하나는 바나나이고, 다른 것은 망고이고, 나머지 하나는 오렌지이다.

### 2. 주요 표현

| 구분 | 두 개일 때 | 세 개 이상일 때 |
|---|---|---|
| 서로서로 | each other | one another |
| 차례로 | one after the other | one after another |
| A와 B는 별개의 문제이다 | A is one thing, but[and] B is another. | |

These two boys helped each other.
이 두 소년은 서로서로 도왔다.

The students in your class evaluate one another.
너의 반 학생들은 서로서로를 평가한다.

To know is one thing and to teach is another.
아는 것과 가르치는 것은 별개의 문제이다.

To know is one thing and to teach is the other. ( × )

**[해설]**

**[문법포인트]** 부정대명사 'A와 B는 별개다'를 의미하는 「A is one thing, but B is another」의 구문이다. one thing과 호응하기 위해서는 ③ another가 들어가야 한다.

**[어휘]**

read between the lines 행간을 읽다

**[해석]**

그가 쓴 것을 읽는 것과 행간을 읽는 것은 별개다.

**[정답]** ③

#### 쌤's TIP

one: 앞에 언급된 것과 동일한 종류의 불특정한 하나
He has a fountain pen. I want to get one, too.
그가 가진 만년필이 아닌 다른 만년필
그는 만년필을 가지고 있어. 나도 하나 가지길 원해.

it: 앞에 언급된 '바로 그것'
I don't like the book. It is boring.
앞의 the book
난 이 책을 좋아하지 않아. 이것은 따분해.

# Exercises

※ 빈칸에 들어갈 알맞은 말을 고르시오.

1. To work is one thing, and to make money is _____.

    ① others        ② the other
    ③ another       ④ the another

2. Some people have mild pain; _____ have more severe pain.

    ① others        ② the other
    ③ another       ④ the another

※ 밑줄 친 부분이 틀리면 바르게 고치시오.

3. My lab coat needs cleaning, so I need to borrow <u>it</u> this time.

4. I have two story books, One is interesting but <u>another</u> is boring.

※ 다음 문장을 해석하고 구문분석하시오.

5. They do not like to cause any harm to others.

6. It's incumbent on us to not only take care of ourselves and each other but also to build a better world.

---

1. (해설) 문맥상 'A와 B는 별개의 문제다'를 의미해야 하므로 이를 나타내는 「A is one thing, but[and] B is another」가 되어야 한다.
   (해석) 일하는 것과 돈 버는 것은 별개의 것이다.
   (정답) ③

2. (해설) 빈칸에는 some people에 대응하는 어구가 들어가야 한다. 불특정한 다수를 지칭해야 하므로 others가 들어가야 한다.
   (어휘) mild 가벼운  severe 심한
   (해석) 어떤 사람은 가벼운 통증을 겪는다; 다른 사람들은 더 심한 통증을 겪는다.
   (정답) ①

3. (해설) it은 동일한 바로 그 물건을 가리킬 때 쓰고, 같은 종류를 의미할 때는 one을 써야 한다. 내 실험복은 세탁해야 하기 때문에 다른 실험복을 하나 빌려야 한다는 의미이므로 it은 one으로 고쳐야 한다.
   (해석) 내 실험복을 세탁해야 해서 이번에는 다른 걸 빌려야겠어.
   (정답) it → one

4. (해설) 둘 중에 하나를 지칭할 때 one을 썼다면 나머지 다른 하나는 특정한 것이 되므로 the other로 지칭해야 한다. 따라서 another는 the other로 고쳐야 한다.
   (해석) 나는 이야기책 두 권이 있다. 하나는 재미있는데 나머지 하나는 따분하다.
   (정답) another → the other

5. (해석) 그들은 타인들에게 해를 끼치고 싶어 하지 않는다.
   (분석) They(S) do not like(V) to cause any harm to others(O).

6. (어휘) incumbent on ~의 의무인
   (해석) 우리 자신과 서로를 보살피는 것뿐만 아니라 더 나은 세상을 건설하는 것은 우리의 의무다.
   (분석) It(가S) 's incumbent(V) on us(C) to not only take care of ourselves and each other(진S1) / but also to build a better world(진S2).

# 출제유형 045

**POINT 25 부정대명사**

## every의 용법

---

**밑줄 친 부분에 들어갈 말로 가장 적절한 것은?**

> Because he wants to keep his bicycle in top condition, he applies lubricant _____.

① every two week
② every second weeks
③ every other week
④ every other weeks

### 유형 분석 & 전략

every가 보이면 동그라미, 뒤에 수식받는 명사가 단수인지 확인해야 합니다. '매, ~마다'라는 의미를 표현하는 경우 함께 쓰이는 수 형용사에 동그라미 후, 서수인지, 기수인지에 따라 뒤에 오는 명사의 단수/복수를 구분해야 합니다.

### 포인트 분석

> Because he wants to keep his bicycle in top condition, he applies lubricant (every)(other) week.

### 해설

**문법포인트** 부정대명사 '매 ~마다'를 표현하기 위해서는 「every+기수+복수 명사」, 혹은 「every+서수+단수 명사」의 형태로 쓰인다. 따라서 '2주마다'는 every two weeks, 혹은 every second week라고 써야 한다. 다른 표현으로 every other week도 가능하다.

### 어휘

apply 바르다   lubricant 윤활유

### 해석

자신의 자전거를 최상의 상태로 유지하고 싶어 하기 때문에, 그는 격주로 윤활유를 바른다.

**정답** ③

---

**1. "모든"을 의미하는 every는 부정형용사로 단수 명사와 함께 쓰인다.**

> every + 명사(단수) + 동사(단수)

Every boy and girl has submitted his or her homework.
모든 소년, 소녀들이 자신의 숙제를 제출했다.

#### Check!
every는 and로 연결되어도 단수로 취급한다.
Every boy and every girl is good in our class.
우리 학급에서 모든 소년과 소녀들이 잘한다.

**2. '~마다'**

every + 기수 + 복수(기간) 명사
every + 서수 + 단수(기간) 명사

every two years
every second year      2년마다
every other year

### 쌤's TIP

**all의 용법**

all이 부정대명사로 사용되는 경우 생물체를 지칭할 때는 복수 취급하고, 무생물체를 지칭할 때는 단수로 취급한다.

부정형용사로 사용되는 경우 all 다음에 셀 수 있는 명사의 복수형이 오면 복수 동사로, 셀 수 없는 명사가 오면 단수 동사로 수 일치를 한다.

All big cities have the same problems.
모든 큰 도시들은 같은 문제들을 갖고 있다.
All the information is correct.
모든 정보가 정확하다.

# Exercises

※ 빈칸에 들어갈 알맞은 말을 고르시오.

1. Every city in the country was required to have _____ own culture.

   ① it  ② them
   ③ its  ④ their

2. Every boy and every girl in the class _____ smart.

   ① is  ② are
   ③ look  ④ seem

※ 밑줄 친 부분이 틀리면 바르게 고치시오.

3. My house is painted every five year.

4. She washes her hair every other days.

※ 다음 문장을 해석하고 구문분석하시오.

5. In my country, presidential election is held every five years.

6. One-third of its members retire every second year, and are replaced by newly elected members.

---

1. 해설) 문맥상 every city의 소유격이 들어가야 한다. every는 단수로 취급하므로 its가 들어가야 한다.
   해석) 이 나라의 모든 도시는 자신의 고유한 문화를 가질 것이 요구되었다.
   정답) ③

2. 해설) every는 and로 연결되어도 단수 취급해야 한다. 따라서 빈칸에는 is가 들어가야 한다.
   해석) 이 반의 모든 소년과 소녀들은 똑똑하다.
   정답) ①

3. 해설) '매 ~, ~마다'를 의미하는 경우 「every+기수+복수 명사」 또는 「every+서수+단수 명사」의 형태로 쓴다. '5년마다'를 의미하는 경우 every five years 또는 every fifth year로 써야 한다.
   해석) 나의 집은 5년마다 페인트칠된다.
   정답) every five year → every five years/every fifth year

4. 해설) '이틀에 한 번'을 의미할 때는 'every two days, every second day, every other day'로 표현한다. other 뒤에는 단수 명사가 나와야 하므로 days를 day로 고치거나 other를 two로 고쳐야 한다.
   해석) 그녀는 이틀에 한 번 머리를 감는다.
   정답) every other days → every other day/every two days

5. 해설) 우리나라에서는 대통령 선거가 5년마다 열린다.
   분석) In my country, / presidential election is held / every five years.

6. 해설) 그 구성원들의 3분의 1이 2년마다 은퇴하고 새로 선출된 구성원들로 대체된다.
   분석) One-third of its members retire / every second year, // and are replaced by newly elected members.

# 출제유형 046

**POINT 26 부분부정 vs. 전체부정**

## 부분부정

---

**밑줄 친 부분에 들어갈 말로 가장 적절한 것은?**

> Academic knowledge isn't _____ what leads you to make right decisions.

① always
② seldom
③ never
④ rarely

### 유형 분석 & 전략

'모두 ~한 것은 아니다' 또는 '언제나 ~인 것은 아니다'의 의미는 부분부정으로 나타내어야 합니다.
이때, 문장에서 전체 의미의 표현에 동그라미, 부정부사(not)에 밑줄을 그어 부분부정의 형태가 올바른지 확인합니다.

### 포인트 분석

Academic knowledge isn't (always) what leads you to make right decisions.

### 해설

**문법포인트** 부분부정 vs. 전체부정 seldom, never, rarely는 부정부사이므로 not과 중복하여 쓰지 못한다. 문맥으로도 항상 옳은 결정으로 이끄는 것이 아니라는 부분부정의 의미가 자연스러우므로 ① always가 들어가야 한다.

### 어휘
academic 학문의

### 해석
학문적 지식이 늘 당신이 옳은 결정을 하도록 이끌어 주는 것은 아니다.

**정답** ①

---

### 1. 부분부정

부정어 + {all, every, both / always, necessarily, entirely} '전체'를 의미하는 표현
→ 모두 ~한 것은 아니다 / 언제나 ~인 것은 아니다

I don't like all of them.
나는 그들 모두를 좋아하지는 않는다.

The rich are not always happy.
부자들이 언제나 행복한 것은 아니다.

### 2. 전체부정

no  neither  no one  none  never  nothing  nobody
아무도 ~하지 않다 / 언제나 ~ 않다

I like none of them.
나는 그들 중 아무도 좋아하지 않는다.

The poor are never happy.
가난한 사람들은 결코 행복하지 않다.

---

### 구문분석 공식

**공식 18** 문장에 부정어가 나오면 동사를 부정하여 해석하는 것이 가장 자연스럽고 빠르다.

**아무도 ~하지 않다**
No one understands language / the same way.
아무도 언어를 이해하지 않는다 / 동일한 방식으로.
**해석** 아무도 언어를 동일한 방식으로 이해하지 않는다.

**공식 19** 「not + 전체 의미 표현」은 부분부정의 의미이다.

S   부분부정(언제나 ~한 것은 아니다)
Humans are not always rational.
**해석** 인간이 항상 합리적인 것은 아니다.

부분부정(언제나 ~한 것은 아니다)
We did not like every dish (at the restaurant), / despite the positive reviews.
우리는 (그 식당에 있는) 모든 음식이 마음에 든 것은 아니었다 / 긍정적인 평가에도 불구하고.
**해석** 긍정적인 평가에도 불구하고 우리는 그 식당에 있는 모든 음식이 마음에 든 것은 아니었다.

**어휘** rational 합리적인  dish 음식  review 평가

# Exercises

※ 다음 문장을 해석하고 구문분석하시오.

1. Two girls of an age are not always of a mind.

2. Not all students know how to take effective notes.

3. Not every centrally planned economy has managed the transition to the market economy.

4. The increase in value of a non-current asset does not necessarily represent an immediate profit for the company.

5. He says that he was not entirely ignorant of the matter.

6. A smartphone is never useful for me when I need to increase my concentration.

---

1. **[해석]** 같은 나이의 두 소녀라고 해서 반드시 생각이 같은 것은 아니다.
   **[분석]** Two girls of an age [S] are [V] not always of a mind [C].

2. **[해석]** 모든 학생들이 효과적으로 필기하는 법을 아는 것은 아니다.
   **[분석]** Not all students [S] know [V] how to take effective notes [O].

3. **[어휘]** manage 성공적으로 해내다
   **[해석]** 모든 중앙계획경제가 시장경제로의 전환을 성공적으로 해 낸 것은 아니다.
   **[분석]** Not every centrally planned economy [S] has managed [V] the transition [O] (to the market economy).

4. **[어휘]** non-current asset 비유동자산   necessarily 반드시   represent 나타내다.
   **[해석]** 비유동자산 가치의 증가가 반드시 그 회사의 당장의 수익을 나타내는 것은 아니다.
   **[분석]** The increase (in value of a non-current asset) [S] does not necessarily represent [V] an immediate profit [O] for the company.

5. **[어휘]** be ignorant of ~을 모르다
   **[해석]** 그는 자신이 그 일을 전혀 몰랐던 것은 아니라고 말한다.
   **[분석]** He [S] says [V] // that he [S'] was [V'] not entirely ignorant [C'] of the matter.

6. **[해석]** 스마트폰은 내가 집중력을 향상시킬 필요가 있을 때는 내게 결코 유용하지 않다.
   **[분석]** A smartphone [S] is [V] never useful [C] for me // when I [S'] need to increase [V'] my concentration [O'].

Chapter 03 명사, 대명사, 일치

# 출제유형 047

**POINT 27 주어 – 동사 수 일치**

## 주어가 복잡한 경우의 주어 – 동사 수 일치

### 밑줄 친 부분 중 어법상 옳지 않은 것은?

While advances in transplant technology have made ① it possible to extend the life of individuals with end-stage organ disease, it is argued ② that the biomedical view of organ transplantation as a bounded event, which ends once a heart or kidney is successfully replaced, ③ conceal the complex and dynamic process that more ④ accurately represents the experience of receiving an organ.

### 유형 분석 & 전략

주어가 긴 경우 주어 – 동사의 수 일치 문제가 자주 출제되므로 주어에 동그라미, 동사에 밑줄하여 수 일치를 확인해야 합니다.

### 포인트 분석

the biomedical **view**(S) of organ transplantation as a bounded event, which ends once a heart or kidney is successfully replaced, ③ **conceal**(V) the complex and dynamic process that more accurately represents the experience of receiving an organ.
→ conceals

### 해설

③ **문법포인트 주어 – 동사 수 일치** conceal의 주어는 앞의 the biomedical view이다. 주어가 3인칭 단수이므로 동사 역시 단수로 고쳐야 한다. (conceal → conceals)

① **문법포인트 인칭대명사** 불완전타동사 make의 목적어는 to extend ~이며 목적격보어는 possible이다. 불완전타동사의 목적어가 to부정사이므로 가목적어 it이 목적어 자리에 바르게 쓰였다.

② **문법포인트 명사절 접속사의 선택** 앞의 it은 가주어이고 that 명사절은 진주어이다. that 이하가 문장 성분이 빠진 것 없는 완전한 형태이므로 명사절 접속사 that의 사용이 바르다.

④ **문법포인트 형용사 vs. 부사** accurately가 부사로 뒤에 오는 동사인 represents를 바르게 수식하고 있다.

### 해석

이식 기술의 발전이 말기 장기 질환이 있는 개인의 수명 연장을 가능하게 한 반면, 장기 이식을 일단 심장이나 신장이 성공적으로 교체되면 끝나는 제한적인 사건으로 보는 생물 의학적 관점은, 장기를 받는 경험을 더 정확하게 보여주는 그 복잡하고 역동적인 과정을 보이지 않게 한다고 주장된다.

정답 ③

---

### 1. 주어가 복잡한 경우의 주어 – 동사 수 일치

| 명사 + | 전치사구(of/in/with ~)<br>동격( , ~ , )<br>to부정사구(to ~)<br>분사(구)(-ing/p.p. ~)<br>관계사절(who/which/that ~) | + 동사<br>명사에 수 일치 |

- The **students** in the classroom **were** accepted by the university.
  그 반의 학생들은 대학에 합격했다.
- **Books** written by female writers **sell** pretty well.
  여성 작가에 의해 쓰인 책들이 꽤 잘 팔린다.
- The **courses** which are listed in the catalog **are** required courses.
  카탈로그에 열거된 강좌들은 필수 강좌이다.

### 2. 관계대명사의 선행사와 관계사절 동사의 수 일치

주격 관계대명사가 사용된 관계사절의 동사는 선행사에 수 일치를 시켜야 한다. 선행사가 동사의 주어 역할을 하기 때문이다.

선행사(N) (who/which/that + V' ~)

- I need to attend the **class** which **is** provided by the company.
  나는 회사에 의해 제공된 수업에 참석할 필요가 있다.

---

### 구문분석 공식

**공식 20** 동사 앞에 긴 주어가 있다면 수식어를 괄호로 묶어준다.

S → to부정사구의 수식    V
The attempt (to describe the aim of science) / may
                                                C
not be entirely futile.

(과학의 목적을 설명하려는) 시도는 / 완전히 헛된 것은 아닐 수도 있다.

**해석** 과학의 목적을 설명하려는 시도는 완전히 헛된 것은 아닐 수도 있다.

S → 관계절의 수식
Children (who were praised / for their intelligence) /
V                                C
became overly focused / on results.

(칭찬을 받은 / 그들의 지능에 대해) 아이들은 / 지나치게 초점을 두게 된다 / 결과에.

**해석** 그들의 지능에 대해 칭찬받은 아이들은 지나치게 결과에 초점을 두게 된다.

**어휘** attempt 시도  entirely 완전히  futile 헛된  overly 지나치게

# Exercises

※ 빈칸에 들어갈 알맞은 말을 고르시오.

1. Toys children wanted all year long _____.

   ① has recently discarded
   ② have recently discarded
   ③ has recently been discarded
   ④ have recently been discarded

2. The average size of humans _____ over the last million years.

   ① fluctuate      ② fluctuates
   ③ has fluctuated ④ have fluctuated

※ 밑줄 친 부분이 틀리면 바르게 고치시오.

3. The evidence suggests that musicians who achieve this is likely to find their audiences more responsive.

4. Increases in car-sharing and short-term leasing is likely to be associated with a corresponding decrease in the importance of exterior car design.

※ 다음 문장을 해석하고 구문분석하시오.

5. The e-book applications available on tablet computers employ touchscreen technology.

6. Overall, the boys who saw the violent film were more aggressive.

---

1. 해설) 문장의 주어는 Toys로 복수이므로 동사도 복수가 되어야 하며, discard는 타동사인데 목적어 없이 쓰였으며 의미상 장난감들이 버려진다는 수동의 의미가 와야 하므로 수동태가 적절하다. children wanted는 관계사절로 Toys를 수식하며 관계대명사 that/which가 생략되었다.
   어휘) all year long 일 년 내내   discard 버리다
   해석) 아이들이 일 년 내내 갖고 싶어 했던 장난감이 최근 버려졌다.
   정답) ④

2. 해설) 전치사구인 of humans가 명사 size를 수식해주고 있는 구조이다. 주어는 수식받고 있는 size이며, 주어가 단수이므로 동사 또한 단수 동사로 써야 한다. 또한 over the last million years가 기간을 의미하므로 현재완료로 써야 한다.
   어휘) fluctuate 오르내리다, 변동하다
   해석) 인간의 평균 크기는 지난 백만 년 동안 오르내려 왔다.
   정답) ③

3. 해설) is의 주어는 musicians이므로 복수형으로 써야 한다. 따라서 is는 are로 고쳐야 한다.
   어휘) suggest 시사하다   responsive 반응을 보이는
   해석) 그 증거는 이를 성취한 음악가들은 자신들의 청중이 더 반응을 보여주고 있음을 발견하게 될 가능성이 있다는 것을 시사한다.
   정답) is → are

4. 해설) is의 주어는 앞의 Increases로 복수이다. 따라서 is는 복수인 are로 고쳐야 한다.
   어휘) corresponding 상응하는
   해석) 차량 공유와 단기 임대의 증가는 차량 외부 설계의 중요성의 상응하는 감소와 관련이 있을 가능성이 있다.
   정답) is → are

5. 해석) 태블릿 컴퓨터에서 사용할 수 있는 e-북 앱은 터치스크린 기술을 사용한다.
   분석) The e-book applications (available on tablet computers) employ touchscreen technology.
   S                              V        O

6. 해석) 전반적으로 폭력적인 영화를 본 남자 아이들이 더 공격적이었다.
   분석) Overall, / the boys (who saw the violent film) were more aggressive.
                  S      V'    O'              V    C

Chapter 03 명사, 대명사, 일치

# 출제유형 048

**POINT 27 주어 - 동사 수 일치**

## 주어의 수를 혼동하기 쉬운 경우의 주어 - 동사 수 일치

밑줄 친 부분 중 어법상 가장 옳지 않은 것은?

> He acknowledged that ① the number of Koreans were forced ② into labor ③ under harsh conditions in some of the locations ④ during the 1940s.

### 유형 분석 & 전략

주어가 「the number of」인 경우 the number에 동그라미, 주어가 「a number of」인 경우 뒤에 나온 명사에 동그라미, 동사에 밑줄 그어 수 일치를 확인합니다.
또한 주어가 「부분사 of 명사」인 경우 뒤에 나오는 명사에 동그라미, 동사에 밑줄 그어 수 일치를 확인합니다.

### 포인트 분석

① the number of Koreans were forced into labor under harsh conditions in some of the locations during the 1940s.
(S = the number, V = were, → a number)

### 해설

**문법포인트** 주어 - 동사 수 일치 the number of는 뒤에 복수 명사와 함께 '~의 수'라는 뜻을 가지고, 주어로 쓰였을 때 단수 동사로 수를 일치시킨다. a number of는 뒤에 복수 명사와 함께 '많은 ~'라는 뜻으로 쓰이고, 복수 동사로 수를 일치시킨다. 즉, 동사 were로 받기 위해서는 the number of가 아닌 a number of가 되어야 옳다. (the number → a number)

**어휘** acknowledge 인정하다    harsh 혹독한

**해석** 그는 많은 한국인들이 1940년대 동안 몇몇 지역에서 혹독한 환경하에 노동을 강요당했다는 것을 인정했다.

**정답** ①

## 1. 등위상관접속사의 수 일치

| 구분 | 의미 | 수 일치 |
|---|---|---|
| both A and B | A와 B 둘 다 | 주어인 경우 동사는 복수 |
| either A or B | A와 B 둘 중 하나 | 주어인 경우 동사는 B에 수 일치 |
| neither A nor B | A와 B 둘 다 아닌 | |

Either you or I **am** responsible for this mistake.
너 또는 내가 이 실수에 책임이 있다.

Neither you nor he **is** likely to be present at the meeting.
너도 그도 회의에 참석하지 않을 것 같다.

## 2. 단일 개념의 A and B

Bread and butter **is** my usual breakfast.
버터 바른 빵은 나의 평상시 아침 식사이다.

## 3. 부분사 + of의 수 일치

| 부분사 | | |
|---|---|---|
| some, any, half, all, most, the rest, the majority 분수, % + of | + N + V | ➡ N에 수 일치 |

Some of my students **are** going to see the movie.
내 학생들 중 몇몇은 영화를 보러 갈 것이다.

Half of the participants **are** college students.
참가자 절반은 대학생들이다.

## 4. 비교해서 암기해야 할 수 일치

| | |
|---|---|
| the number of + 복수 명사: ~의 수 | + 단수 동사 |
| a number of(= many) + 복수 명사: 많은 ~ | + 복수 동사 |
| Many + 복수 명사 | + 복수 동사 |
| Many a + 단수 명사 | + 단수 동사 |

The number of students in the class **is** fifteen.
그 학급의 학생 수는 15명이다.

A number of farmers **were** working in the field.
많은 농부들이 들판에서 일하고 있었다.

## 5. 단수 취급하는 경우

| | |
|---|---|
| 구와 절 [동명사구/to부정사구/명사절] | 단수 취급 |
| 단위 개념 [시간, 거리, 무게, 금액] | 단수 취급 |

Two years **is** a long time to spend in the army.
2년은 군대에서 보내기에는 긴 시간이다.

Ten dollars **is** not enough to buy the cake.
10달러는 케이크를 사기에 충분하지 않다.

# Exercises

※ 빈칸에 들어갈 알맞은 말을 고르시오.

1. Since then, the number of solo travelers _____.

   ① increases　　② increased
   ③ has increased　　④ have increased

2. A large number of car accidents _____ caused by fast driving.

   ① is　　② are
   ③ was　　④ has been

※ 밑줄 친 부분이 틀리면 바르게 고치시오.

3. Many a careless walker <u>were killed</u> in the street.

4. Almost 99 percent of the atmosphere <u>lie</u> within a mere 30 km of Earth's surface.

※ 다음 문장을 해석하고 구문분석하시오.

5. The number of reserves designated for conservation of biodiversity is increasing worldwide.

6. According to a recent report, the amount of sugar that Americans consume does not vary significantly from year to year.

---

1. **해설** 「the number of ~」는 '~의 수'를 의미하여 단수 취급한다. 따라서 the number of solo travelers는 단수이므로 동사도 단수인 has increased가 들어가야 한다. since then이라는 과거부터 지금까지의 시점이 있으므로 현재완료가 와야 한다.
   **해석** 그 이후로, 나 홀로 여행자들의 수는 증가하고 있다.
   **정답** ③

2. **해설** A large number of는 of 뒤의 명사를 수식하는 어구이므로 주어는 car accidents로 복수이다. 따라서 동사도 복수인 are가 들어가야 한다.
   **해석** 수많은 자동차 사고는 과속 운전에 의해 발생한다.
   **정답** ②

3. **해설** many a는 '많은'을 의미하는 표현으로 뒤에 단수 명사와 단수 동사를 취하는 문법 원칙에 따라 단수 동사인 was가 적합하다. 따라서 were killed는 was killed로 고쳐야 한다.
   **해석** 조심성 없이 걷던 많은 사람들이 도로에서 목숨을 잃었다.
   **정답** were killed → was killed

4. **해설** 퍼센트는 부분사로 뒤의 명사에 수 일치를 시켜야 한다. the atmosphere가 단수이므로 동사 lie도 단수인 lies로 고쳐야 한다.
   **해석** 대기의 거의 99퍼센트가 지구 표면으로부터 단지 30km 이내에 놓여있다.
   **정답** lie → lies

5. **어휘** reserve 보호 구역　designate 지정하다
   **해석** 생물다양성 보존을 위해 지정된 보호구역의 수가 전세계적으로 증가하고 있다.
   **분석** The number (of reserves (designated for conservation of biodiversity)) is increasing worldwide.

6. **어휘** from year to year 매년
   **해석** 최근의 보고서에 따르면, 미국인들이 소비하는 설탕의 양은 매년 크게 다르지 않다.
   **분석** According to a recent report, / the amount (of sugar (that Americans consume)) does not vary significantly from year to year.

# 출제유형 049

**POINT 27 주어 – 동사 수 일치**

## 도치 구문의 주어 – 동사 수 일치

**다음 중 어법상 옳지 않은 것은?**

> Among ① the most widespread and persistent myths ② are that there is a significant connection between the specific courses ③ we take in college and the employment ④ for which we are qualified.

### 유형 분석 & 전략

문장의 앞에 도치를 유도하는 요소가 나오면 괄호 표시하고, 먼저 나오는 동사에 밑줄, 주어에 동그라미하여 수 일치를 확인해야 합니다.

### 포인트 분석

(Among the most widespread and persistent myths)
② are [that there is a significant connection between the
→ is
specific courses we take in college and the employment
for which we are qualified].

### 해설

② **문법포인트** 주어 – 동사 수 일치 Among은 장소의 전치사이므로 도치를 염두에 두어야 한다. 동사 are의 주어는 뒤에 오는 that절이다. 절은 단수로 취급하므로 are는 is로 고쳐야 한다. (are → is)

① **문법포인트** 비교 구문 최상급 앞에는 관사를 붙여야 한다. the most widespread가 최상급이므로 the가 바르게 쓰였다.

③ **문법포인트** 관계대명사의 선택 we take는 specific courses를 수식하는 관계대명사절로 we 앞에 take의 목적어가 되는 목적격 관계대명사 that/which가 생략되었다.

④ **문법포인트** 관계대명사의 선택 for which는 「전치사+관계대명사」의 형태로 employment를 바르게 수식하고 있다.

### 어휘

widespread 널리 퍼진  persistent 지속적인  myth 속설
specific 특별한  course 과정  employment 직업  qualified 적합한

### 해석

가장 널리 퍼진 지속적인 속설 중의 하나가 우리가 대학에서 듣는 특별한 과정과 우리에게 적합한 직업 사이에는 상당한 연관이 있다는 것이다.

**정답** ②

---

다음과 같은 몇 가지 경우 「주어+동사」의 어순이 「강조어+동사+주어」의 형태로 도치된다.
이 경우 동사 앞의 강조어를 주어로 착각하여 수 일치에 혼동을 일으키지 않도록 주의해야 한다.

```
┌ There / Here            ┐
│ 위치, 장소, 방향의 부사구 │ + 동사 + 주어
│ 부정부사                 │         수 일치
└ 보어                     ┘
```

There are many simple things you can do to protect nature when you travel.
여행을 할 때 자연을 보호하기 위해 여러분들이 간단히 할 수 있는 일들은 많다.

On the south of the market rises up the church with its great tower.
시장의 남쪽에 큰 탑을 가진 교회가 솟아 있다.

Only once was the man late for class.
그 남자가 수업에 늦은 것은 단지 한 번뿐이었다.

Less common than dinosaur footprints are the impressions that were made by the skin of the giant reptiles.
거대한 파충류의 피부에 의해 만들어진 자국들은 공룡 발자국들보다 덜 흔하다.

# Exercises

※ 빈칸에 들어갈 알맞은 말을 고르시오.

1. Under the table _____ two cats chasing after a mouse.

   ① is                ② are
   ③ was              ④ has been

2. There _____ a lot of differences of opinion on the basic issues among the members.

   ① is                ② are
   ③ has              ④ have

※ 밑줄 친 부분이 틀리면 바르게 고치시오.

3. Enclosed are the invoice for the work that has just been completed.

4. Among the guests are his old college friend, Laura.

※ 다음 문장을 해석하고 구문분석하시오.

5. There were many things to do and see at the amusement park.

6. So sure of this were the owners that they provided only twenty lifeboats for its possible 3,500 passengers.

---

1. [해설] Under the table은 장소의 부사구이고 장소의 부사구가 문두로 나가면 도치할 수 있다. 빈칸은 동사의 자리로 주어는 뒤의 two cats이므로 복수인 are가 들어가야 한다.
   [해석] 테이블 아래에 쥐를 쫓는 고양이 두 마리가 있다.
   [정답] ②

2. [해설] There be 구문에서 be동사는 도치되어 뒤에 나오는 주어와 수 일치해야 한다. 주어가 a lot of differences라는 복수명사이므로 are가 들어가야 한다.
   [어휘] opinion 의견   issue 문제
   [해석] 회원들 사이에서 기본적인 문제에 대한 의견 차이가 많이 있다.
   [정답] ②

3. [해설] Enclosed는 '동봉된'이라는 의미의 형용사로서 보어로 사용되었다. 주어는 the invoice라는 단수 명사이므로 동사 또한 단수형인 is가 되어야 한다.
   [어휘] enclosed 동봉된   invoice 송장
   [해석] 막 완료된 작업에 대한 송장이 동봉되어 있다.
   [정답] are → is

4. [해설] Among the guests는 장소의 부사구이고 장소의 부사구가 문두에 오면 주어와 동사가 도치된다. 주어가 old college friend로 단수이므로 are 역시 단수인 is가 되어야 한다.
   [해석] 손님들 중에는 그의 오랜 대학 친구인 Laura가 있다.
   [정답] are → is

5. [해설] 놀이공원에는 해야 하고 보아야 할 많은 것들이 있었다.
   [분석] There were many things (to do and see) / at the amusement park.
            V      S

6. [해설] 소유주들은 이것을 너무 확신해서 그들의 잠재적인 3,500명의 승객에 대해 단지 20대의 구명보트만 제공했다.
   [분석] So sure of this were the owners // that they
            C        V      S            S'
   provided only twenty lifeboats / for its possible
   V'         O'
   3,500 passengers.

Chapter 03 명사, 대명사, 일치   149

# Chapter 04
## 준동사

**POINT 28** **동명사의 역할**
　　**출제 유형 050** 목적어의 역할을 하는 동명사

**POINT 29** **to부정사의 역할**
　　**출제 유형 051** to부정사 명사 역할
　　**출제 유형 052** to부정사 형용사 역할
　　**출제 유형 053** to부정사의 부사 역할

**POINT 30** **준동사의 형태 변화**
　　**출제 유형 054** 준동사의 능동과 수동
　　**출제 유형 055** 준동사의 의미상의 주어

**POINT 31** **준동사 주요 표현**
　　**출제 유형 056** 최빈출 준동사 사용 표현
　　**출제 유형 057** 핵심 동명사 사용 표현

**POINT 32** **현재분사 vs. 과거분사**
　　**출제 유형 058** 현재분사 vs. 과거분사 구분
　　**출제 유형 059** 주의할 동사의 분사 선택

**POINT 33** **분사구문**
　　**출제 유형 060** 분사구문의 형태
　　**출제 유형 061** with 분사구문

## 준동사의 종류

**어디까지 알고 있니?**  ○ 동명사   ○ to부정사   ○ 분사

### 준동사

동작을 설명하는 동사를 동사가 아닌 다른 요소로 사용하고 싶은 경우, 동사의 형태에 약속된 변화를 주어서 동사가 아닌 다른 품사로 사용한 것을 준동사라 한다.

준동사는 동사의 형태가 변한 것이어서 시제, 부정의 의미, 목적어/보어를 취하는 등의 동사적 성격은 가지고 있으나 형태가 변했으므로 더 이상 문장에서 동사의 역할을 하지 못하고 명사, 형용사, 부사 상당어구의 역할을 한다.

I will <u>eat</u> pizza tonight.  나는 오늘 밤에 피자를 먹을 거야.
　　　동사 역할

Most kids like <u>eating</u> pizza.  대부분의 아이들은 피자 먹는 것을 좋아한다.
　　　　　　　　명사 역할

There were several kids <u>eating</u> pizza.  피자를 먹고 있는 몇몇 아이들이 있었다.
　　　　　　　　　　　　형용사 역할

He came back <u>to eat</u> pizza.  그는 피자를 먹기 위해 돌아왔다.
　　　　　　　부사 역할

준동사에는 동명사, to부정사, 그리고 분사가 있다. 각각의 준동사는 다음과 같다.

| 구 분 | 형 태 | 역 할 |
|---|---|---|
| 동명사 | 동사원형 + -ing | 명사 역할 |
| to부정사 | to + 동사원형 | 명사, 형용사, 부사 역할 |
| 분사 | 현재분사: 동사원형 + -ing | 형용사 역할 |
|  | 과거분사: 동사의 p.p.형 |  |

**1 동명사**: 동명사는 동사를 명사로 활용하는 방법으로, 동사원형에 -ing를 붙여 만든다.

**(1) 주어 역할**

　Studying English is not hard.  영어를 공부하는 것은 어렵지 않다.

**(2) 목적어 역할**

　She really enjoyed studying.  그녀는 정말 공부하는 것을 즐겼다.

**(3) 보어 역할**

　Her job is selling flowers.  그녀의 직업은 꽃을 파는 것이다. (Her job = selling flowers)

**2  to부정사**: to부정사는 동사를 명사, 형용사, 부사로 활용하는 방법으로 「to+동사원형」의 형태로 사용한다.

**(1) to부정사의 명사적 용법**
He started to study hard. 그는 열심히 공부하기 시작했다.

**(2) to부정사의 형용사적 용법**
He needs something to drink. 그는 마실 것이 필요하다.

**(3) to부정사의 부사적 용법**
He went to the library to study English. 그는 영어를 공부하기 위해 도서관에 갔다.

**3  분사**: 분사는 동사를 형용사로 활용하는 방법으로, 동사원형에 -ing을 붙여 만든 현재분사와 각 동사별로 고유의 형태를 가지는 과거분사로 구분할 수 있다. 현재분사는 능동, 진행의 의미를, 과거분사는 수동, 완료의 의미를 갖는다.

**(1) 현재분사:** 능동, 진행의 의미
There is a sleeping baby. 자고 있는 아기가 있다.

**(2) 과거분사:** 수동, 완료의 의미
How is the boy hit by a car? 차에 치인 소년은 어때?

### Check up!

[ 01-05 ] 의미에 맞게 밑줄 친 부분을 고치시오.

01  Teach something is not easy. (무엇인가를 가르치는 것은 쉽지 않다.)

02  They need something eat. (그들은 먹을 무엇인가가 필요하다.)

03  He went abroad study English. (그는 영어를 공부하기 위해 외국에 갔다.)

04  There are play children in the playground. (놀이터에 노는 아이들이 있다.)

05  I fixed the break lamp. (나는 그 부서진 램프를 고쳤다.)

정답  01 Teach ➡ Teaching / To Teach   02 eat ➡ to eat   03 study ➡ to study   04 play ➡ playing   05 break ➡ broken

해석  01 동명사와 to부정사는 모두 명사로 쓰여 주어 역할을 할 수 있다.
02 to부정사가 형용사적 용법으로 something을 수식한다.
03 to부정사가 '~하기 위하여'의 의미를 갖는 부사의 역할을 한다.
04 play가 children을 수식하기 위해 형용사 역할을 할 수 있는 분사의 형태로 고쳐야 한다. 아이들이 놀고 있는 것이므로 능동/진행의 의미를 갖는 현재분사로 고쳐야 한다.
05 break가 lamp를 수식하기 위해 형용사 역할을 할 수 있는 분사의 형태로 고쳐야 한다. 램프는 파손을 당한 것이므로 수동/완료의 의미를 갖는 과거분사로 고쳐야 한다.

## 동기쌤의 문법OT

### 분사

**어디까지 알고 있니?**
○ 분사의 형태  ○ 분사의 역할  ○ 특수한 형태의 분사  ○ 분사구문
○ 분사구문의 역할과 의미  ○ 분사구문의 시제  ○ 분사구문의 부정  ○ 무인칭 독립분사구문

분사는 형용사의 역할을 한다. 따라서 문장에서 명사를 수식하거나 혹은 명사(주어, 목적어)의 상태를 설명하는 보어의 역할을 한다. 또한 부사구(분사구문)를 이끄는 부사의 역할도 한다.

### 4 분사의 형태

**(1) 현재분사**

| 형태 | 동사원형+ing   ex) eating, playing, sleeping |
|---|---|
| 의미 | 자동사 ➡ 진행(~하고 있는)     타동사 ➡ 능동(~하는) |

She is taking care of the crying baby.  그녀는 울고 있는 아기를 돌보고 있다.
　　　　　　　　　자동사의 현재분사: '진행'의 의미
It was a really interesting show.  그것은 정말 흥미로운 쇼였다.
　　　　　　타동사의 현재분사: '능동'의 의미

**(2) 과거분사**

| 형태 | 각 동사의 과거분사형   ex) eaten, played, slept |
|---|---|
| 의미 | 자동사 ➡ 완료(~해진)     타동사 ➡ 수동(~되는) |

He is a grown man.  그는 다 자란 성인이다.
　　　　자동사의 과거분사: '완료'의 의미
The wounded soldiers were taken to the hospital.  부상당한 군인들은 병원으로 보내졌다.
　타동사의 과거분사: '수동'의 의미

### 5 분사의 역할

분사는 문장에서 명사를 수식하는 형용사의 역할과 부사구를 이끄는 역할을 한다.

**(1) 형용사 역할:** 형용사처럼 명사 수식이나 보어 역할을 한다.
　I hate a boring class.  나는 지루한 수업을 싫어한다.
　➡ 분사인 boring이 명사인 class를 수식하는 형용사 역할을 하고 있다.
　The game was really exciting.  그 게임은 정말 흥미진진했다.
　➡ 분사인 exciting이 주어인 The game을 설명하는 주격보어로 사용되고 있다.

**(2) 부사 역할:** 분사는 부사절을 축약시킨 형태로 부사구를 이끄는데 이러한 부사구를 '분사구문'이라 한다.
　Finishing his homework, he watched TV.  숙제를 마친 후 그는 TV를 봤다.
　They shook hands, saying "Nice to meet you."
　그들은 "만나서 반갑습니다."라고 말하며 악수했다.

## 6 특수한 형태의 분사

**(1) 형용사화된 분사:** 형태가 고정되어 형용사가 된 분사

| | | |
|---|---|---|
| experienced 노련한 | frozen 냉동의 | distinguished 저명한 |
| skilled 숙련된 | renowned 유명한 | leading 일류의 |
| educated / informed 잘 아는 | | |

**(2) 유사 분사:** 「명사+ed」의 형태로 '~을 가진'을 의미하는 분사

| | |
|---|---|
| a good-natured partner 마음씨 좋은 파트너 | a broad-minded teacher 관대한 선생님 |
| a hot-tempered boy 다혈질의 소년 | a semi-skilled operator 반숙련된 기사 |

**(3) 다른 품사와 결합하여 사용되는 분사:** 부사, 형용사, 명사와 결합되어 사용되는 분사

| | | |
|---|---|---|
| well-read 박식한 | good-looking 잘생긴 | well-known 잘 알려진 |
| time-consuming 시간 소모적인 | hard-working 열심히 일하는 | self-made 자수성가한 |

**(4) 분사의 명사 용법:** 「the+분사」가 보통명사로 쓰이며 대부분 복수이나 단수도 가능

| | |
|---|---|
| the wounded, the injured 부상자들 | the handicapped, the disabled 장애인들 |
| the unemployed 실업자들 | the aged 노인들(= the old, the elderly) |
| the accused 피고(단수) | the deceased 고인(단수) |

## 7 분사구문

분사구문은 긴 부사절을 간략하게 만들기 위해 사용된다.

When they watched a lunar eclipse, people held a profound respect for it.
　　　　부사절　　　　　　　　　　　　　주절

= Watching a lunar eclipse, people held a profound respect for it.
　　분사구문

개기월식을 보았을 때 사람들은 그것에 대해 경외심을 가졌다.

## 동기쌤의 문법OT

### 8 분사구문의 역할과 의미

분사구문은 부사절의 축약형이므로 부사절이 가지는 다양한 의미를 가지게 된다. 그중 가장 자주 사용되는 다섯 가지 의미를 살펴보도록 하자.

| | | |
|---|---|---|
| 부대상황 | ~하면서, 그리고 ~하다 | The train starts at two, arriving there at five.<br>기차는 두 시에 출발하고, 다섯 시에 거기에 도착한다.<br>= The train starts at two, and arrives there at five. |
| 시간 | ~할 때, ~하는 동안 | Walking down the street, I met a friend.<br>길을 따라 걷는 동안 나는 한 친구를 만났다.<br>= While I walked down the street, I met a friend. |
| 이유 | ~하기 때문에 | Being sick, he was absent from school.<br>아파서 그는 학교에 결석했다.<br>= Because he was sick, he was absent from school. |
| 조건 | 만약 ~이라면, ~한다면 | Turning to the left, you will find the bank.<br>왼쪽으로 돌면, 당신은 은행을 발견할 것이다.<br>= If you turn to the left, you will find the bank. |
| 양보 | ~일지라도, ~이지만 | Admitting he is right, I cannot forgive him.<br>그가 옳다는 것은 인정하지만, 나는 그를 용서할 수 없다.<br>= Even though I admit he is right, I cannot forgive him. |

### 9 분사구문의 시제

| 능동 | | 수동 | | 의미 |
|---|---|---|---|---|
| 단순 분사구문 | -ing | 단순 분사구문 | (Being) p.p. | 주절의 동사와 같은 시제 |
| 완료 분사구문 | Having p.p. | 완료 분사구문 | (Having been) p.p. | 주절의 동사보다 앞선 시제 |

Feeling the earthquake, I ran out of the house.  지진을 느꼈을 때, 나는 집 밖으로 뛰어나갔다.
= When I felt the earthquake, I ran out of the house.
Having felt shame, I don't want to go there.  수치스럽게 느꼈기 때문에, 나는 거기에 가고 싶지 않다.
= As I have felt shame, I don't want to go there.

### 10 분사구문의 부정

분사의 앞에 not을 붙여 부정의 의미를 만든다.

> Not + -ing(능동)/p.p.(수동)

Not knowing her, I didn't answer her question.
그녀를 알지 못했기 때문에, 나는 그녀의 질문에 답하지 않았다.

## 11 무인칭 독립분사구문

분사구문의 의미상 주어가 we, you, they 등 일반인 주어인 경우에는 의미상 주어를 생략하고 쓰는 것이 보통이다. 이를 무인칭 독립분사구문이라 한다.

| providing / provided ~<br>supposing / suppose ~<br>assuming / given ~ | 만일 ~라면<br>(~라고 가정하면) | granting / granted ~<br>admitting ~<br>allowing ~ | ~이라고 할지라도 |
|---|---|---|---|
| seeing (that) ~ | ~을 보면<br>(~이기 때문에) | considering (that) ~ | ~을 고려하면 |
| concerning ~<br>regarding ~ | ~에 관해 | judging from/by ~ | ~로 판단컨대 |
| depending on ~ | ~에 따라서 | strictly speaking | 엄격히 말해서 |
| generally speaking | 일반적으로 말하면 | frankly speaking | 솔직히 말하자면 |

Provided (that) all your work is done, you may go home.
일이 다 끝나면, 당신은 집에 가도 좋다.
Granting (that) you are young, you are responsible for your mistake.
어리다고 할지라도, 넌 네 실수에 책임이 있다.
Considering (that) he is old, he sees very well.
그가 나이 들었음을 고려하면, 그는 매우 잘 본다(시력이 좋다).
Frankly speaking, he is a liar.  솔직히 말하자면, 그는 거짓말쟁이다.

### Check up!

[ 01-03 ] 밑줄 친 분사가 형용사/부사 중 어떤 역할을 하는지 쓰시오.

01 The man is a teacher <u>teaching</u> students at a high school.

02 The mountain <u>covered</u> with snow is very beautiful.

03 <u>Waiting</u> for the bus, he phoned to his mother.

**정답** 01 형용사 역할(명사 수식)  02 형용사 역할(명사 수식)  03 부사 역할(분사구문)
**해석** 01 그 남자는 고등학교에서 학생들을 가르치는 교사이다.
02 눈으로 덮인 그 산은 매우 아름답다.
03 버스를 기다리면서 그는 엄마에게 전화를 했다.
**해설** 01 현재분사가 명사인 teacher를 뒤에서 수식하고 있다. 분사는 명사를 수식하는 형용사로 쓰인다.
02 과거분사인 covered가 명사인 mountain을 뒤에서 수식하고 있다. 과거분사 역시 형용사로 쓰인다.
03 Waiting은 부사절인 While he waited for the bus가 축약된 분사구문을 이끄는 부사 역할을 하고 있다.

# 출제유형 050

**POINT 28 동명사의 역할**

## 목적어의 역할을 하는 동명사

**빈칸에 들어갈 알맞은 것은?**

> Technology will play a key role in _____ future life styles.

① shaped   ② to shape
③ shapely   ④ shaping

### 유형 분석 & 전략

동명사에 밑줄 그은 후 뒤의 동사/앞선 타동사/be동사/전치사에 동그라미 해서 그 용법이 옳은 것인지 확인해야 합니다.

### 포인트 분석

Technology will play a key role (in) shaping future life styles.

### 1. 타동사의 목적어로 사용된다.

I have enjoyed talking over my school years.
나는 학교 생활에 대해 말하며 즐거운 시간을 가졌다.
I will practice getting up early.
나는 일찍 일어나는 것을 연습할 것이다.
Would you mind closing the door?
문을 닫아도 괜찮을까요?

### 2. 전치사의 목적어로 사용된다.

She is thinking of buying a new cellular phone.
그녀는 새로운 휴대 전화 구입을 고려 중이다.
They argued about travelling to the island.
그들은 그 섬을 여행하는 것에 관해 언쟁을 했다.

---

**해설**

**문법포인트** 동명사의 역할 전치사의 목적어로는 명사나 동명사가 올 수 있다. 전치사 in의 목적어이므로 동명사가 들어가야 한다.

**어휘**
play a role 역할을 하다   life style 생활 양식

**해석**
기술은 미래의 생활 양식을 형성하는 데 중요한 역할을 할 것이다.

**정답** ④

---

### 구문분석 공식

**공식 21** 동명사가 주어, 목적어, 보어로 사용된 경우 '~하는 것/~하기'라고 해석한다.

Drinking distilled water / can be beneficial.
      (V)
증류수를 마시는 것은   /   유익할 수 있다.

**해석** 증류수를 마시는 것은 유익할 수 있다.

S    V         C1 (동명사구)
Plagiarism is using someone else's exact words or
                  C2 (동명사구)
ideas / in your writing, / and not naming the original writer or book.

표절은 다른 사람의 정확한 단어나 아이디어를 사용하는 것이다 / 당신의 글에, / 그리고 원작자나 책의 이름을 명시하지 않는 것이다.

**해석** 표절은 다른 사람의 정확한 단어나 아이디어를 당신의 글에 사용하고, 원작자나 책의 이름을 명시하지 않는 것이다.

**어휘** distilled 증류된   beneficial 유익한   plagiarism 표절
exact 정확한   name 명시하다

# Exercises

※ 빈칸에 들어갈 알맞은 말을 고르시오.

1. In 2000, scientists at Harvard University suggested a neurological way of _____ Mona Lisa's elusive smile.

   ① explained     ② to explain
   ③ explaining    ④ explanation

2. It involves _____ work and is a reaction to food insecurity, particularly for the poor.

   ① created     ② to create
   ③ creating    ④ being created

※ 밑줄 친 부분이 틀리면 바르게 고치시오.

3. The doctor suggested <u>to avoid</u> junk food to maintain a healthy weight.

4. He apologized for <u>break</u> the rules during the game.

※ 다음 문장을 해석하고 구문분석하시오.

5. The key point of studying suboptimal health lies in solving diagnostic and data-related challenges.

6. Giving away responsibility to those you trust can make your organization run more smoothly.

---

1. (해설) 전치사 of의 목적어가 들어가는 자리이므로 to부정사는 올 수 없고 동명사인 explaining이 들어가야 한다. 뒤에 목적인 Mona Lisa's elusive smile이 있어 명사 explanation은 들어갈 수 없다.

   (해석) 2000년에 하버드 대학교의 과학자들은 모나리자의 규정하기 어려운 미소를 설명하는 신경학적인 방법을 제시했다.

   (정답) ③

2. (해설) 동명사는 타동사의 목적어로 쓰일 수 있으며, involve는 to부정사가 아니라 동명사를 목적어로 취한다. 따라서 creating이 들어가야 한다.

   (해석) 그것은 직업을 만들어내는 것을 수반했고 특히 가난한 사람들을 위한 식량 불안정에 대한 반응이다.

   (정답) ③

3. (해설) suggest는 동명사를 목적어로 취하는 동사이다. 따라서 to부정사 to avoid는 동명사 avoiding으로 고쳐야 한다.

   (어휘) suggest 제안하다  avoid 피하다  maintain 유지하다  weight 체중

   (해석) 의사는 건강한 체중을 유지하기 위해 정크푸드를 피할 것을 제안했다.

   (정답) to avoid → avoiding

4. (해설) break는 동사이고, 동사는 전치사의 목적어가 될 수 없으므로 동명사인 breaking으로 고쳐야 한다.

   (해석) 그는 게임 동안에 규칙을 어긴 것을 사과했다.

   (정답) break → breaking

5. (해석) 준건강 상태를 연구하는 핵심은 진단 및 데이터 관련 문제를 해결하는 데 있다.

   (어휘) suboptimal health 준건강 상태  diagnostic 진단의

   (분석) The key point of studying suboptimal health(S) lies(V) in solving diagnostic and data-related challenges.

6. (해설) 당신이 신뢰하는 사람들에게 책임을 넘겨주는 것은 당신의 조직이 더 순조롭게 돌아가도록 할 수 있다.

   (분석) Giving away responsibility to those (you trust)(S) / can make(V) your organization(O) run more smoothly(OC).

# 출제유형 051

**POINT 29 to부정사의 역할**

## to부정사 명사 역할

---

**다음 글의 밑줄 친 부분 중 어법상 틀린 것은?**

> Typically, there are social rules that ① govern how we interact with those around us and with the media product. For instance, it ② is considered rude in our culture, or at least aggressive, ③ read over another person's shoulder or to get up and change TV channels in a public setting. The presence of other people ④ is often crucial to defining the setting and hence the activity of media consumption.

### 유형 분석 & 전략

to부정사에 밑줄 긋고, 뒤의 동사/앞선 타동사/be동사에 동그라미, 가주어와 가목적어 it에 세모, 진주어와 진목적어인 to부정사에 세모하여 올바른 용법인지 확인해야 합니다.

### 포인트 분석

For instance, it is considered rude in our culture, or at least aggressive, ③ read over another person's shoulder or to get up and change TV channels in a public setting.
→ to read

### 해설

③ **문법포인트** to부정사의 역할 / 등위접속사의 병렬 구조 등위접속사 or 뒤의 to get을 미루어 보아 to read가 와야 함을 유추할 수 있으므로 read를 to read로 바꾸어야 한다. (read → to read)
① **문법포인트** 주어 - 동사 수 일치 주격 관계대명사 that의 선행사가 복수이므로 복수 동사인 govern이 바르게 쓰였다.
② **문법포인트** 동사의 유형별 수동태 consider는 5형식 동사이고 목적어와 목적격보어를 취하는데 목적어가 주어가 되고 목적격보어 rude가 남아 바르게 쓰였다.
④ **문법포인트** 주어 - 동사 수 일치 is의 주어는 presence이므로 단수로 바르게 쓰였다.

### 어휘

govern 지배하다  aggressive 공격적인  presence 존재

### 해석

일반적으로 우리가 우리 주변의 사람들 그리고 미디어 제품과 어떻게 상호작용 하는지를 지배하는 사회적 규칙들이 있다. 예를 들어, 다른 사람의 어깨 너머로 (책이나 신문을) 읽거나 대중적 장소에서 일어나 TV 채널을 바꾸는 것은 우리 문화에서 무례하거나 적어도 공격적인 것으로 여겨진다. 다른 사람들의 존재는 그 상황과 그에 따른 미디어 소비의 활동을 정의하는 데 종종 매우 중요하다.

**정답** ③

---

to부정사는 명사 역할을 하여 주어, 목적어, 보어로 사용될 수 있다. 「to+동사원형」의 형태로 만들며 '~하기, ~하는 것'으로 해석한다.

### 1. 주어 역할

**To learn a foreign language** is difficult.
외국어를 배우는 것은 어렵다.
= It is difficult **to learn a foreign language**.
- to부정사는 주어가 될 수 있지만, 가주어 it을 쓰고 문장의 뒤에 진주어로 놓는 것이 일반적이다.

### 2. 목적어 역할

He managed **to submit the paper** just in time.
그는 논문을 가까스로 시간에 맞춰 제출했다.
- 타동사의 목적어로 사용된다. 그러나 동명사와 달리 to부정사는 전치사의 목적어로는 사용되지 않는다.

### 3. 보어 역할

**(1) 주격보어의 역할**

A main duty of firemen is **to put out fires**.
소방관의 주요 임무는 화재를 진압하는 것이다.

**(2) 목적격보어의 역할**

This program allows us **to navigate** the web easily.
이 프로그램은 우리가 웹을 쉽게 탐색할 수 있게 해 준다.

#### 쌤's TIP

**to부정사를 목적어로 취하는 완전타동사**
refuse, fail, manage, pretend, agree, decide, determine, deserve, need, dare

---

### 구문분석 공식

**공식 22** to부정사가 주어, 목적어, 보어로 사용된 경우 '~하는 것/~하기'라고 해석한다.

S    V    O(to부정사)
Coffee helps **to prevent certain types of cancer**.

**해석** 커피가 어떤 종류의 암을 예방하는 것을 돕는다.

# Exercises

※ 빈칸에 들어갈 알맞은 말을 고르시오.

1. It is very difficult _____ the truth.

   ① tell  ② telled
   ③ to tell  ④ telling

2. We all want _____ a good job and make a lot of money.

   ① get  ② to get
   ③ getting  ④ to be gotten

※ 밑줄 친 부분이 틀리면 바르게 고치시오.

3. The most important thing is to providing opportunities.

4. Another way to speed up the process would be made the shift to a new system.

※ 다음 문장을 해석하고 구문분석하시오.

5. We try to eliminate all sorts of other alternative explanations.

6. He made it his goal for this year to travel all across the world.

---

1. 해설) 가주어 It에 대응하는 진주어가 들어가야 할 자리이다. 진주어로는 to부정사 또는 명사절을 써야 하므로 빈칸에는 to tell이 들어가야 한다.
   해석) 진실을 말하는 것은 매우 어렵다.
   정답) ③

2. 해설) want는 to부정사를 목적어로 취하는 동사이다. 따라서 빈칸에는 to get이 들어가야 한다.
   어휘) make money 돈을 벌다
   정답) ②

3. 해설) to providing이 is의 보어로 쓰여 맞지 않다. 보어가 될 수 있는 to부정사 또는 동명사로 고쳐야 한다.
   어휘) opportunity 기회
   해석) 가장 중요한 일은 기회를 제공하는 것이다.
   정답) to providing → to provide/providing

4. 해설) made 뒤에 the shift라는 목적어가 왔으므로 수동태가 될 수 없고, 의미상으로도 수동태가 될 수 없다. '또 다른 방식은 ~하는 것이다'로 의미가 성립하도록 고치기 위해 be동사의 보어가 될 수 있는 to부정사로 고치는 것이 적절하다. 미래적인 의미이므로 미래의 속성이 있는 to부정사만 가능하고 동명사는 어색하다.
   어휘) process 공정  make a shift 전환하다
   해석) 공정의 속도를 높이는 또 다른 방법은 새로운 시스템으로 전환하는 것이다.
   정답) made → to make

5. 어휘) eliminate 제거하다  alternative 대안의
   해석) 우리는 모든 종류의 다른 대안적인 설명들을 제거하려고 노력한다.
   분석) We try to eliminate all sorts of other alternative explanations.
   S  V                    O

6. 어휘) goal 목표
   해석) 그는 전 세계를 여행하는 것을 자신의 올해 목표로 삼았다.
   분석) He made it his goal for this year to travel all across the world.
   S  V  가O  OC              진O

Chapter 04 준동사

# 출제유형 052

**POINT 29 to부정사의 역할**

## to부정사 형용사 역할

---

**다음 글의 밑줄 친 부분 중 어법상 옳지 않은 것은?**

> Moreover, lawmakers have so many other issues to ① deal during the remainder of the 20-day inspection. Foremost among them are deteriorating economic conditions, ② ranging from slowing growth and the ③ worsening job market to property bubbles and wilting entrepreneurship. Lawmakers would earn our praise Lawmakers would earn our praise if they came up with a groundbreaking solution ④ addressing the issues and presented alternatives to failing government policies.

### 유형 분석 & 전략

「to+자동사」가 쓰인 경우 앞에 위치한 명사가 의미상의 목적어이면 자동사와 의미상의 목적어에 동그라미 후, 적절한 전치사가 있는지 확인해야 합니다.

### 포인트 분석

Moreover, lawmakers have so many other issues (to ① deal)
→ deal with

### 해설

① **문법포인트** to부정사의 역할 to부정사가 수식하는 명사가 to부정사로 사용된 동사의 목적어에 해당할 때, 동사가 자동사인 경우 반드시 적절한 전치사가 와야 한다. 전치사가 없으면 틀린다. (deal → deal with)
② **문법포인트** 분사구문 range는 부대상황의 분사구문으로 사용되었다. 문장의 주어가 deteriorating economic conditions인데, 이 상황에 걸쳐 있다는(range)의 의미이므로 현재분사의 형태가 바르다.
③ **문법포인트** 현재분사 vs. 과거분사 자동사 worsen이 job market을 수식하는 현재분사로 사용되었다. 현재 악화되고 있다는 능동, 진행의 의미이므로 현재분사의 의미가 바르다.
④ **문법포인트** 현재분사 vs. 과거분사 타동사 address가 solution을 수식하는 현재분사로 사용되었다. 뒤에 목적어인 the issues가 있고, 해결책이 문제를 다룬다는 능동의 의미이므로 현재분사가 바르게 쓰였다.

### 어휘

remainder 나머지  inspection 조사  deteriorate 악화되다
wilt 약해지다  address 다루다  alternative 대안

### 해석

게다가 입법자들은 20일간의 남은 조사 기간 동안 처리해야 할 다른 문제들을 너무 많이 가지고 있다. 그 가운데 가장 중요한 것은 악화되는 경제 상황으로, 이는 성장의 정체와 악화되는 고용 시장부터 부동산 거품과 약해지는 기업가 정신까지 이른다. 입법자들이 그 문제들을 해결하는 획기적인 해법을 고안해내고 실패한 정부 정책에 대한 대안을 제시한다면, 그들은 우리의 찬사를 받을 것이다.

**정답** ①

---

### 1. 주로 to부정사의 수식을 받는 명사

| chance | opportunity | way | method | |
|---|---|---|---|---|
| ability | attempt | effort | plan | +to부정사 |
| 서수 / 최상급 / the only / the very / the next + 명사 | | | | |

I had **a chance to propose** to her, but I didn't.
나는 그녀에게 청혼할 기회가 있었지만 하지 않았다.

### 2. to부정사 + 전치사 용법

to부정사가 수식하는 명사가 to부정사로 사용된 동사의 목적어에 해당할 때, 동사가 자동사인 경우 반드시 적절한 전치사가 와야 한다. 전치사가 없으면 틀린다.

I need **a house to live in**.
나는 살 집이 필요하다.

### Check!

someone **to depend on** 의존할 누군가
something **to be afraid of** 두려운 어떤 것
someone **to care for** 돌봐야 할 누군가
someone **to take care of** 돌봐야 할 누군가
a place **to live in** 살 장소
money **to live on** 생활할 돈

### 쌤's TIP

**be to 용법**

be동사의 보어로 to부정사가 사용되는 경우 예정, 의무, 의도, 가능, 운명의 의미를 가진다. 쉽게 생각해 보면 미래적인 의미를 갖는다고 볼 수 있다.

The famous singer **is to arrive** soon.
(예정) 유명한 가수가 곧 도착할 예정이다.
Removing the animals is necessary if they **are to survive**.
(의도) 그 동물들이 생존하려면 그것들을 옮기는 것이 필요하다.

# Exercises

※ 빈칸에 들어갈 알맞은 말을 고르시오.

1. The payment of his debts left him nothing _____.

   ① to live  ② to live on
   ③ living  ④ living on

2. Government plans _____ the harbor provoked a storm of protest.

   ① close  ② to close
   ③ to be closed  ④ closed

※ 밑줄 친 부분이 틀리면 바르게 고치시오.

3. He wanted to buy a larger apartment <u>to live</u> with his parents.

4. He searched the Internet to find out the city <u>to arrive</u> the next day morning.

※ 다음 문장을 해석하고 구문분석하시오.

5. All conference attendees must register in advance for the virtual conference to participate in.

6. The couple that have both young children and old parents to take care of do their best all the time.

---

1. 해설) 4형식 문장으로 완전하므로 nothing을 수식하는 어구가 들어가야 한다. 현재분사도 명사를 수식하지만 living은 '살아 있는'의 뜻이 되어 맞지 않으므로 형용사적 to부정사인 to live on이 들어가야 한다. to부정사의 동사가 자동사이고 수식하는 명사가 의미상의 목적어라면 전치사를 써 주어야 하는데 '먹고 살'의 의미로 on을 같이 써 주어야 한다.
   어휘) debt 빚
   해석) 그는 빚을 갚고 나니 먹고 살아갈 수가 없게 되었다.
   정답) ②

2. 해설) 문맥상 Government plans가 주어이고 provoked가 동사이다. the harbor를 목적어로 가지고 명사를 수식할 수 있는 것은 to close뿐이다.
   어휘) harbor 항구  provoke 유발하다  a storm of 거센  protest 항의
   해석) 항구 폐쇄에 대한 정부의 계획이 거센 항의를 유발했다.
   정답) ②

3. 해설) to부정사가 수식하는 명사가 의미상의 목적어이고 동사가 자동사이면 전치사를 넣어주어야 한다. '~ 안에서 산다'라는 의미이므로 전치사 in을 같이 써 주어야 한다.
   해석) 그는 부모님과 함께 살 더 큰 아파트를 사기 원했다.
   정답) to live → to live in

4. 해설) to부정사가 수식하는 명사가 의미상의 목적어이고 동사가 자동사이면 전치사를 넣어주어야 한다. arrive는 자동사이고 the city가 arrive의 의미상의 목적어로 '도시에 도착하다'라는 의미가 되어야 하므로 전치사 in 또는 at이 필요하다.
   해석) 그는 다음날 아침 도착하게 될 도시에 대해 인터넷으로 검색했다.
   정답) to arrive → to arrive in/to arrive at

5. 어휘) conference 회의  attendee 참석자  register 등록하다  in advance 미리  virtual 가상의
   해석) 모든 회의 참석자는 참석할 가상 회의에 미리 등록해야 한다.
   분석) All conference attendees(S) must register(V) in advance / for the virtual conference (to participate in).

6. 어휘) do one's best 최선을 다하다
   해석) 돌볼 어린 자녀들과 나이 든 부모가 있는 그 부부는 항상 최선을 다한다.
   분석) The couple(S) (that have(V) both young children and old parents(O) to take care of) do their best all the time.

# 출제유형 053

**POINT 29** to부정사의 역할

## to부정사 부사 역할

### 다음 중 어법상 옳은 것은?

The huge vessel set sail under a clear sky, ① carried the dreams of many. As night fell, a fierce storm struck, and so fiercely ② the waves hit the ship that it began to break apart. By dawn, it was gone. The ship sank into the deep ocean, ③ never to be found again. Some say it still rests beneath the waves, while others say it ④ is referred to "the lost ship."

#### 유형 분석 & 전략

「only to ~」와 「never to ~」에 밑줄, 결과의 의미를 전달하는 to부정사의 부사적 용법으로 옳게 쓰인 것인지 봐야 합니다.

#### 포인트 분석

The ship sank into the deep ocean, ③ never to be found again.
그리고 다시는 ~하지 못하다

#### 해설

③ **문법포인트** to부정사의 역할 to부정사의 부사적 용법으로 「never to+동사원형」은 '그리고 다시는 ~하지 않다'라는 의미이다. 참고로, 「only to+동사원형」은 '그러나 결국 ~하게 되다'라는 의미이다.
① **문법포인트** 분사구문 문장의 동사인 set이 이미 있는 상태이므로 준동사가 와야 할 자리다. 타동사 carry의 목적어가 뒤에 있고, carry의 주체는 문장의 주어인 The huge vessel이므로 부대상황을 나타내는 현재분사형 분사구문으로 고쳐야 한다. (carried → carrying)
② **문법포인트** 도치 so ~ that 구문에서 「so+형용사/부사」가 강조되어 절의 앞으로 나갈 때는 주어와 동사는 도치되어야 한다. (the waves hit → did the waves hit)
④ **문법포인트** 동사의 유형별 수동태 「refer to A as B」의 구문이 수동태로 전환되면 「be referred to A as B」의 형태가 되므로 refer to와 명사 사이에 as를 적어줘야 한다. (is referred to → is referred to as)

#### 어휘

huge 거대한  vessel 배  set sail 출항하다  fierce 맹렬한
strike 강타하다  massive 엄청난  pound 때리다  dawn 새벽

#### 해석

많은 이들의 꿈을 싣고 거대한 배가 맑은 하늘 아래에서 출항했다. 밤이 되자, 맹렬한 폭풍이 강타했고, 파도가 배를 너무 맹렬하게 때려서 배가 부서지기 시작했다. 새벽쯤, 배가 사라졌다. 그 배는 깊은 바닷속으로 가라앉았고, 다시는 발견되지 않았다. 어떤 사람들은 그 배가 여전히 파도 아래에 잠겨 있다고 말하고, 또 다른 사람들은 그것을 "잃어버린 배"라고 부른다고 말한다.

정답 ③

---

### 1. 다양한 의미의 부사적 용법

| 목적 | ~하기 위하여 | 원인 | ~해서 | 결과 | ~해서 결국 …하게 되다 |

He came to me **to discuss** the matter.
그는 그 문제를 논의하기 위해 내게 왔다.

I was glad **to hear** that.
나는 그것을 듣게 되어서 기뻤다.

She grew up **to be** a pianist.
그녀는 자라서 결국 피아니스트가 되었다.

#### Check!

**only to vs. never to**
only to ~ '결국 ~하게 되다'     never to ~ '결코 ~하지 못하다'

He visited the museum **only to find** it closed.
그는 박물관을 방문했으나 결국 그것이 닫혀 있는 것을 알았을 뿐이다.

She left her hometown **never to return**.
그녀는 고향을 떠나 결코 돌아오지 못했다.

### 2. 형용사나 부사 수식

| too+형용사/부사+to부정사 … | 너무 (형용사/부사)해서 …할 수 없다 |
| 형용사/부사+enough to부정사 … | …할 만큼 충분히 (형용사/부사)하다 |

He is **too** old **to** walk for more than two hours.
그는 너무 나이가 들어서 두 시간 이상을 걸을 수 없다.

---

#### 구문분석 공식

**공식 22-1** 문장의 시작이나 끝에 위치한 to부정사는 목적의 의미로 가장 많이 사용된다.

   S      V      O      to부정사의 부사적 용법(목적)
Egyptians used slave labor / to build their pyramids.
이집트인들이 노예 노동력을 사용했다 / 피라미드를 세우기 위해.

해석 이집트인들이 피라미드를 세우기 위해 노예 노동력을 사용했다.

어휘 labor 노동력

# Exercises

※ 빈칸에 들어갈 알맞은 말을 고르시오.

1. His father is becoming _____ weak to live alone.

   ① so  ② too
   ③ such  ④ as

2. Half an hour is not long _____ to complete the task well.

   ① good  ② nice
   ③ enough  ④ well

※ 밑줄 친 부분이 틀리면 바르게 고치시오.

3. Many leave their homes as they would on any given day never to return.

4. When he was in college, he studied hard to pass the bar exam only to fail.

※ 다음 문장을 해석하고 구문분석하시오.

5. AI is still far too expensive to replace humans in most jobs for now.

6. In this village, all of the mice have disappeared suddenly never to show up.

---

1. 해설) 뒤에 to live라는 to부정사가 오는 것으로 보아 이에 호응할 수 있는 부사가 들어가야 한다. 「too ~ to」는 '너무 ~해서 ... 할 수 없다'라는 의미의 어구이므로 빈칸에는 too가 들어가야 한다.
   해석) 그의 아버지는 너무 약해지고 있어 혼자 사실 수 없다.
   정답) ②

2. 해설) 빈칸 앞의 절이 완전하므로 부사로 long을 수식하거나 문장 전체를 수식해야 해야 한다. 뒤에 to부정사가 오므로 enough가 들어가는 것이 가장 적절하다. 「형용사/부사 + enough + to부정사」는 '~하기에 충분히 ~한'이란 의미이다.
   어휘) complete 완성하다
   해석) 삼십 분은 그 업무를 잘 완성하기에 충분하지 않다.
   정답) ③

3. 해설) 「never + to부정사」는 to부정사의 부사적 용법으로 결과를 나타내어 '그리고 결코 ~하지 않다'를 의미한다. 결코 돌아오지 않는다는 의미의 never to return이 바르게 쓰였다.
   해석) 많은 사람들이 어느 날 평소처럼 자신의 집을 나서고는 결코 돌아오지 않는다.
   정답) 틀린 부분 없음

4. 해설) 「only + to부정사」는 결과를 의미하는 to부정사의 부사적 용법으로 '하지만 결국 ~하다'의 뜻이다.
   어휘) bar exam 사법고시
   해석) 그는 대학에 다닐 때, 사법고시에 합격하려 열심히 공부했지만 결국 실패했다.
   정답) 틀린 부분 없음

5. 어휘) far 아주  for now 당분간
   해석) AI는 여전히 아주 너무 비싸서 당분간은 대부분의 직업에서 인간을 대체할 수 없다.
   분석) AI is still far too expensive / to replace humans in most jobs for now.
          S   V              C

6. 어휘) disappear 사라지다
   해석) 이 마을에서 모든 쥐들이 갑자기 사라져서 다시는 보이지 않는다.
   분석) In this village, all of the mice have disappeared suddenly / never to show up.
                          S              V

Chapter 04 준동사 165

# 출제유형 054

**POINT 30 준동사의 형태 변화**

## 준동사의 능동과 수동

**밑줄 친 부분에 들어갈 말로 가장 적절한 것은?**

인사혁신처 2차 예시

> Overpopulation may have played a key role: too much exploitation of the rain-forest ecosystem, on which the Maya depended for food, as well as water shortages, seems to _____ the collapse.

① contribute to
② be contributed to
③ have contributed to
④ have been contributed to

### 유형 분석 & 전략

동명사와 to부정사가 보이면 밑줄 긋고 의미와 목적어의 유무를 통해 능동/수동을 구분하여 그 형태가 올바른지 확인해야 합니다. 또한, 문장의 전체 동사인 본동사의 시제보다 준동사가 의미하는 시제가 앞선 경우 완료형을 사용해야 합니다.

### 포인트 분석

> Overpopulation may have played a key role: too much exploitation of the rain-forest ecosystem, on which the Maya depended for food, as well as water shortages, seems to have contributed to the collapse.

### 해설

**문법포인트** 준동사의 형태 변화 불완전자동사 seems의 보어로 to부정사가 사용되었다. 앞 절의 may have played는 과거 사실에 대한 추측을 나타내므로 여러 요인들이 몰락에 기여한 것은 과거 시제이다. 본동사인 seems보다 기여한 것이 앞선 시제이므로 to부정사의 완료형을 사용해야 한다. 또한 contribute는 자동사이므로 수동태로 사용할 수 없다. 따라서 정답은 ③ have contributed to이다.

### 어휘

overpopulation 인구 과잉   exploitation 착취   rain-forest 열대우림
ecosystem 생태계   shortage 부족   collapse 몰락
contribute to ~에 기여하다

### 해석

인구 과잉은 중요한 역할을 했을 수 있다: 물 부족뿐 아니라 마야인들이 식량을 얻기 위해 의존했던 열대우림 생태계의 과도한 착취가 그 몰락에 기여한 것으로 보인다.

**정답** ③

## 1. 능동과 수동

| 구 분 | 능 동 | 수 동 |
|---|---|---|
| 동명사 | -ing | being p.p. |
| to부정사 | to + 동사원형 | to be p.p. |

She likes speaking ill of others.
그녀는 남을 험담하길 좋아한다.
She hates being spoken ill of.
그녀는 험담 당하는 것을 싫어한다.
She tried to show me how to solve the problem.
그녀는 나에게 그 문제를 푸는 방법을 보여 주려 노력했다.
She tried to be shown as an attractive lady.
그녀는 매력적인 숙녀로 보이려고 노력했다.

> **Check!**
>
> need, want, require, deserve
> 이 동사들은 목적어로 동명사를 취할 때 능동형으로 써도 수동을 의미한다. 이때 주어는 사람이 아닌 사물을 주어로 취한다.
> This house needs painting.   이 집은 페인트칠되어야 한다.
> =This house needs to be painted.

## 2. 시제

| 구 분 | 단순형 | 완료형 |
|---|---|---|
| 동명사 | -ing | having p.p. |
| to부정사 | to + 동사원형 | to have p.p. |

She is proud of being beautiful.
　　현재　　단순 시제 (현재)
그녀는 그녀의 아름다움을 자랑스러워한다. (현재의 아름다움)
She is proud of having been beautiful in her youth.
　　현재　　완료 시제 (과거)
그녀는 젊었을 때 그녀가 아름다웠던 것을 자랑스러워한다. (이전의 아름다움)
He is said to be sick.
　현재　　단순 시제(현재)
그는 아프다고 한다.
He is said to have been sick.
　현재　　완료 시제(과거)
그는 아팠다고 한다.

# Exercises

※ 빈칸에 들어갈 알맞은 말을 고르시오.

1. My teacher ordered the classroom _____.

   ① clean   ② cleaning
   ③ to clean   ④ to be cleaned

2. Last night, she nearly escaped from _____ by a car.

   ① run over   ② to run over
   ③ running over   ④ being run over

※ 밑줄 친 부분이 틀리면 바르게 고치시오.

3. The company prohibited him from promoting to vice-president.

4. All assignments are expected to turn in on time.

※ 다음 문장을 해석하고 구문분석하시오.

5. He deserves to be given a second chance in the entrance exam.

6. Being exposed to heat and moisture can make medicines less potent.

---

1. 해설) order는 to부정사를 목적격보어로 취하는 동사이다. 목적어인 the classroom과 clean의 관계가 수동이므로 to부정사의 수동형이 와야 한다. 따라서 빈칸에는 to be cleaned가 들어가야 한다.
   해석) 선생님은 교실을 청소하라고 명하셨다.
   정답) ④

2. 해설) 전치사 from의 목적어 자리이므로 동명사가 와야 하고 '~을 치다'를 의미하는 run over에서 의미상 차에 의해 치인 것이고, 형태상으로 over의 뒤에 목적어가 없는 것으로 보아 수동의 의미임을 알 수 있다. 따라서 수동형 동명사인 being run over가 들어가야 한다.
   어휘) nearly 간신히  escape 벗어나다  run ~ over ~를 치다
   해석) 지난밤, 그녀는 거의 자동차에 치일 뻔했다.
   정답) ④

3. 해설) prohibit은 완전타동사로 「prohibit + 목적어 + from -ing」의 구문으로 쓰여서 '목적어가 ~하는 것을 금지하다'라는 의미를 나타낸다. promote는 타동사로 '승진시키다'라는 뜻인데 목적어가 없으며 문맥상 목적어가 승진되는 수동의 의미이므로 being promoted로 고쳐야 한다.
   어휘) prohibit 금지하다  promote 승진하다
   해석) 그 회사는 그가 부회장으로 승진하는 것을 금했다.
   정답) promoting → being promoted

4. 해설) 수동태로 전환되면서 expect의 목적어가 주어로, 목적격보어(to부정사)가 동사 뒤에 온 형태이다. turn in은 '~을 제출하다'라는 의미의 타동사인데 뒤에 목적어가 없고 All assignments와 의미상 수동의 관계이므로 to부정사 수동형인 to be turned in으로 고쳐야 한다.
   어휘) assignment 과제  be expected to ~할 것으로 예상되다  turn in ~을 제출하다
   해석) 모든 과제는 제시간에 제출될 것으로 예상된다.
   정답) to turn in → to be turned in

5. 어휘) deserve 자격이 있다  entrance exam 입학시험
   해석) 그는 입학시험에서 또 한 번의 기회를 받을 자격이 있다.
   분석) He(S) deserves(V) to be given a second chance(O) / in the entrance exam.

6. 어휘) expose 노출시키다  moisture 습기  medicine 약  potent (약이) 효능 있는
   해석) 열과 습기에 노출되는 것은 약이 효능을 덜 해지게 만들 수 있다.
   분석) Being exposed to heat and moisture(S) can make(V) medicines(O) less potent(OC).

# 출제유형 055

**POINT 30 준동사의 형태 변화**

## 준동사의 의미상의 주어

**밑줄 친 부분에 들어갈 말로 가장 적절한 것은?**

> I would like _____ the passage.

① you read
② of you to read
③ for you to read
④ to you to read

---

**유형 분석 & 전략**

동명사와 to부정사의 의미상의 주어가 필요한 경우 동명사/to부정사에 동그라미, 의미상의 주어에 밑줄 그어 그 형태가 올바른지 확인해야 합니다.

**포인트 분석**

> I would like for you to read the passage.

### 1. 동명사와 to부정사의 의미상의 주어

준동사는 동사적 성질이 있어 동사가 의미하는 동작의 행위 주체가 있어야 하며, 이 주체를 의미상의 주어라 한다. 문장의 주어와 준동사의 행위 주체가 다를 경우 동명사나 to부정사의 바로 앞에 의미상의 주어를 써서 준동사의 행위 주체를 표시해야 한다.

| 소유격 또는 목적격 | 동명사 | |
|---|---|---|
| for + 목적격 | 일반적인 경우 | to부정사 |
| of + 목적격 | 인성형용사가 쓰이는 경우 | |

The man was proud of his son's winning the contest.
그 남자는 아들이 그 대회에서 우승한 것을 자랑스러워했다.

He bought a house for his parents to live in.
그는 부모님이 사실 집을 구입했다.

It is nice of you to treat me like this.
이렇게 나를 대우해 주다니 당신은 친절하십니다.

**쌤's TIP**

**인성형용사**
nice, kind, foolish, cruel, considerate, wise, clever, generous

### 2. 의미상의 목적어

하나의 절 안에 to부정사의 의미상의 목적어가 존재하면 대명사 it/them으로 반복해서 쓰지 않는다.

I have some money to use. 나는 쓸 약간의 돈이 있다.
I have some money to use it. (×)
This house is too expensive to buy. 이 집은 너무 비싸 구입할 수 없다.

### 3. 동명사와 to부정사의 부정

| 동명사의 부정 | not -ing |
|---|---|
| to부정사의 부정 | not to부정사 |

I'm used to not having a car. 나는 차를 가지고 있지 않은 것에 익숙하다.
I told him not to do it. 나는 그에게 그것을 하지 말라고 말했다.

---

**해설**

**문법포인트** 준동사의 형태 변화 to부정사의 의미상의 주어로는 「for + 목적격」이 쓰인다. to read와 의미상의 주어가 같이 온 형태이므로 for you to read의 형태가 바르다. would like는 '~을 원하다'의 의미의 동사구로 뒤에 to부정사를 목적어로 취한다.

**어휘**

passage 단락

**해석**

나는 당신이 그 단락을 읽기를 원한다.

정답 ③

---

**구문분석 공식**

**공식 22-2** to부정사의 앞에 위치한 「for + 목적격」은 to부정사의 의미상의 주어를 나타낸다.

It is easy for customers to buy without thinking.
(가S) (의미상의 주어) (진S(to부정사))

**해석** 소비자들은 생각하지 않고 구입하기 쉽다.

# Exercises

※ 빈칸에 들어갈 알맞은 말을 고르시오.

1. I should buy a toy _____.

   ① my son play with
   ② my son to play with
   ③ for my son to play with
   ④ of my son to play with

2. There was no evidence of _____ having started the war.

   ① they         ② their
   ③ theirs       ④ there

※ 밑줄 친 부분이 틀리면 바르게 고치시오.

3. It was kind for her to show me the way to the station.

4. Parents are responsible for providing the right environment of their children to grow in.

※ 다음 문장을 해석하고 구문분석하시오.

5. I slipped out of the classroom without my teacher noticing my movement during class.

6. Humans have continuously selected and bred such mutants, through breeding technology, in order for these phenomena to occur.

---

1. **[해설]** to play의 주체가 내 아들로 주어 I와 다르기 때문에 의미상의 주어를 명시해야 한다. to부정사의 의미상 주어는 「for+목적격」을 쓰므로 for my son to play with가 들어가야 한다.
   **[해석]** 나는 아들이 가지고 놀 장난감을 사야 한다.
   **[정답]** ③

2. **[해설]** 동명사의 의미상의 주어 자리이다. 동명사의 의미상의 주어로 소유격을 쓰지만 목적격도 가능하다. 따라서 빈칸에는 their 또는 them이 들어가야 한다.
   **[어휘]** evidence 증거
   **[해석]** 그들이 그 전쟁을 시작했다는 증거는 없었다.
   **[정답]** ②

3. **[해설]** 인성형용사가 쓰이는 경우 to부정사의 의미상의 주어는 「of+목적격」으로 써야 한다. 인성형용사 kind가 있으므로 for her는 of her로 고쳐야 한다.
   **[해석]** 그녀가 내게 역으로 가는 길을 안내해 준 것은 친절한 일이었다.
   **[정답]** for her → of her

4. **[해설]** of their children이 문맥상 right environment를 수식하는 전치사구가 아니므로 to grow의 의미상의 주어이다. to부정사의 의미상의 주어는 「for+목적격」을 쓰므로 of는 for로 고쳐야 한다.
   **[어휘]** responsible 책임이 있는  environment 환경
   **[해석]** 부모는 그들의 자녀가 성장하는 데 알맞은 환경을 제공할 책임이 있다.
   **[정답]** of → for

5. **[해석]** 나는 수업 중에 선생님이 내 움직임을 눈치채지 못하게 몰래 교실을 빠져나왔다.
   **[분석]** I(S) slipped(V) out of the classroom / without my teacher noticing my movement during class.

6. **[어휘]** select 선별하다  breed 교배하다  mutant 변종  phenomenon 현상 (pl. phenomena)
   **[해석]** 인간들은 이런 현상들이 일어나도록 하기 위해 교배 기술을 통해 이런 변종들을 지속적으로 선별하고 교배해 왔다.
   **[분석]** Humans(S1) have continuously selected(V1) // and bred(V2) such mutants(O), / through breeding technology, / in order for these phenomena to occur.

# 출제유형 056

**POINT 31 준동사 주요 표현**

## 최빈출 준동사 사용 표현

---

**밑줄 친 부분에 들어갈 말로 가장 적절한 것은?**

> I could not help _____ around with a good deal of curiosity.

① looking  ② to look
③ looked  ④ having looked

### 유형 분석 & 전략

시험에 자주 출제되는 준동사 표현들이 있습니다.
이 표현이 문장 속에 보이면 밑줄을 그은 후, 준동사(동명사/to부정사/원형부정사)가 올바르게 선택되었는지 확인하는 것이 가장 중요합니다.

### 포인트 분석

I could not help looking around with a good deal of curiosity.
　　　　　　　　　+동명사

| | |
|---|---|
| cannot help -ing<br>cannot (help) but + 동사원형<br>have no choice/alternative but to부정사 | ~하지 않을 수 없다 |
| never A without B(-ing)<br>never A but B(S+V) | A하면 반드시 B한다 |
| be on the [point / verge / edge / threshold / brink] of -ing<br>= be about to부정사 | 막 ~하려던 참이다 |
| make a point of -ing<br>be in the habit of -ing<br>make it a rule to부정사 | ~하는 것을 규칙으로 삼다 |
| There is no -ing | ~하는 것은 불가능하다 |
| It is no use/good -ing | ~해도 소용없다 |
| It goes without saying that S+V | ~은 말할 필요도 없다 |

She could not help crying over the moving scene.
그녀는 그 감동적인 장면에 울지 않을 수 없었다.
= She could not but cry over the moving scene.
= She had no choice but to cry over the moving scene.

It never rains without pouring. 비가 오면 반드시 퍼붓는다.
= It never rains but it pours.

He was on the point of leaving. 그는 막 떠나려던 참이었다.
= He was about to leave.

I made a point of getting up at six every morning.
나는 매일 아침 여섯 시에 일어나는 것을 규칙으로 삼았다.
= I was in the habit of getting up at six every morning.
= I made it a rule to get up at six every morning.

There is no deceiving her. 그녀를 속이기는 불가능하다.
It is no use telling a lie. 거짓말을 해도 소용없다.
It goes without saying that smoking damages the body.
흡연이 몸에 해를 끼친다는 것은 말할 필요도 없다.

### 해설

**문법포인트** 준동사 주요 표현 「cannot help -ing」는 '~하지 않을 수 없다'를 의미하는 준동사 표현이다. 뒤에 동명사가 와야 한다. 그러나 완료형 동명사인 「having p.p.」가 오면 이미 보았다는 행위가 이루어진 것을 의미하므로 '어떤 것을 하지 않을 수 없다'는 이 표현에는 적절하지 않다. 따라서 정답은 ①이다.

### 어휘

a good deal of 상당한   curiosity 호기심

### 해석

나는 상당한 호기심을 가지고 주위를 둘러보지 않을 수 없었다.

**정답** ①

### 구문분석 공식

**공식 23** without과 함께 부정의 의미가 사용되면 긍정의 강조가 된다.

　　　부정의 부정 → 강한 긍정
There is no rose without a thorn.

**해석** 가시 없는 장미는 없다. (장미라면 반드시 가시가 있다.)

# Exercises

※ 빈칸에 들어갈 알맞은 말을 고르시오.

1. It is no use _____ to persuade the students.

   ① try  ② trying
   ③ tries  ④ tried

2. She had no choice but _____ her goal because of the accident.

   ① give up  ② to give up
   ③ to giving up  ④ gave up

※ 밑줄 친 부분이 틀리면 바르게 고치시오.

3. I made it a rule to calling him two or three times a month.

4. She had no alternative but to resigning.

※ 다음 문장을 해석하고 구문분석하시오.

5. No man can shave every morning for twenty or thirty years without learning something.

6. It seems that I can hardly pick up a magazine nowadays without encountering someone's views on our colleges.

---

1. (해설)「it is no use -ing」는 '~해도 소용없다'는 의미의 최빈출 준동사 사용 표현으로 use 다음에 동명사가 와야 한다. 따라서 빈칸에는 trying이 들어가야 한다.
   (어휘) persuade 설득하다
   (해석) 학생들을 설득하려고 해 봐야 소용없다.
   (정답) ②

2. (해설)「have no choice but to V」는 '~하지 않을 수 없다'라는 의미의 준동사 주요 표현으로 but 뒤에 to부정사가 이어져야 한다. 따라서 빈칸에는 to give up이 들어가야 한다.
   (해석) 그녀는 그 사고 때문에 그녀의 목표를 포기할 수밖에 없었다.
   (정답) ②

3. (해설)「make it a rule to부정사」는 '~하는 것을 규칙으로 삼다'라는 의미의 준동사 주요 표현이다. to부정사이므로 to calling은 to call로 고쳐야 한다.
   (해석) 나는 한 달에 두세 번 그에게 전화하기로 규칙을 세웠다.
   (정답) to calling → to call

4. (해설)「have no alternative but to V」는 '~하지 않을 수 없다'를 의미하는 준동사 주요 표현이다. but 뒤에 to부정사가 와야 하므로 to resigning은 to resign으로 고쳐야 한다.
   (어휘) alternative 대안   resign 사임하다
   (해석) 그녀는 사임하는 것 외에는 대안이 없었다.
   (정답) to resigning → to resign

5. (어휘) shave 면도하다
   (해석) 이삼십 년 동안 매일 아침 면도를 하다 보면 모든 남성은 무언가를 배우기 마련이다.
   (분석) No man can shave every morning / for twenty or thirty years / without learning something.

6. (어휘) pick up 집어들다   encounter 접하다, 마주치다
   (해석) 나는 요즘에 우리 대학들에 대한 다른 사람들의 견해를 접하지 않고서는 잡지를 거의 집어들지 못하는 것 같다. (요즘 잡지를 집어들 때마다 우리 대학들에 대한 견해를 접하게 되는 것 같다.)
   (분석) It seems // that I can hardly pick up a magazine nowadays / without encountering someone's views (on our colleges).

# 출제유형 057

**POINT 31** 준동사 주요 표현

## 핵심 동명사 사용 표현

**밑줄 친 부분에 들어갈 말로 가장 적절한 것은?**

> The suggestion to move the meeting online was worth _____ due to weather concerns.

① to consider
② consider
③ considering
④ considered

### 유형 분석 & 전략

형태상으로 동명사보다는 다른 준동사가 더 적합해 보이지만, 이는 함정일 뿐 반드시 동명사만 사용해야 하는 빈출 표현들이 있습니다.

### 포인트 분석

> The suggestion to move the meeting online **was worth considering** due to weather concerns.

| have | difficulty / trouble / a hard time | (in) -ing | ~하는 데 어려움을 겪다 |
|---|---|---|---|
| | be busy (in) -ing | | ~하느라 바쁘다 |
| spend / waste | | 시간/돈 (in) -ing | ~하는 데 (돈/시간)을 쓰다/낭비하다 |
| be | worth / worthy of | -ing | ~할 만한 가치가 있다 |

The inexperienced teacher **had difficulty controlling** the students.
경험이 부족한 선생님은 학생들을 통제하는 데 어려움을 겪었다.

We **were busy getting** ready for the trip.
우리는 여행을 준비하느라 바빴다.

They **spent** the whole day **swimming** in the pool.
그들은 수영장에서 수영을 하는 데 하루 종일을 보냈다.

The book **is worth reading**.
그 책은 읽을 만한 가치가 있다.

○ be worth -ing에서 -ing는 능동의 형태이지만 수동의 의미를 가진다.

### 해설

**문법포인트** 준동사 주요 표현 '~할 만한 가치가 있다'를 의미하는 핵심 동명사 사용 표현은 「be worth -ing」를 써야 한다. 주어인 그 제안이 고려되는 것으로 수동의 의미이지만 「worth -ing」는 능동인 -ing의 형태로 수동의 의미를 가지므로 수동형으로 쓰지 않는다. 따라서 빈칸에는 considering이 적절하다.

### 어휘

suggestion 제안  due to ~ 때문에  concern 우려

### 해석

날씨에 대한 우려 때문에 회의를 온라인으로 옮기자는 제안은 고려할 가치가 있었다.

**정답** ③

### 쌤's TIP

| insist on -ing | ~을 주장하다/고집하다 |
|---|---|
| keep on -ing | ~을 계속하다 |
| feel like -ing | ~하고 싶다 |
| go -ing | ~하러 가다 |

She **insisted on marrying** him.
그녀는 그와 결혼하겠다고 고집했다.

# Exercises

1. I am busy _____ for a trip to Europe.

    ① prepare　　　② preparing
    ③ to prepare　　④ for me to prepare

2. Let them decide what risks are worth _____.

    ① take　　　② to take
    ③ taking　　④ being taken

※ 밑줄 친 부분이 틀리면 바르게 고치시오.

3. The homeless usually have great difficulty to get a job, so they are losing their hope.

4. He spends much of his time to try to answer these questions.

※ 다음 문장을 해석하고 구문분석하시오.

5. Never work for what is merely possible but rather what is worth doing.

6. The other point that's worth noticing is how one-dimensional this projection is.

---

1. 해설 「be busy (in) -ing」는 '~하느라 바쁘다'라는 의미의 준동사 주요 표현이다. 따라서 빈칸에는 동명사인 preparing이 들어가야 한다.
   어휘 prepare for ~을 준비하다
   해석 나는 유럽 여행을 준비하느라 바쁘다.
   정답 ②

2. 해설 「be worth -ing」는 '~할 만한 가치가 있다'를 의미하는 준동사 주요 표현으로 수동의 의미이지만 「worth -ing」의 능동으로 표현한다. 따라서 빈칸에는 능동의 taking이 들어가야 한다.
   해석 어떤 위험이 감수할 만한 가치가 있는지 그들이 결정하게 하라.
   정답 ③

3. 해설 「have difficulty (in) -ing」는 '~하는 데 어려움을 겪다'를 의미하는 준동사 주요 표현이다. 따라서 to get은 getting으로 고쳐야 한다.
   어휘 homeless 집 없는
   해석 노숙자들은 보통 직장을 찾는 데 매우 어려움을 겪으며, 그래서 그들은 희망을 잃게 된다.
   정답 to get → getting

4. 해설 spend는 「spend + 시간/돈 + (in) + -ing」로 쓰여 '~하는 데 (시간/돈)을 쓰다'를 뜻하는 준동사 주요 표현이다. 따라서 to try는 동명사인 trying으로 고쳐야 한다.
   해석 그는 이러한 질문들의 답을 찾기 위해 많은 시간을 보낸다.
   정답 to try → trying

5. 해석 단지 가능한 것을 위해서만 일하지 말고 오히려 할 가치가 있는 것을 위해 일해라.
   분석 Never work for what is merely possible // but rather what is worth doing.

6. 어휘 notice 주목하다　one-dimensional 일차원적인
   projection 예상
   해석 주목할만한 다른 관점은 이 예상이 얼마나 일차원적인가 하는 것이다.
   분석 The other point (that's worth noticing) is how one-dimensional this projection is.

Chapter 04 준동사

# 출제유형 058

**POINT 32 현재분사 vs. 과거분사**

## 현재분사 vs. 과거분사 구분

### 밑줄 친 부분 중 어법상 옳지 않은 것은?
*2025 국가직 9급*

> Fire served humans in many ways besides ① cooking. With it they could begin ② rearranging environments to suit themselves, clearing land to stimulate the growth of wild foods and ③ opening landscapes to encourage the proliferation of food animals that could be later driven by fire to a place ④ choosing to harvest them.

#### 유형 분석 & 전략

분사가 보이면 수식받는 명사에 동그라미, 수식하는 분사에 밑줄하여 의미와 목적어 유무를 통해 능동/수동을 파악하여, 현재분사/과거분사를 구분해야 합니다.

#### 포인트 분석

the proliferation of food animals that could be later driven by fire to a place ④ choosing to harvest them.
→ chosen

#### 해설

④ **문법포인트 현재분사 vs. 과거분사** choosing이 앞의 place를 수식하고 있다. 그러나 place와 choose의 관계는 장소가 선택된다는 수동의 의미이며, 타동사 choose 뒤에 목적어가 없는 것으로 보아 수동을 의미하는 과거분사로 고쳐야 한다. (choosing → chosen)
① **문법포인트 전치사의 목적어** cooking은 동명사로 전치사 besides의 목적어로 바르게 쓰였다.
② **문법포인트 완전타동사와 동작의 목적어** begin은 to부정사와 동명사 모두 목적어로 취할 수 있다. 동명사 rearranging이 begin의 목적어로 바르게 쓰였다.
③ **문법포인트 등위접속사의 병렬 구조** clearing과 opening은 분사구문으로 두 개의 분사구문이 등위접속사에 의해 병렬로 바르게 연결되었다.

#### 어휘

besides 게다가　rearrange 바꾸다　suit 맞추다　clear 개간하다
stimulate 자극하다　open 개발하다　landscape 지형
proliferation 급증　harvest 수확하다

#### 해석

불은 요리를 제외하고도 인간에게 여러 면에서 유용했다. 인간은 불을 이용해 환경을 자신들에게 맞게 바꾸기 시작했고, 야생 식물의 성장을 자극하기 위해 땅을 개간하고, 수확하기 위해 선택된 장소로 불에 의해 몰아넣을 수 있는 식량 동물들의 급증을 촉진하기 위해 지형을 개발했다.

**정답** ④

---

### 1. 명사를 수식하는 분사의 선택

| 현재분사<br>과거분사 + 명사 | 수식받는 명사와 수식하는 분사의 관계를 의미적으로 파악하여 능동이면 현재분사, 수동이면 과거분사를 선택 |
|---|---|
| 명사 + 현재분사<br>과거분사 | 분사로 만든 동사의 유형과 목적어 유무를 통해 쉽고 빠르게 현재분사·과거분사를 선택 |

· an exhausting day
　　　　　능동
　진을 빼는 하루(매우 피곤한 하루)
· an exhausted driver
　　　　　수동
　진이 빠진 운전자(매우 지친 운전자)
· People drinking coffee every morning are more likely to gain weight.　능동(목적어 O → coffee)
　매일 아침 커피를 마시는 사람들은 몸무게가 늘 가능성이 더 크다.
· She found a wall painted with many different colors.
　　　　　　　　　수동(목적어 X)
　그녀는 많은 다양한 색으로 칠해진 벽을 발견했다.

### 2. 보어 역할을 하는 분사의 선택

분사가 보어로 사용된 경우, 각각 주어 또는 목적어와 분사의 관계를 의미적으로 파악하여 능동이면 현재분사, 수동이면 과거분사를 선택

| 주격보어 | 주어와 분사의 관계를 파악 |
|---|---|
| 목적격보어 | 목적어와 분사의 관계를 파악 |

· She stood surrounded by her friends.
　그녀는 그녀의 친구에 의해 둘러싸여 서 있었다.
· He heard his name called by someone.
　그는 누군가에 의해 그의 이름이 불리는 것을 들었다(그는 누군가가 그의 이름을 부르는 것을 들었다).

---

### 구문분석 공식

**공식 24** 분사는 형용사와 같은 역할을 한다.

　　S　　과거분사(수동)　　　　V　　O
His essay (written in English) / has the theme
　　현재분사(능동)
(insisting on our humanity).

(영어로 쓰인) 그의 논문은 　/ (우리의 인간성을 주장하는) 주제를 가진다.

**해석** 영어로 쓰인 그의 논문은 우리의 인간성을 주장하는 주제를 가진다.

**어휘** essay 논문　theme 주제　insist 주장하다　humanity 인간성

# Exercises

※ 빈칸에 들어갈 알맞은 말을 고르시오.

1. The questions _____ in the Parliament yesterday were about the new tax.

   ① debate     ② debating
   ③ debated    ④ debatable

2. A man _____ a red vest is standing still on roller skates.

   ① wearer    ② wearing
   ③ worn      ④ wearable

※ 밑줄 친 부분이 틀리면 바르게 고치시오.

3. The school built a new room for students <u>needed</u> extra help in math.

4. The <u>requiring</u> reports are a burden on a company's administrative staff.

※ 다음 문장을 해석하고 구문분석하시오.

5. Newly available data providing the most detailed picture complicates that assessment.

6. Earth's atmosphere is a relatively thin, gaseous envelope comprised mostly of nitrogen and oxygen.

---

1. **해설** 빈칸에는 questions를 수식하는 어구가 들어가야 하는데 debate는 타동사로 목적어가 있어야 하는데 없다. 문맥상 questions가 debate의 목적어로서 '논의된'이라는 수동의 의미이므로 과거분사인 debated가 들어가야 한다.
   **해석** 어제 의회에서 논의된 문제는 새로운 세금에 관한 것이었다.
   **정답** ③

2. **해설** 주어인 A man을 수식하는 어구가 들어가야 하는 데 뒤에 a red vest라는 목적어가 있으므로 현재분사인 wearing이 들어가는 것이 가장 적절하다.
   **어휘** vest 조끼
   **해석** 빨간 조끼를 입은 남자가 롤러스케이트를 타고 가만히 서 있다.
   **정답** ②

3. **해설** 분사 뒤에 목적어가 있고 수식받는 명사인 students와 분사가 의미상 능동의 관계이므로 현재분사인 needing으로 고쳐야 한다.
   **해석** 학교는 수학에서 추가적인 도움이 필요한 학생들을 위해 새 교실을 지었다.
   **정답** needed → needing

4. **해설** require는 '요구하다'라는 뜻의 타동사인데 분사 형태가 되어 뒤에 온 '서류'를 수식하고 있다. 문맥상 이 단어는 '요구되는 서류(필수 서류)'의 의미이므로 수동의 의미가 있는 required가 되어야 한다.
   **어휘** burden 부담  administrative 행정의  staff 직원들
   **해석** 요구되는 서류들은 기업의 행정 직원들에게 부담이다.
   **정답** requiring → required

5. **어휘** detailed 상세한  complicate 복잡하게 하다  assessment 평가
   **해석** 가장 상세한 설명을 제공하는 새로이 사용 가능한 자료가 그 평가를 복잡하게 만든다.
   **분석** <u>Newly available data</u> (providing the most detailed picture) / <u>complicates</u> <u>that assessment</u>.
   (S / V / O)

6. **어휘** atmosphere 대기  gaseous 기체의  envelope 외피  be comprised of ~으로 구성되다  nitrogen 질소  oxygen 산소
   **해석** 지구의 대기는 주로 질소와 산소로 구성된 상대적으로 얇은 기체 외피다.
   **분석** <u>Earth's atmosphere</u> <u>is</u> <u>a relatively thin, gaseous envelope</u> (comprised mostly of nitrogen and oxygen).
   (S / V / C)

# 출제유형 059

**POINT 32 현재분사 vs. 과거분사**

## 주의할 동사의 분사 선택

**밑줄 친 부분에 들어갈 말로 가장 적절한 것은?**

> The student finished his assignment. He felt _____.

① satisfy  ② satisfying
③ satisfied  ④ to satisfy

### 유형 분석 & 전략

감정유발동사(excite, surprise 등), 4형식으로 자주 사용되는 동사(give, offer 등), 5형식으로 자주 사용되는 동사(call, name 등)가 분사로 쓰인 경우 기본 용법을 고려하여 현재분사/과거분사 구분에 주의해야 합니다.

### 포인트 분석

He felt satisfied.
　　　　과거분사

### 1. 목적어를 두 개 취하는 수여동사

분사가 되는 동사 뒤에 목적어(직접목적어)가 하나 있다고 하더라도 목적어 하나가 없는 수동의 관계일 수 있으니 주의해야 한다.

She felt jealous of the girl given a gift from her father.
　　　　　　　　　　　　　　수동　(직접) 목적어

그녀는 아버지로부터 선물을 받은 그 소녀에게 질투심을 느꼈다.

### 2. 명사를 목적격보어로 취하는 불완전타동사

분사가 되는 동사 뒤에 명사가 목적어가 아닌 목적격보어로 사용되었다면 수동 관계일 수 있으니 주의해야 한다.

She has a husband called a workaholic by his colleagues.
　　　　　　　　　　　수동　목적격보어

그녀는 동료들로부터 일 중독자라고 불리는 남편이 있다.

### 3. 감정유발동사

'스스로 ~하게 되다, 느끼다'라는 의미 전달을 위해서는 수동의 의미를 갖는 과거분사를, '~한 감정을 느끼게 하다'라는 의미를 위해서는 현재분사를 쓴다.

exciting game 신나는 게임
excited audience 신이 난 관중
convincing evidence 확실한 증거
convinced jurors 확신하고 있는 배심원들

### 해설

**문법포인트** 현재분사 vs. 과거분사 satisfy는 감정유발동사인데 '스스로 ~하게 되다, 느끼다'라는 감정의 대상이 되는 의미 전달을 위해서는 수동의 의미를 갖는 과거분사를, '~한 감정을 느끼게 하다'라는 감정을 일으키는 원인이 되는 의미 전달을 위해서는 현재분사를 쓴다. 그가 만족감을 느꼈다는 감정의 대상이 되는 의미이므로 과거분사인 satisfied가 적합하다.

### 어휘

assignment 숙제　satisfy 만족시키다.

### 해석

그 학생은 자신의 숙제를 끝냈다. 그는 만족스럽게 느꼈다.

정답 ③

# Exercises

※ 빈칸에 들어갈 알맞은 말을 고르시오.

1. We were absolutely _____ at the response to our appeal.

   ① amaze      ② amazing
   ③ amazed      ④ to amaze

2. The Christmas Party was so _____ that I lost track of time and missed the bus.

   ① excite      ② exciting
   ③ excited      ④ excitement

※ 밑줄 친 부분이 틀리면 바르게 고치시오.

3. The first coffeehouse opened in the university city of Oxford, in which a Lebanese man <u>naming</u> Jacob set up shop.

4. Many people refuse to visit animal shelters because they find it too sad or <u>depressed</u>.

※ 다음 문장을 해석하고 구문분석하시오.

5. Candidates interested in the position should hand in their resumes to the Office of Human Resources.

6. The flight proved highly embarrassing to the U.S. government, which through the army had given seed money to a similar program.

---

1. **해설** 감정유발동사는 주체가 감정을 일으키는 경우에는 현재분사로 쓰고, 감정을 느끼는 경우에는 과거분사로 쓴다. 우리가 '놀란' 감정을 느끼는 것이므로 amazed가 들어가야 한다.

   **어휘** response 반응  appeal 호소  amaze 놀라게 하다

   **해석** 우리는 우리의 호소에 대한 반응에 정말로 놀랐다.

   **정답** ③

2. **해설** 감정유발동사를 쓸 때 주체가 감정을 일으키는 경우 현재분사를 쓰고 주체가 감정의 대상이 되는 경우 과거분사를 쓴다. 크리스마스 파티가 흥미진진한 감정을 일으키는 것이므로 exciting이 들어가야 한다.

   **해석** 크리스마스 파티가 너무 흥미진진해서 나는 시간 가는 것을 잊고 버스를 놓쳤다.

   **정답** ②

3. **해설** naming은 앞의 a Lebanese man을 수식하는데 의미상 Jacob이라고 '이름을 붙인' 레바논 사람이 아니라 Jacob이라는 '이름이 붙여진' 레바논 사람이라는 의미이므로 현재분사가 아니라 과거분사가 와야 한다. named 뒤에 오는 Jacob은 named의 목적격보어이다.

   **어휘** set up shop 사업을 시작하다

   **해석** 최초의 커피숍은 대학의 도시인 옥스퍼드에서 개점했는데, 그곳에서 Jacob이라는 이름을 가진 레바논 남자가 사업을 시작했다.

   **정답** naming → named

4. **해설** depress는 '우울하게 만들다'라는 뜻의 감정유발동사로 감정유발동사는 주체가 우울해지는 경우는 과거분사를, 주체가 우울하게 만드는 경우는 현재분사를 쓴다. it을 '동물보호소를 방문하는 것'인데 이것이 우울하게 만든다는 의미이므로 현재분사가 되어야 한다.

   **어휘** animal shelter 동물보호소  depress 우울하게 하다

   **해석** 많은 사람들은 동물보호소를 방문하기를 거부하는데, 왜냐하면 그것이 너무 슬프고 우울하게 한다는 것을 알기 때문이다.

   **정답** depressed → depressing

5. **어휘** candidate 지원자  hand in 제출하다  resume 이력서

   **해석** 이 직책에 관심 있는 지원자는 인사과에 이력서를 제출해야 한다.

   **분석** Candidates (interested in the position) / should hand in their resumes / to the Office of Human Resources.
       S                                  V        O

6. **어휘** prove 드러나다  seed money 종잣돈

   **해석** 그 비행은 미국 정부에 매우 당황스러운 것으로 드러났는데, 그것(미국 정부)은 유사한 프로그램에 육군을 통해 종잣돈을 지불했었다.

   **분석** The flight proved highly embarrassing to the U.S. government, / which through the army had given seed money to a similar program.
       S   V'           C

# 출제유형 060

**POINT 33 분사구문**

## 분사구문의 형태

---

**밑줄 친 부분에 들어갈 말로 가장 적절한 것은?**

_____, my car was towed away for illegal parking.

① Parking in front of the bank
② Parked in front of the bank
③ Having parked in front of the bank
④ Having been parking in front of the bank

### 유형 분석 & 전략

분사구문이 보이면 밑줄 후, 주절의 주어에 동그라미하여 분사구문의 의미상의 주어와의 일치 여부를 먼저 판단합니다.
의미상의 주어가 일치한다면 다음으로 능동/수동 관계에 따라 분사구문의 형태가 올바른지 확인해야 합니다.

### 포인트 분석

> ┌── 수동 ──┐  ┌ S ┐
> Parked in front of the bank, my car was towed away for illegal parking.

### 해설

**문법포인트** 분사구문 분사구문은 의미상의 주어를 찾아 주어의 일치, 능동과 수동, 시제 등을 확인해야 한다. 주절의 주어가 my car이고 이것이 주차되는 수동의 의미이므로 ② Parked in front of the bank가 빈칸에 들어가야 한다. ①, ③, ④는 모두 능동의 의미라서 답이 될 수 없다.

### 어휘

park 주차하다   tow 견인하다

### 해석

은행 앞에 주차되었기 때문에, 내 차는 불법 주차로 견인되었다.

**정답** ②

---

### 1. 분사구문의 형태

분사구문은 부사절에서 접속사와 주어를 생략한 후, 동사를 현재분사로 바꾸어 만든다.

When I returned home, I found the book.
   부사절              주절
내가 집에 돌아왔을 때, 나는 책을 발견했다.

= Returning home, I found the book.
  분사구문

### 2. 분사구문의 의미상의 주어

분사의 행동 주체가 주절의 주어와 일치하지 않는다면 분사의 앞에 의미상의 주어를 반드시 표시해야 한다.

It being cold outside, I stayed in bed and slept.
바깥 날씨가 추워서 나는 침대에 누워 잤다.

There being no objection, the meeting could end in ten minutes.
반대가 없었기 때문에, 회의는 10분 내에 끝날 수 있었다.

### 3. 능동과 수동

주절의 주어와 분사구문에 사용된 동사와의 관계가 능동인지 수동인지에 따라 분사구문의 형태가 결정된다.

| 주절의 주어와 분사구문의 동사의 관계가 능동일 경우 | ➡ -ing |
|---|---|
| 주절의 주어와 분사구문의 동사의 관계가 수동일 경우 | ➡ (being) p.p. |

When we take vitamin C too much, we can lose our health.
비타민 C를 너무 많이 섭취하면 우리는 건강을 잃을 수 있다.

= Taking vitamin C too much, we can lose our health.

When it is taken too much, vitamin C can be harmful.
지나치게 많이 섭취되면 비타민 C는 해로울 수 있다.

= (Being) taken too much, vitamin C can be harmful.

### 쌤's TIP

**접속사+분사구문**
원래 분사구문은 접속사를 생략하는 것이 원칙이지만, 접속사의 의미를 강조하고 싶은 경우 접속사를 그대로 둘 수 있다.

While watching the game, he screamed several times.
경기를 보는 동안, 그는 몇 차례 소리를 질렀다.

### 구문분석 공식

**공식 25** 분사구문은 생략된 접속사의 의미를 파악해야 한다.

분사구문(시간) = After they followed a failure
Following a failure, // the children performed poorly / in future achievement efforts.

　　실패 후　　　// 그 아이들은 제대로 수행하지 못했다 /
미래의 성취를 위한 노력에서.

**해석** 실패 후 그 아이들은 미래의 성취를 위한 노력에서 제대로 수행하지 못했다.

# Exercises

※ 빈칸에 들어갈 알맞은 말을 고르시오.

1. _____, I boiled some water to have tea.
   ① Cold outside
   ② Being cold outside
   ③ It being cold outside
   ④ Because it being cold outside

2. _____ with his sister, she is not so pretty.
   ① To compare   ② Compared
   ③ Comparing    ④ Being comparing

※ 밑줄 친 부분이 틀리면 바르게 고치시오.

3. While worked at a hospital, he saw his first air show.

4. Considering alongside his cousin, he appeared less confident.

※ 다음 문장을 해석하고 구문분석하시오.

5. Although making a mistake, he could still be respected as a good teacher.

6. While considered as something of a luxury, honey is still regarded with affection.

---

1. 해설) 주절의 주어와 분사구문의 주어가 다르므로 분사구문의 주어를 생략할 수 없다. 따라서 빈칸에는 날씨를 나타내는 비인칭 주어인 it을 써서 It being cold outside라고 해야 한다.
   어휘) boil 끓이다
   해석) 바깥 날씨가 추웠기 때문에 나는 차를 마시려 물을 끓였다
   정답) ③

2. 해설) 타동사 compare 뒤에 목적어가 없고 의미상으로도 '비교되는'이라는 수동의 의미이므로 compared로 과거분사형 분사구문이 오는 것이 맞다.
   어휘) compare 비교하다
   해석) 그의 언니와 비교해보면 그녀는 그렇게 예쁜 것은 아니다.
   정답) ②

3. 해설) 접속사 While이 의미를 명확하게 하기 위해 생략되지 않고 남겨진 분사구문이다. 의미상의 주어도 주절의 he로 he가 병원에서 일하는 것이므로 주어와 동사인 work의 관계는 능동이다. 따라서 worked를 현재분사인 working이라고 고쳐야 한다.
   해석) 병원에 근무하는 동안 그는 처음으로 비행기 공중 곡예를 보았다.
   정답) worked → working

4. 해설) 타동사 consider가 뒤에 목적어가 없고, 의미상 '고려되다'라는 수동의 의미이어야 적절하므로 과거분사인 Considered로 고쳐야 한다.
   해석) 그의 사촌과 나란히 고려해볼 때, 그는 자신감이 덜해 보였다.
   정답) Considering → (Being) Considered

5. 어휘) make a mistake 실수하다   respect 존경하다
   해석) 그는 실수하기는 했지만, 여전히 좋은 선생님으로 존경받을 수 있었다.
   분석) Although making a mistake, / he(S) could still be(V') respected as a good teacher.

6. 어휘) luxury 사치   affection 애정
   해석) 사치스러운 것으로서 여겨지는데도, 꿀은 여전히 애정을 가지고 대해진다.
   분석) While considered as something (of a luxury), // honey(S) is still regarded(V') with affection.

Chapter 04 준동사

# 출제유형 061

**POINT 33** 분사구문

## with 분사구문

**밑줄 친 부분에 들어갈 말로 가장 적절한 것은?**

> I saw her waiting for the bus in the cold morning, with her arms _____.

① to fold  ② folding
③ fold    ④ folded

### 유형 분석 & 전략

with 뒤에 두 덩어리(명사와 분사)가 보이면 with 분사구문이므로 with에 먼저 동그라미 한 후 분사(목적격보어)에 밑줄 긋고, 목적어와 목적격보어의 능동/수동 관계에 따라 현재분사/과거분사를 구분해야 합니다.

### 포인트 분석

> I saw her waiting for the bus in the cold morning, ⓦith
> her arms folded.
>         └─수동─┘

목적어와 목적격보어의 관계가 능동이면 목적격보어는 현재분사가 되고, 수동이면 과거분사가 된다.

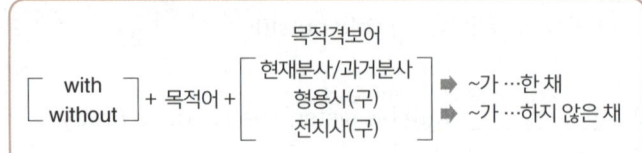

With his arms **folded** 그가 팔짱을 낀 채
With the TV **turned on** TV를 켜 둔 채
With night **coming on**, they began to leave the place.
밤이 다가옴에 따라, 그들은 그 장소를 떠나기 시작했다.

---

**[해설]**

**문법포인트** 분사구문 「with + 목적어 + 현재분사/과거분사」 형태의 with 분사구문 문제이다. 그녀의 팔이 스스로 팔짱을 끼는 능동이 아니라 '사람에 의해서 접힘을 당한다'는 수동의 의미이므로 현재분사가 아니라 수동의 의미를 갖는 과거분사 folded가 와야 한다.

**어휘**
wait for ~을 기다리다

**해석**
나는 추운 아침에 그녀가 팔짱을 낀 채 버스를 기다리고 있는 것을 보았다.

**정답** ④

---

### 구문분석 공식

**공식 25-1** with 분사구문에서 목적어와 목적격보어는 주체와 동작 간의 관계이다.

「with + 목적어 + 목적격보어(분사)」의 형태를 'with 분사구문'이라 하며, 목적어의 동작을 목적격보어로 설명하므로 '~가 …한 채/~하면서'라고 해석할 수 있다.

> with + 목적어 + 목적격보어(현재분사)
> With the front of the home burning, // he entered through the rear.
>   집의 앞면이 불타고 있는 채로,    //  그는 뒤쪽을 통해 들어갔다.

**해석** 집의 앞면이 불타고 있는 채로, 그는 뒤쪽을 통해 들어갔다.

**어휘** front 앞(면)  rear 뒤쪽

# Exercises

※ 빈칸에 들어갈 알맞은 말을 고르시오.

1. Sitting with the legs _____ for a long period can raise blood pressure.

   ① cross  ② crossing
   ③ crossed  ④ to cross

2. It's the only fortress city in India still functioning, with one quarter of its population _____ within the walls.

   ① live  ② lived
   ③ living  ④ to live

※ 밑줄 친 부분이 틀리면 바르게 고치시오.

3. It was also a very busy river at that time, with hundreds of ships constantly <u>sailed</u> on it.

4. The country is a small one with the three quarters of the land <u>surrounding</u> by the sea.

※ 다음 문장을 해석하고 구문분석하시오.

5. He opened the refrigerator and stood there with the door open.

6. In the club, many young people are dancing with their hands in the air.

---

1. **해설** Sitting이 동명사로 주어이고, with the legs ~은 with 분사구문이다. 다리가 스스로 꼬는 능동이 아니라 '사람에 의해서 꼬임을 당하는 수동의 의미이므로 빈칸에는 수동의 crossed가 들어가야 한다.

   **어휘** blood pressure 혈압

   **해석** 다리를 꼰 채로 오랫동안 앉아 있는 것은 혈압을 상승시킬 수 있다.

   **정답** ③

2. **해설** 앞에 전치사 with가 있어 동사인 lives는 들어갈 수 없다. 문맥상 with 분사구문으로 만들어 주어야 하는데 목적어인 population과 목적격보어 live의 관계가 능동이므로 빈칸에는 현재분사 living을 써야 한다.

   **어휘** fortress 요새  functioning 기능하는

   **해석** 그것은 인구의 4분의 1이 성벽 안쪽에 살고 있는 여전히 기능하는 인도의 유일한 요새 도시이다.

   **정답** ③

3. **해설** 「with + 목적어 + 목적격보어」의 구문으로 목적어인 hundreds of ships가 항해하는 능동의 의미이므로 과거분사인 sailed는 현재분사인 sailing으로 고쳐야 한다.

   **어휘** constantly 끊임없이  sail 항해하다

   **해석** 그것은 또한 그 당시에 수백 척의 배들이 끊임없이 항해하는 매우 분주한 강이었다.

   **정답** sailed → sailing

4. **해설** 전치사 with로 시작되는 부분이 with 분사구문으로 목적격보어의 형태를 선택하는 문제이다. with 뒤 목적어인 the three quarters of the land와 목적격보어 surround는 목적어와의 관계가 수동이다. 즉 '육지는 바다에 의해 둘러싸여 있는'의 의미가 적합하므로 수동의 의미를 전달하는 과거분사인 surrounded가 적합하다.

   **어휘** surround 둘러싸다

   **해석** 그 나라는 육지의 3/4이 바다로 둘러싸여 있는 작은 나라이다.

   **정답** surrounding → surrounded

5. **어휘** refrigerator 냉장고

   **해석** 그는 냉장고를 열고 문을 열어 놓은 채 거기에 서 있었다.

   **분석** He(S1) opened(V1) the refrigerator(O1) // and stood(V2) there / with the door open.

6. **어휘** in the air 공중에

   **해석** 그 클럽에서 많은 젊은이들이 손을 공중을 향하게 하고 춤을 추고 있다.

   **분석** In the club, / many young people(S) are dancing(V) / with their hands in the air.

# Chapter 05
# 형용사, 부사, 비교

**POINT 34** **형용사 vs. 부사**
출제 유형 062 형용사 vs. 부사 구분
출제 유형 063 형용사/부사＋enough(부사)

**POINT 35** **주의할 형용사와 부사**
출제 유형 064 수량형용사/난이형용사
출제 유형 065 유사 형태 형용사와 부사
출제 유형 066 부정부사 중복 금지

**POINT 36** **비교 구문**
출제 유형 067 원급과 비교급 비교
출제 유형 068 최상급
출제 유형 069 비교급/최상급 수식

**POINT 37** **비교 사용 표현**
출제 유형 070 비교 사용 표현
출제 유형 071 라틴 비교
출제 유형 072 배수 비교
출제 유형 073 The 비교급, the 비교급
출제 유형 074 최상급 대용 표현

**POINT 38** **비교대상의 일치**
출제 유형 075 비교대상의 일치

## 형용사와 부사

**어디까지 알고 있니?** ○ 형용사  ○ 부사

### 수식어
문장의 다른 요소의 형태나 특징 등을 설명하여 수식하는 요소를 수식어라고 한다. 영어에서 대표적인 수식어로는 명사를 수식하는 형용사가 있으며, 동사, 형용사, 부사, 그리고 문장 전체를 수식하는 부사가 있다.

### 1  형용사(Adjective)
형용사는 대표적인 수식어로서 명사의 상태나 특징을 설명하여 수식하거나(수식 용법), 주어 또는 목적어의 상태나 특징을 서술하는(서술 용법) 역할을 한다.

She is a pretty girl.  그녀는 예쁜 소녀이다.
　　　　　수식 용법

The girl is pretty.  그 소녀는 예쁘다.
　　　　　서술 용법

We found the man intelligent.  우리는 그 남자가 똑똑하다는 것을 알았다.
　　　　　　　　　서술 용법

### 2  부사(Adverb)
부사는 동사의 동작 방향이나 방법, 시간 등을 설명하여 수식하는 역할을 한다. 이뿐만 아니라 형용사, 부사, 그리고 문장 전체를 수식하여 부가적인 설명을 한다.

She speaks clearly.  그녀는 분명하게 말한다.
　　　　　동사 수식

The house is relatively expensive.  그 집은 비교적 비싸다.
　　　　　　　형용사 수식

He speaks English very well.  그는 영어를 매우 잘 한다.
　　　　　　　　　부사 수식

Happily she accepted his proposal.  기쁘게 그녀는 그의 청혼을 받아들였다.
문장 수식

## Check up!

**[ 01-03 ]** 밑줄 친 단어가 형용사/부사인지 구분하고 수식하는 대상을 찾으시오.

**01** I was touched by his beautiful song.

**02** We have relatively few volunteers for the campaign.

**03** Unfortunately, I missed the last train.

(정답) 01 형용사: 명사인 song 수식   02 부사: 형용사인 few 수식   03 부사: 문장 전체 수식
(해석) 01 나는 그의 아름다운 노래에 감동받았다.
02 그 캠페인에는 상대적으로 적은 자원자가 있다.
03 불행히도 나는 마지막 기차를 놓쳤다.

### 🎡 비교

**어디까지 알고 있니?** ○ 비교급, 최상급 만들기  ○ 비교 구문

**3 비교급, 최상급 만들기**

형용사나 부사는 정도의 변화를 표시하거나 비교하는 의미를 표현하기 위해 형태를 변형시켜 사용할 수 있다. 이러한 형용사나 부사는 세 가지 형태로 사용된다.

**원급:** 그 단어 그대로 사용되며 의미도 그대로이다.
**비교급:** 일반적으로 -er이나 more를 붙이며 비교의 의미(더 ~한, 덜 ~하게)를 표현한다.
**최상급:** 일반적으로 -est나 most를 붙이며 최상의 의미(가장 ~한, 가장 ~하게)를 표현한다.

**(1) 규칙 변화**

| 구 분 | 원 급 | 비교급 | 최상급 |
|---|---|---|---|
| 형용사+er, est | small | smaller | smallest |
| 단모음+단자음+단자음+er, est | big | bigger | biggest |
| 자음+y → 자음+ier, iest | early | earlier | earliest |
| -e로 끝나는 형용사+r, st | large | larger | largest |
| 3음절 이상의 형용사 more, most | beautiful | more beautiful | most beautiful |

**(2) 불규칙 변화**

| 원급 | 비교급 | 최상급 | 원급 | 비교급 | 최상급 |
|---|---|---|---|---|---|
| good | better | best | old | older(더 늙은) | oldest(가장 늙은) |
| well | | | | elder(더 나이 많은) | eldest(가장 나이 많은) |
| bad | worse | worst | late | later(시간이 더 늦은) | latest(최근의) |
| | | | | latter(순서가 더 늦은) | last(마지막의) |
| many | more | most | far | farther(거리가 더 먼) | farthest(가장 먼) |
| much | | | | further(정도가 더한) | furthest(정도가 가장 심한) |

## 4  비교 구문

비교 구문은 형용사나 부사의 형태를 원급, 비교급, 최상급 등으로 변화시켜 주어진 대상들의 성질이나 정도를 비교하여 나타내는 것을 말한다.

비교에는 의미에 따라 동등함을 나타내는 원급 비교, 어느 한쪽이 다른 쪽보다 정도가 더함을 나타내는 비교급 비교, 최상의 상태임을 나타내는 최상급 비교가 있다.

This bag is as cheap as the book.  이 가방은 그 책만큼이나 싸다. (원급 비교)
This bag is cheaper than the book.  이 가방은 그 책보다 더 싸다. (비교급 비교)
This bag is the cheapest in this store.  이 가방은 이 매장에서 가장 싸다. (최상급 비교)

### Check up!

[ 01-05 ] 다음 중 밑줄 친 부분을 바르게 고치시오.

01  His house is more larger than mine.

02  Alice is beautifuler than her sister.

03  He sings more well than she does.

04  This is the most small box I've ever seen.

05  Jupiter is the bigest planet in our solar system.

**정답**  01 more larger ➡ larger   02 beautifuler ➡ more beautiful   03 more well ➡ better
04 most small ➡ smallest   05 bigest ➡ biggest

**해석**  01 그의 집은 내 것보다 더 넓다.
02 앨리스는 그녀의 여동생보다 더 아름답다.
03 그는 그녀보다 노래를 더 잘한다.
04 이것은 내가 본 것 중에서 가장 작은 박스이다.
05 목성은 우리 태양계에서 가장 큰 행성이다.

**해설**  01 large는 -e로 끝나므로 -r을 붙여 비교급을 만든다.
02 beautiful은 3음절 이상이므로 more를 붙여 비교급을 만든다.
03 well은 불규칙 변화를 하며 비교급은 better이다.
04 small은 최상급을 만들 때 most를 붙이지 않고 끝에 -est를 붙여야 한다.
05 big은 「단모음+단자음」의 형용사이므로 최상급을 만들 때 마지막 단자음을 한 번 더 써야 한다. 따라서 biggest가 된다.

# 출제유형 062

**POINT 34 형용사 vs. 부사**

## 형용사 vs. 부사 구분

**문법적으로 옳지 않은 부분을 고르시오.**

> The population of the world has increased ① more ② significant in modern times than in all ③ other ages of ④ history combined.

### 유형 분석 & 전략

형용사/부사를 구분하는 문제의 경우 형용사/부사에 밑줄, 수식받는 품사에 동그라미하여 올바른 품사가 맞는지 확인해야 합니다.

### 포인트 분석

The population of the world has increased more ② significant
(동사) → significantly
in modern times than in all other ages of history combined.

### 해설

② **문법포인트** 형용사 vs. 부사 자동사 increase는 보어를 취할 수 없고, 더 상당히 증가했다는 의미로 동사 increase를 수식해야 하므로 형용사 significant를 부사인 significantly로 고쳐야 한다. (significant → significantly)

① **문법포인트** 비교 구문 뒤에 than이 왔으므로 앞에 비교급이 오는 것이 바르다. 비교급의 형태가 바르게 쓰였다.

③ **문법포인트** 부정대명사 other 뒤에는 셀 수 있는 명사의 복수형이 온다. other ages가 바르게 사용되었다.

④ **문법포인트** 현재분사 vs. 과거분사 combined는 앞의 all other aged of history를 수식한다. 다른 시대의 모든 역사가 '합쳐졌다'는 수동의 의미이므로 과거분사인 combined의 형태가 바르다.

### 어휘

population 인구   significant 상당한   modern times 현대
combine 합치다

### 해석

세계의 인구는 다른 시대의 모든 역사를 합쳤던 것보다 현대에 더 상당히 증가했다.

**정답** ②

---

### 1. 형용사의 역할

**(1) 명사 수식**

명사의 앞이나 뒤에 놓여 명사의 상태나 특징을 설명하며 수식한다.

> 형용사 + 명사

This is an <u>expensive</u> <u>book</u>. 이것은 비싼 책이다.
He is a <u>handsome</u> <u>young</u> <u>man</u>. 그는 잘생긴 젊은 남자이다.

**🍭 쌤's TIP**

형용사는 중복하여 명사를 수식할 수 있다.
The dress was made of <u>soft</u> <u>Chinese</u> <u>white</u> <u>silk</u>.
그 드레스는 부드러운 중국산 하얀 비단으로 만들어졌다.

**(2) 주어와 목적어의 서술**

주어 또는 목적어의 상태나 특징을 서술하는 서술 용법이다. 즉, 주격보어나 목적격보어로 쓰인다.

| 주격보어 | 주어 + 동사 + 형용사 |
|---|---|
| 목적격보어 | 주어 + 동사 + 목적어 + 형용사 |

He remained <u>peaceful</u>. 그는 평화롭게 있었다.
He made his mother <u>happy</u>. 그는 엄마를 행복하게 만들었다.

### 2. 부사의 역할

**(1) 동사 수식**

동사의 앞뒤에 위치하여 동사가 의미하는 동작의 방향, 방법, 시간 등을 설명한다.

She <u>usually</u> <u>goes</u> to the gym in the morning.
그녀는 보통 아침에 체육관에 간다.

**(2) 다른 수식어 수식**

형용사, 분사, 그리고 부사와 같은 수식어의 앞에서 이들을 수식하며 의미를 추가한다.

> 부사 + 형용사/분사/부사

He introduced a <u>completely</u> <u>new</u> item.
그는 완전히 새로운 아이템을 소개했다.

He explained about the <u>newly</u> <u>discovered</u> island.
그는 새롭게 발견된 그 섬에 관해 설명했다.

He finished up the project <u>very</u> <u>neatly</u>.
그는 그 프로젝트를 매우 깔끔하게 끝냈다.

**(3) 문장 전체 수식**

<u>Fortunately</u> she could arrive there on time.
다행스럽게도 그녀는 제시간에 거기에 도착할 수 있었다.

○ 부사가 문장 전체를 수식할 때는 문장의 어디에 위치해도 상관없다.

# Exercises

※ 빈칸에 들어갈 알맞은 말을 고르시오.

1. She would like to be _____ independent.

   ① finance         ② financial
   ③ financially     ④ financing

2. Valuable vacant land rarely sits idle and is often taken over and made _____.

   ① production      ② productive
   ③ productively    ④ productivity

※ 밑줄 친 부분이 틀리면 바르게 고치시오.

3. Even young children like to be complimented for a job done <u>good</u>.

4. More <u>recently</u> examples are the impact of Darwinian biology and Freudian psychology.

※ 다음 문장을 해석하고 구문분석하시오.

5. Congratulate them, publicly showcase their accomplishment, and spread the word.

6. Recent research reveals that some individuals are genetically predisposed to shyness.

---

1. **해설** to be independent '독립적이 되는 것'을 의미하므로 빈칸은 형용사인 independent를 수식하는 어구가 들어가야 한다. 형용사는 부사로 수식하므로 빈칸에는 financially가 들어가야 한다.
   **어휘** independent 독립의  financially 재정적으로
   **해석** 그녀는 재정적으로 독립하기를 원한다.
   **정답** ③

2. **해설** 5형식 make의 능동태 문장이 수동태로 전환되면서 목적어였던 Valuable vacant land가 주어가 되고, 빈칸은 주격보어의 자리가 되었으므로 보어가 될 수 있는 형용사 productive가 들어가야 한다. 명사 보어가 오려면 주어와 보어가 동격 관계에 있어야 하므로 ①, ④는 문맥에 맞지 않는다.
   **어휘** vacant 빈  idle 놀고 있는  take over 인수하다
   production 생산  productive 생산적인
   productivity 생산성
   **해석** 가치 있는 빈 땅은 거의 놀고 있지 않으며 종종 인수되어 생산적으로 만들어진다.
   **정답** ②

3. **해설** a job done good에서 done good은 앞선 명사 job을 수식하는 과거분사구로 good이 앞의 done을 수식한다. 분사는 형용사가 아닌 부사로 수식하므로 good을 well로 고쳐야 한다.
   **어휘** compliment 칭찬하다
   **해석** 심지어 어린아이들도 일을 잘했다고 칭찬받는 것을 좋아한다.
   **정답** good → well

4. **해설** recently는 '요즈음, 최근에'라는 의미의 부사로, 부사는 명사를 수식할 수 없으므로 부적절하다. 명사 examples를 수식해야 하므로 부사가 아니라 형용사 recent가 되어야 한다.
   **어휘** impact 영향  biology 생물학  psychology 심리학
   **해석** 좀 더 최근의 예는 Darwin의 생물학과 Freud의 심리학의 영향이다.
   **정답** recently → recent

5. **어휘** congratulate 축하하다  showcase 전시하다
   accomplishment 성취
   **해석** 그들을 축하하고, 공개적으로 그들의 성취를 전시하고, 말을 퍼뜨려라.
   **분석** Congratulate(V1) them(O1), // publicly showcase(V2) their accomplishment(O2), // and spread(V3) the word(O3).

6. **어휘** genetically 유전적으로
   predispose ~하는 성향을 갖게 하다
   **해석** 최근의 연구는 몇몇 사람들이 유전적으로 수줍음을 잘 타는 성향이 있다는 것을 밝혀냈다.
   **분석** Recent research(S) reveals(V) // that some individuals(S') are genetically predisposed(V') / to shyness.

# 출제유형 063

**POINT 34 형용사 vs. 부사**

## 형용사/부사 + enough(부사)

### 밑줄 친 부분의 어법이 틀린 것은?

① There being no further objections, he felt ② enough confident to announce ③ that the proposal had been ④ unanimously approved.

#### 유형 분석 & 전략

enough가 보이면 동그라미, 수식받는 형용사나 부사에 밑줄 그어 enough의 앞에 위치하고 있는지 확인해야 합니다.

#### 포인트 분석

he felt ② <u>enough confident</u> to announce
→ confident enough

#### 해설

② **문법포인트** 형용사 vs. 부사 부사 enough는 다른 부사나 형용사를 수식할 때는 뒤에서 수식한다. 문맥상 enough가 형용사인 confident를 수식하는 것이므로 enough는 confident 뒤에 위치해야 한다. (enough confident → confident enough)

① **문법포인트** 분사구문 Because there were no further ~의 부사절이 분사구문이 되었다. 부사절의 주어인 There가 주절의 주어와 일치하지 않으므로 반드시 남겨두어야 한다. 따라서 There being의 형태가 바르게 쓰였다.

③ **문법포인트** 명사절 접속사의 선택 announce의 목적어로 that절이 왔다. that 뒤에 완전한 형태의 문장이 왔으므로 that의 쓰임이 바르다.

④ **문법포인트** 형용사 vs. 부사 부사인 unanimously가 동사인 approved를 수식하고 있다. 따라서 부사의 형태가 바르다.

#### 어휘

objection 반대  confident 자신감 있는  announce 발표하다
proposal 제안  unanimously 만장일치로  approve 승인하다

#### 해석

더 이상의 이의가 없었으므로, 그는 제안이 만장일치로 승인되었다고 발표할 만큼 충분히 자신감을 느꼈다.

**정답** ②

### 1. 형용사의 위치

형용사는 일반적으로 명사의 앞에 놓여서 명사를 수식한다. 그러나 특수한 경우 명사의 뒤에 위치하여 앞에 있는 명사를 수식한다.

(1) -thing, -body, -one, -where로 끝나는 명사의 경우

[ -thing  -body  -one  -where ] + 형용사

You have something white on your face.
네 얼굴에 흰 무언가가 있다.

(2) 2개 이상의 형용사가 명사를 수식할 경우
She is a student smart, pretty, and kind.
그녀는 똑똑하고, 예쁘고, 상냥한 학생이다.

### 2. 부사의 위치

(1) 형용사/부사 + enough
enough가 부사로서 형용사나 다른 부사를 수식할 때 수식받는 단어의 뒤에서 수식한다.

He speaks English fluently enough to get a job in the U.S.
그는 미국에서 일을 구할 수 있을 만큼 충분히 유창하게 영어로 말한다.
He speaks English enough fluently to get a job in the U.S. (×)

(2) 타동사구(타동사 + 부사)의 목적어
타동사구의 목적어가 대명사인 경우 타동사와 부사의 사이에만 위치할 수 있다.

| 명사 목적어 | 대명사 목적어 |
|---|---|
| 타동사 + 명사 + 부사 | 타동사 + 대명사 + 부사 |
| 타동사 + 부사 + 명사 | 타동사 + 부사 + 대명사 (×) |

We put the meeting off.  우리는 그 회의를 연기했다.
= We put off the meeting.
We put it off.  우리는 그것을 연기했다.
We put off it. (×)

#### 쌤's TIP

**시험 빈출 타동사구(타동사 + 부사)**
turn on 켜다
turn off 끄다
put on 입다
put off 미루다, 연기하다

# Exercises

※ 빈칸에 들어갈 알맞은 말을 고르시오.

1. We were _____ to visit the Grand Canyon, which has much beautiful landscape.

   ① enough fortunate
   ② fortunate enough
   ③ enough fortunately
   ④ fortunately enough

2. He felt _____ to tell me about something he wanted to do.

   ① enough comfortably
   ② comfortably enough
   ③ enough comfortable
   ④ comfortable enough

※ 밑줄 친 부분이 틀리면 바르게 고치시오.

3. This theme was enough large to become a life's work.

4. These educational picture books are enough visual to attract young children.

※ 다음 문장을 해석하고 구문분석하시오.

5. He could run quickly enough to catch the shoplifters.

6. You have to have confidence in your ability and then be tough enough to follow through.

---

1. **해설** 먼저 빈칸은 were의 보어가 들어가야 하므로 형용사 fortunate가 들어가며, 형용사나 부사를 수식하는 부사 enough는 수식하는 형용사나 부사의 뒤에 위치하여 수식한다. 따라서 빈칸에는 fortunate enough가 들어가야 한다.

   **어휘** landscape 경치   fortunate 운이 좋은

   **해석** 우리는 그랜드 캐니언을 방문할 만큼 충분히 운이 좋았는데 그곳은 경치가 아름다운 곳이 많다.

   **정답** ②

2. **해설** 먼저 빈칸은 감각동사 feel의 보어가 들어가야 하므로 형용사 comfortable이 들어가며, 형용사나 부사를 수식하는 부사 enough는 수식하는 형용사나 부사의 뒤에 위치하여 수식한다. 따라서 빈칸에는 comfortable enough가 들어가야 한다.

   **어휘** comfortable 편안한

   **해석** 그는 자기가 하고 싶은 일에 대해 내게 말할 수 있을 만큼 충분히 편안함을 느꼈다.

   **정답** ④

3. **해설** 형용사나 부사를 수식하는 부사 enough는 형용사나 부사의 뒤에서 수식한다. 따라서 enough large는 large enough로 고쳐야 한다.

   **해석** 이 주제는 일생의 작업이 될 수 있을 만큼 충분히 컸다.

   **정답** enough large → large enough

4. **해설** 형용사나 부사를 수식하는 부사 enough는 수식하는 형용사나 부사의 뒤에 위치하여 수식한다. 따라서 enough visual은 visual enough로 고쳐야 한다.

   **어휘** educational 교육적인   picture book 그림책
   visual 시각적인   attract 끌어들이다

   **해석** 이 교육적인 그림책들은 어린아이들을 끌어들일 만큼 충분히 시각적입니다.

   **정답** enough visual → visual enough

5. **어휘** shoplifter 좀도둑

   **해석** 그는 좀도둑들을 잡을 수 있을 정도로 충분히 빨리 달릴 수 있었다.

   **분석** He could run quickly enough / to catch the shoplifters.
   　　　　S　　　V

6. **어휘** confidence 자신감   ability 능력   tough 강한
   follow through 끝까지 밀고 나가다

   **해석** 자신의 능력에 대한 자신감이 있어야 하고, 그 다음에는 끝까지 밀고나갈 만큼 충분히 강해져야 한다.

   **분석** You have to have confidence in your ability // and
   　　　　S1　　　V1　　　　O1
   then be tough enough to follow through.
   　　　V2　C2

# 출제유형 064

**POINT 35 주의할 형용사와 부사**

## 수량형용사/난이형용사

**밑줄 친 부분 중 어법상 가장 옳지 않은 것은?**

> When you find your tongue ① <u>twisted</u> as you seek to explain to your ② <u>six-year-old</u> daughter why she can't go to the amusement park ③ <u>that</u> has been advertised on television, then you will understand why we find it difficult ④ <u>wait</u>.

### 유형 분석 & 전략

수 형용사와 함께 사용된 측정단위명사와 수단위 명사에 밑줄 그어 그 용법에 따라 단수/복수가 올바른지 확인해야 합니다.
난이형용사가 사용된 경우 동그라미 표시 후, 문장의 주어가 to부정사의 의미상의 주어/목적어인지를 확인해야 합니다.

### 포인트 분석

> When you find your tongue twisted as you seek to explain to your ② six-year-old (daughter)

### 해설

④ **문법포인트** to부정사의 역할 why가 이끄는 간접의문문에서 동사 find의 목적어로 it, 그리고 목적격보어로 difficult가 사용되었다. it은 가목적어이며 뒤의 wait가 진목적어이므로 to부정사의 형태로 써야 한다. (wait → to wait)

① **문법포인트** 불완전타동사와 동작의 목적격보어 find는 분사를 목적격보어로 취할 수 있는 타동사이다. 목적어인 your tongue이 스스로 꼬는 것이 아니라 꼬이게 된다는 수동의 의미가 있으므로 목적격보어는 과거분사인 twisted가 바르다.

② **문법포인트** 주의할 형용사와 부사 수량형용사가 측정단위명사와 쓰여 명사를 수식하는 한정 용법으로 사용될 경우, 측정단위명사는 단수형으로 온다. 수량형용사인 six가 측정단위명사인 year와 사용되어 daughter를 수식하는 한정 용법으로 사용되었다. 따라서 year라는 단수 형태가 바르다.

③ **문법포인트** 관계대명사의 선택 선행사 amusement park를 수식하는 관계대명사절이다. 관계대명사 that은 동사인 has been advertised의 주어 역할을 하는 주격 관계대명사로 바르게 쓰였다.

### 어휘

twist 꼬이다   amusement park 놀이공원   advertise 광고하다

### 해석

당신이 TV에서 광고된 놀이공원에 그녀가 왜 갈 수 없는지를 당신의 여섯 살 된 딸에게 설명하려고 시도하면서 당신의 혀가 꼬이는 것을 발견하면, 당신은 왜 우리가 기다리는 것을 힘들다고 느끼는지 이해하게 될 것이다.

**정답** ④

## 1. 수량형용사

**(1) 수량형용사가 측정단위명사와 사용될 때**

측정단위명사에는 dollar, won, year, day, story, foot 등이 있다. 서술용법으로 쓰일 경우 측정단위명사는 복수로, 명사를 수식할 경우 측정단위명사는 단수로 쓴다.

He is ten years old. 그는 열 살이다.
He is ten year old. (×)
He is a ten-year-old boy. 그는 열 살인 소년이다.
He is a ten-years-old boy. (×)

**(2) 수량형용사가 수단위명사와 사용될 때**

수단위명사에는 dozen, hundred, thousand, million, billion 등이 있다. 수단위명사는 특정 숫자와 함께 쓰일 때는 단수로, 막연하게 큰 수를 의미할 때는 복수로 쓴다.

There were five hundred people. 5백 명의 사람들이 있었다.
There were five hundreds people. (×)
There were hundreds of people. 수백 명의 사람들이 있었다.
There were hundred of people. (×)

## 2. 난이형용사

**(1)** 난이형용사는 to부정사의 의미상 주어가 사람일 때는 사람을 주어로 쓰지 못하고, to부정사의 의미상의 목적어가 사람인 경우 사람을 주어로 쓸 수 있다.

He is easy to do the work. (×)
It is easy for him to do the work. 그가 이 일을 하는 것은 쉽다.
➡ to부정사의 의미상의 주어가 문장의 주어로 사용될 수 없다.

It is difficult to persuade him. 그를 설득하는 것은 어렵다.
= He is difficult to persuade.
➡ to부정사의 목적어는 주어로 상승하여 주어가 될 수 있다.

**(2)** 난이형용사는 가주어/진주어 구문에서 가주어로 that절을 쓰지 못하고 to부정사로만 쓴다.

It is hard for people to pick up a newspaper without seeing some newly reported statistic about the economy.
사람들은 경제에 관한 새로운 통계를 보지 않고는 신문을 집어 들기 어렵다.

It is hard that people pick up a newspaper without seeing some newly reported statistic about the economy. (×)

# Exercises

※ 빈칸에 들어갈 알맞은 말을 고르시오.

1. Richard Wagner had the emotional stability of a _____ child.

   ① ten-year-old's    ② ten-year-olds
   ③ ten-years-old    ④ ten-year-old

2. She reached the mountain summit with her _____ friend on Sunday.

   ① 16-year-old's    ② 16-year-olds
   ③ 16-year-old      ④ 16-years-old

※ 밑줄 친 부분이 틀리면 바르게 고치시오.

3. He is hard to learn how to drive a car in Seoul.

4. Although our atmosphere extends upward for hundred of kilometers, it gets progressively thinner with altitude.

※ 다음 문장을 해석하고 구문분석하시오.

5. It is difficult for any of us to maintain a constant level of attention throughout our working day.

6. There were six hundred people who depended on the company to feed their families.

---

1. **해설** ten-year-old는 명사 child를 수식하는 용법으로 사용되었으므로 측정단위명사(year)가 단수인 ten-year-old가 바르다.
   **어휘** emotional stability 정서적 안정성
   **해석** Richard Wagner는 10살짜리 아이의 정서적 안정성을 지녔다.
   **정답** ④

2. **해설** 16-year-old는 명사 friend를 수식하는 용법으로 사용되었으므로 측정단위명사(year)가 단수인 16-year-old가 바르다.
   **해석** 그녀는 일요일에 16세의 친구와 함께 산 정상에 올랐다.
   **정답** ③

3. **해설** 난이형용사는 to부정사의 의미상의 주어가 사람일 때는 사람을 주어로 쓰지 못한다. 문맥상 주어인 He가 to learn ~의 의미상의 주어이므로 맞지 않다. He 대신 가주어 It을 쓰고 he는 to learn의 의미상의 주어인 for him으로 고쳐야 한다.
   **해석** 그가 서울에서 운전하는 법을 배우는 것은 어렵다.
   **정답** He is hard to learn ~ → It is hard for him to learn ~

4. **해설** 수단위명사가 수량형용사와 함께 쓰면 단수로 쓰고, 막연하게 큰 수를 의미하는 경우에는 복수로 써야 한다. hundred가 수량형용사 없이 단독으로 막연히 수백을 의미하므로 복수로 써야 한다.
   **어휘** atmosphere 대기  progressively 점진적으로  altitude 고도
   **해석** 비록 우리의 대기가 수백 킬로미터까지 위로 뻗어있지만, 고도가 높아지면서 점진적으로 더 얇아진다.
   **정답** hundred → hundreds

5. **어휘** maintain 유지하다  constant 일정한  attention 주의집중
   **해석** 우리 중 누구라도 근무일 내내 일정한 수준의 주의집중을 유지하기는 어렵다.
   **분석** It is difficult for any of us to maintain a constant level of attention / throughout our working day.

6. **어휘** company 회사  feed 먹여 살리다
   **해석** 가족들을 먹여 살리기 위해 그 회사에 의존하는 600명의 사람들이 있었다.
   **분석** There were six hundred people (who depended on the company / to feed their families.)

# 출제유형 065

**POINT 35 주의할 형용사와 부사**

## 유사 형태 형용사와 부사

### 어법상 옳지 않은 것을 고르시오.

Old giant corporations such as IBM and AT&T laid off thousands of workers, ① downsizing to become more efficient and competitive. The auto industry that ② many were ready to pronounce ③ deadly has revived and is ④ flourishing.

#### 유형 분석 & 전략

의미상 혼동하기 쉬운 형용사/부사가 보이면 밑줄 긋고 해석을 통해 문맥에 맞게 쓰였는지 확인해야 합니다.

#### 포인트 분석

The auto industry that many were ready to pronounce ③ deadly has revived and is flourishing.
　　→ dead

#### 해설

③ **문법포인트** 주의할 형용사와 부사 pronounce의 목적어는 관계대명사 that이고 deadly는 목적격보어이다. deadly는 '치명적인'의 의미를 가진 형용사로 목적격보어가 될 수는 있으나 문맥상 '부진한, 죽은'의 의미가 와야 하므로 그러한 의미의 형용사인 dead로 바꿔야 한다. (deadly → dead)

① **문법포인트** 분사구문 Old giant corporations laid off ~ and downsized ~의 문장을 분사구문으로 바꾼 문장이다. and가 생략되고 자동사 downsize에 -ing를 붙여 분사구문으로 바르게 쓰였다.

② **문법포인트** 인칭대명사 many는 many people의 의미로 사용되었으며, many는 복수로 취급되므로 복수 동사 were가 바르게 쓰였다.

④ **문법포인트** 현재분사 vs. 과거분사 flourishing은 '번영하다'를 의미하는 자동사의 현재분사 형태로 '번창하는'의 의미로 바르게 사용되었다.

#### 어휘

corporation 기업　lay off 해고하다　downsize 규모를 줄이다
efficient 효율적인　competitive 경쟁력 있는　pronounce 선언하다
deadly 치명적인　revive 활기를 되찾다　flourish 번영하다

#### 해석

IBM이나 AT&T와 같은 기존의 거대 회사들은 수천 명의 직원들을 해고하며 좀 더 효율적이고 경쟁력을 가질 수 있도록 규모를 줄여가고 있다. 많은 사람에 의해 죽었다고 선언되기 직전이었던 자동차 회사들은 활기를 되찾고 번영해 나가고 있다.

정답 ③

### 1. 유사 형태 형용사

| | |
|---|---|
| considerable (= significant) 중요한, 상당한<br>considerate 신중한, 사려 깊은 | regrettable 유감스러운<br>regretful 후회하는, 참회하는 |
| dead 죽은, 침체된<br>deadly 치명적인 | respectful 존경심 있는, 공손한<br>respectable 존경할 만한<br>respective 각각의 |
| sensible 지각 있는, 분별력 있는<br>sensitive 민감한<br>sensational 선풍적인<br>sensory 감각의<br>sensual 관능적인 | successful 성공적인<br>successive 연속적인<br>succeeding 이어지는 |
| industrial 산업의<br>industrious 근면한 | intelligent 똑똑한, 총명한<br>intelligible 알기 쉬운<br>intellectual 지적인 |
| literary 문학의<br>literal 글자 그대로의<br>literate 글을 읽고 쓸 줄 아는 | economic 경제의<br>economical 경제적인, 절약하는 |
| historic 역사적인, 유명한<br>historical 역사를 다루는, 역사에 관한 | imaginary 상상의, 가공의<br>imaginable 상상할 수 있는<br>imaginative 상상력이 풍부한 |

The accident caused considerable damage to the passengers in the bus. 사고는 버스의 탑승객들에게 상당한 상해를 입혔다.
She is always considerate of others.
그녀는 항상 다른 사람에게 사려 깊다.

### 2. 형용사가 두 가지 형태의 부사를 갖는 경우

| 형용사 | 부사 | 형용사 | 부사 |
|---|---|---|---|
| late 늦은 | late 늦게 | high 높은 | high 높게(높이) |
| | lately 최근에 | | highly 매우(정도) |
| hard 딱딱한<br>열심히 하는 | hard 열심히 | deep 깊은 | deep 깊게(깊이) |
| | hardly 거의 ~ 않는 | | deeply 매우, 심히(정도) |
| near 가까운 | near 가까이 | close 가까운, 밀접한 | close 가깝게 |
| | nearly 거의 | | closely 밀접하게 |

The airplane flew high. 그 비행기는 높게 날았다.
He is highly respected by his students.
그는 학생들에 의해 매우 존경을 받는다.
They arrived too late for the class.
그들은 수업에 너무 늦게 도착했다.
She has been acting strangely lately.
그녀는 최근 이상하게 행동하고 있다.

# Exercises

※ 빈칸에 들어갈 알맞은 말을 고르시오.

1. It was _____ of you to confer the help with him.

   ① considering　　② considerable
   ③ considered　　④ considerate

2. We believe it is more _____ to revise the law than abolish it.

   ① sensitive　　② sensible
   ③ sensational　　④ sensual

※ 밑줄 친 부분이 틀리면 바르게 고치시오.

3. Having just learned to drive and hard ever having the opportunity to use a car, I readily accepted.

4. The countries have struggled late with an economic recession and a pandemic outbreak.

※ 다음 문장을 해석하고 구문분석하시오.

5. The group aims to turn main affiliates into leading companies in the respective markets.

6. As the exhibition's title indicates, the subject of the pictures is closely related to the sport of baseball.

---

1. **해설** 빈칸은 was의 보어 자리로 형용사가 들어가야 한다. considerate는 '신중한, 사려 깊은'의 의미이고, considerable은 '중요한, 상당한'의 의미이다. 또한 의미상의 주어 앞에 of를 쓰고 있으므로 인성 형용사가 와야 한다. 그를 도와준 것에 대해 말하고 있으므로 빈칸에는 considerate가 들어가야 한다.

   **어휘** confer 주다　considerable 중요한
   considerate는 사려 깊은

   **해석** 네가 그에게 도움을 준 것은 사려 깊은 일이었다.

   **정답** ④

2. **해설** 빈칸은 is의 보어 자리로 형용사가 들어가야 한다. 법을 개정하는 것이 폐지하는 것보다 더 ~하다는 내용이므로 빈칸에는 '현명한'을 의미하는 sensible이 적절하다.

   **어휘** revise 개정하다　abolish 폐지하다　sensitive 민감한
   sensible 현명한　sensational 선풍적인
   sensual 관능적인

   **해석** 우리는 그 법을 폐지하는 것보다 개정하는 것이 더 현명하다고 믿는다.

   **정답** ②

3. **해설** 문맥상 '기회를 거의 갖지 못했다'는 의미가 되어야 하므로 '거의 ~ 않다'를 의미하는 hardly가 적합하다.

   **어휘** opportunity 기회　accept 받아들이다

   **해석** 나는 운전하는 법을 막 배웠고, 차를 사용할 기회를 거의 갖지 못했기 때문에, 나는 선뜻 받아들였다.

   **정답** hard → hardly

4. **해설** late는 '늦은, 늦게'를 의미하는 형용사이자 부사이고, lately는 '최근에'를 의미하는 부사로 최근에 어려움을 겪는다는 내용이 되어야 하므로 late는 lately로 고쳐야 한다.

   **어휘** struggle 어려움을 겪다　recession 침체
   pandemic 전 세계적인 유행병　outbreak 발병

   **해석** 그 국가들은 최근에 경기 침체와 전 세계적인 유행병 발병으로 어려움을 겪고 있다.

   **정답** late → lately

5. **어휘** affiliate 계열사　respective 각각의

   **해석** 그룹은 주요 계열사들을 각 시장에서 선도적인 기업으로 변모시키는 것을 목표로 하고 있다.

   **분석** The group(S) aims(V) to turn main affiliates(O) / into leading companies / in the respective markets.

6. **해석** 이 전시회의 이름이 나타내듯이, 사진들의 주제는 야구라는 스포츠와 밀접히 관련되어 있다.

   **분석** As the exhibition's title(S') indicates(V'), // the subject of the pictures(S) is closely related(V) / to the sport of baseball.

# 출제유형 066

**POINT 35 주의할 형용사와 부사**

## 부정부사 중복 금지

### 밑줄 친 부분 중 어법상 가장 옳지 않은 것은?

His survival ① over the years since independence in 1961 does not alter the fact that the discussion of real policy choices in a public manner has hardly ② never occurred. In fact, there have always been ③ a number of important policy issues ④ which Nyerere has had to argue through the NEC.

#### 유형 분석 & 전략

부정부사에 동그라미 후 앞뒤에 다른 부정부사가 보이면 밑줄 후 X표시 합니다.

#### 포인트 분석

the discussion of real policy choices in a public manner has ⓗⓐⓡⓓⓛⓨ ② never occurred.
→ ever

#### 해설

② **문법포인트** 주의할 형용사와 부사 hardly와 never는 둘 다 부정부사인데 부정부사는 중복해서 쓰지 않는다. 따라서 never를 ever로 고쳐서 hardly ever로 써야 한다. hardly ever는 '거의 ~ 않다'는 의미이다. (never → ever)

① **문법포인트** 전치사의 목적어 over는 전치사로 '~ 동안에, ~에 걸쳐서'의 의미이다. 목적어는 the years로 전치사 over가 바르게 사용되었다.

③ **문법포인트** 명사의 이해 a number of는 '다수의'라는 뜻으로 뒤에 셀 수 있는 명사의 복수형이 온다. policy issues를 수식하는 a number of가 바르게 쓰였다.

④ **문법포인트** 관계대명사의 선택 타동사 argue의 목적어가 policy issues로 이를 선행사로 하는 목적격 관계대명사 which가 바르게 쓰였다.

#### 어휘

survival 생존  independence 독립  alter 바꾸다  policy 정책  argue 주장하다

#### 해석

1961년 독립 이래로 그의 수년간의 생존이 실질적 정책 선택에 대한 토론이 대중적 방식으로 거의 이루어지지 않았다는 사실을 바꾸어 놓지는 않는다. 사실상 Nyerere가 NEC를 통해 주장해야 했던 수많은 중요한 정치적 이슈들이 항상 있어 왔다.

**정답** ②

---

준부정부사들과 never 등은 자체적으로 부정의 의미를 가지고 있어 다른 부정부사와 함께 쓰지 않는다.

| 준부정부사 | 의미 |
| --- | --- |
| hardly, scarcely, rarely, barely, seldom, little | 거의 ~하지 않다 |

I can scarcely believe it.
나는 그것을 거의 믿을 수가 없다.
I can't scarcely believe it. (×)

#### 쌤's TIP

neither도 부정부사이므로 뒤에 다시 부정(not)을 쓰면 틀린다.
He wasn't tall, and neither wasn't she. (×)

### 구문분석 공식

**공식 26** 준부정부사도 반드시 부정의 의미를 넣어서 해석한다.

**준부정부사**
They are very rarely seen / during the winter.
그들은 거의 보이지 않는다 / 겨울에는.
**해석** 그들은 겨울에는 거의 보이지 않는다.

**준부정부사**
You will have little trouble / communicating with each other.
당신들은 거의 어려움이 없을 것이다 / 서로 의사소통을 하는 데.
**해석** 당신들은 서로 의사소통을 하는 데 거의 어려움이 없을 것이다.

# Exercises

※ 밑줄 친 부분이 틀리면 바르게 고치시오.

1. I can't barely hear that. Would you please turn the volume up?

2. Under no circumstances you should not leave here.

3. I am not scarcely in complete agreement with your stress on the necessity of developing "new" concepts.

4. People in the country don't rarely marry someone outside of their classes.

※ 다음 문장을 해석하고 구문분석하시오.

5. What's more, the president of the company, who is also the singer, hardly turned up at the company over the three years.

6. Animal species that seldom compete for food or shelter rarely exhibit aggressive tendencies.

---

1. **해설** 부정부사는 다른 부정부사와 같이 쓸 수 없다. not과 barely는 모두 부정부사이므로 같이 쓰면 틀리게 된다. 둘 중 하나를 삭제해야 한다.

   **어휘** turn up (소리, 온도를) 높이다

   **해석** 그게 (거의) 들리지 않습니다. 소리 좀 높여 주시겠습니까?

   **정답** can't barely → can't/can barely

2. **해설** Under no circumstances는 '어떤 상황에서도 ~ 아닌'을 의미하는 부정의 부사구로 뒤에 다시 부정어구가 오면 안 된다. 중복된 부정부사인 not을 제거해야 한다. 또한 부정어구가 문장 앞으로 나왔으므로 주어와 동사는 도치해야 한다.

   **어휘** circumstance 상황

   **해석** 어떤 상황에서도 당신은 이곳을 떠나면 안 된다.

   **정답** you should not → should you

3. **해설** 부정부사는 다른 부정부사와 같이 쓸 수 없다. not과 scarcely는 모두 부정부사이므로 같이 쓰면 틀리게 된다. 둘 중 하나를 삭제해야 한다.

   **어휘** complete 전적인   agreement 동의   stress 강조
   necessity 필요성   concept 개념

   **해석** 나는 '새로운' 개념을 개발할 필요성에 대한 당신의 강조에 (거의) 전적인 동의는 하지 않는다.

   **정답** not scarcely → not/scarcely

4. **해설** 부정부사는 다른 부정부사와 같이 쓸 수 없다. not과 scarcely는 모두 부정부사이므로 같이 쓰면 틀리게 된다. 둘 중 하나를 삭제해야 한다.

   **어휘** class 계급

   **해석** 이 나라의 사람들은 자신의 계급 밖의 사람과는 (거의) 결혼하지 않는다.

   **정답** don't rarely → don't/rarely

5. **어휘** what is more 게다가   president 사장
   turn up 나타나다

   **해석** 게다가 가수이기도 한 이 회사의 사장은 3년 동안이나 회사에 거의 나타나지 않았다.

   **분석** What's more, // the president of the company, (S) (who is also a singer), hardly turned up (V) / at the company / over the three years.

6. **어휘** species 종   compete 경쟁하다   shelter 주거지
   exhibit 드러내 보이다   aggressive 공격적인
   tendency 성향

   **해석** 식량이나 주거지를 위해 거의 경쟁하지 않는 동물 종들은 공격적인 성향을 거의 드러내지 않는다.

   **분석** Animal species (that seldom compete for food or shelter) (S) / rarely exhibit (V) aggressive tendencies (O).

Chapter 05 형용사, 부사, 비교

# 출제유형 067

**POINT 36** 비교 구문

## 원급과 비교급 비교

---

**어법상 틀린 것은?**

> Last year the country ① had fewer imports ② as it did ③ the year before last ④ due to the energy crisis.

### 유형 분석 & 전략

비교 구문이 있다면 각 비교 구문이 올바른 형태인지 확인해야 합니다. as가 사용된 경우 앞뒤 as에 동그라미, 형용사/부사의 원급은 밑줄 표시합니다. 형용사/부사의 비교급이 있다면 동그라미하고 뒤의 than에 밑줄 표시합니다.

### 포인트 분석

Last year the country had (fewer) imports ② as it did the year before last due to the energy crisis.
→ than

## 1. 원급 비교

형용사와 부사의 원급을 사용해서 두 개의 대상이 서로 동등함을 표현할 때 사용된다.

(1) 형태와 의미

| 형태 | 의미 |
| --- | --- |
| A + as + 형용사·부사 원급 + as + B | A는 B만큼 ~하다 |
| A + not + so/as + 형용사·부사 원급 + as + B | A는 B만큼 ~하지 않다 |

The sky is as blue as the ocean (is blue).
바다가 푸른 것만큼 하늘도 푸르다.

He is not so smart as his brother. 그는 그의 형만큼 똑똑하지 않다.

## 2. 비교급 비교

두 개의 대상 중 하나가 더 낫거나 못함을 나타낼 때 사용된다. '우등·열등 비교'라고 말할 수 있다.

(1) 형태와 의미

| 형태 | 의미 |
| --- | --- |
| A + 형용사·부사의 비교급 + than + B | A가 B보다 더 ~하다 |

Science is more important than music (is important).
음악(이 중요한 것)보다 과학이 더 중요하다.

(2) 동일 대상의 성질 비교: more A than B

하나의 대상의 성질을 비교하는 경우 1, 2음절의 형용사나 부사도 -er을 쓰지 않고 more를 써야 한다.

He is more smart than cunning. 그는 교활하기보다는 똑똑하다.

### 구문분석 공식

**공식 27** 원급을 사용하는 동등 비교는 그 성질에 있어 두 비교 대상의 정도가 동등함을 의미한다.

**동등비교**
Jane is not as young // as she looks.
Jane은 젊지 않다 // 보기만큼.

해석: Jane은 보기만큼 젊지 않다.

**공식 28** 비교급을 사용하는 우등/열등 비교는 그 성질에 있어 두 비교대상 중 하나가 더하거나 덜함을 의미한다.

**우등비교**
Fit and comfort are more important // than style.
꼭 맞고 편한 것은 더 중요하다 // 스타일보다.

해석: 꼭 맞고 편한 것은 스타일보다 더 중요하다.

어휘: fit 꼭 맞는 것[의복]  comfort 편안

---

### 해설

② **문법포인트** 비교 구문 fewer라는 비교급이 왔으므로 비교급 비교의 문장이다. 원급 비교를 나타내는 as가 아니라 than이 되어야 한다. (as → than)

① **문법포인트** 시제 일치와 예외 last year라는 과거 시제를 나타내는 부사가 있으므로 과거 시제의 사용이 바르다.

③ the year before last는 '지난해 이전의 해'라는, 즉 재작년의 표현으로 바르게 쓰였다.

④ **문법포인트** 전치사의 목적어 due to는 '~로 인한'을 의미하는 전치사이다. the energy crisis를 목적어로 취하면서 문맥과 어법 모두 바르게 쓰였다.

### 어휘

import 수입품  due to ~로 인한  crisis 위기

### 해석

에너지 위기로 인해 지난해 그 나라는 재작년보다 수입이 적었다.

정답 ②

# Exercises

※ 빈칸에 들어갈 알맞은 말을 고르시오.

1. She looks _____ than she is.

   ① more young   ② very young
   ③ much younger   ④ more younger

2. She has received fewer presents _____ some of her friends.

   ① than   ② less than
   ③ as   ④ more than

※ 밑줄 친 부분이 틀리면 바르게 고치시오.

3. Few living things are linked together as intimately than bees and flowers.

4. It turns out that he was not so stingier as he was thought to be.

※ 다음 문장을 해석하고 구문분석하시오.

5. Philosophers have not been as concerned with anthropology as anthropologists have with philosophy.

6. He says that it is much easier for him to express his thoughts in Russian than in English.

---

1. 해설 뒤에 비교급 접속사 than이 있는 것으로 보아 빈칸에는 비교급이 들어가야 한다. young의 비교급은 younger이고 3음절 이상일 때 붙이는 more는 쓰지 않는다.
   해석 그녀는 실제보다 훨씬 더 젊어 보인다.
   정답 ③

2. 해설 앞에 비교급인 fewer가 있는 것으로 보아 빈칸에는 비교급 접속사[전치사]인 than이 들어가야 한다. less나 more는 이미 fewer가 있으므로 들어갈 수 없다.
   어휘 receive 받다   present 선물
   해석 그녀는 그녀의 친구들 일부보다 더 적은 선물을 받았다.
   정답 ①

3. 해설 as intimately라는 부사의 원급 비교 구문이 사용되고 있으므로 비교대상의 앞에서는 비교급 비교 접속사 than이 아니라 원급 비교 접속사 as가 적합하다. 따라서 as intimately than이 아니라 as intimately as라고 고쳐야 한다.
   어휘 living things 생명체   link 연결시키다   intimately 밀접하게
   해석 벌과 꽃만큼 서로 밀접하게 연결되어 있는 생명체는 거의 없다.
   정답 than → as

4. 해설 'A는 B만큼 ~하지 않다'라는 의미의 「A+not+so[as]+형용사/부사 원급+as+B」는 원급 비교의 구문으로 so[as]와 as 사이에는 형용사나 부사의 원급이 와야 한다. 따라서 비교급 stingier를 원급인 stingy로 써야 한다.
   어휘 turn out 드러나다   stingy 인색한
   해석 그는 사람들이 생각했던 만큼 인색하지 않았다는 것이 드러났다.
   정답 stingier → stingy

5. 어휘 be concerned with ~에 관심을 가지다
   anthropology 인류학   philosophy 철학
   해석 철학자들은 인류학자들이 철학에 대해 가지고 있는 것만큼 인류학에 관심을 가지지는 않았다.
   분석 Philosophers(S) have not been(V) as concerned(C) / with anthropology // as anthropologists(S') have(V') with philosophy.

6. 어휘 express 표현하다
   해석 그는 자기 생각을 영어보다 러시아어로 표현하는 것이 훨씬 쉽다고 말한다.
   분석 He(S) says(V) // that it(가S') is(V') much easier(C') for him to express his thoughts in Russian(진S') // than in English.

Chapter 05 형용사, 부사, 비교

# 출제유형 068

**POINT 36** 비교 구문

## 최상급

---

**밑줄 친 부분에 들어갈 말로 가장 적절한 것은?**

> The octopus is _____ hunter of all the sea creatures, mastering camouflage and escape tactics brilliantly.

① most cunning
② more cunning
③ the more cunning
④ the most cunning

### 유형 분석 & 전략

형용사/부사의 최상급이 보이면 동그라미 후, 앞에 정관사 the에 밑줄 그어 사용이 올바른지 확인해야 합니다.

### 포인트 분석

The octopus is the (most cunning) hunter of all the sea creatures,

## 1. 최상급 비교

### (1) 최상급의 형태와 의미

최상급은 셋 이상의 대상 중 정도가 가장 심함을 설명할 때 사용한다. 명사를 수식하는 형용사의 최상급 앞에는 the가 온다.

| 형태 | 의미 |
|---|---|
| the + 형용사·부사의 최상급 | 가장 ~한 |

Helen was the most intelligent girl of all the students.
Helen은 모든 학생 중에서 가장 똑똑한 소녀였다.

It is the most beautiful place I have ever visited.
여기는 내가 가 본 곳 중 가장 아름다운 장소다.

### (2) 정관사 the를 쓰지 않는 최상급

· 다른 대상과의 비교가 아닌 동일물 내에서의 시간, 장소, 조건적 변동에 의한 최상이 될 경우 정관사 the를 쓰지 않는다.

This lake is deepest at this point.
이 호수는 이 지점에서 가장 깊다.

Most people are happiest during the holidays.
대부분의 사람들은 휴가 중에 가장 행복하다.

· 대명사 소유격(my)도 정관사 the와 같은 한정사이므로 소유격이 있으면 정관사 the를 쓰지 않는다.

She is my best friend.
그녀는 나의 가장 좋은 친구이다.

· 부사의 최상급에는 the를 쓰지 않을 수도 있다.

He ran (the) fastest of all the runners.
그는 모든 주자 중에서 가장 빨리 달렸다.

### 해설

**문법포인트** 비교 구문 최상급은 the와 함께 쓰이므로 the most cunning이 되어야 한다. 뒤에 of all the sea creatures를 통해 앞에 최상급이 와야 함을 알 수 있다. 이렇게 「of + 복수 명사」, 혹은 「in + 장소」와 함께 쓰일 때 최상급으로 주로 쓰인다.

### 어휘

hunter 사냥꾼  creature 생물  master 숙달하다  camouflage 위장  escape 탈출  tactic 전술

### 해석

문어는 모든 바다 생물 중에서 가장 교활한 사냥꾼으로, 위장과 탈출 전술을 영리하게 숙달했다.

정답 ④

# Exercises

※ 빈칸에 들어갈 알맞은 말을 고르시오.

1. She is _____ girl that I have ever met.

   ① more kind  ② the most kind
   ③ kindest  ④ the kindest

2. Among the land animals, the Cheetah can run _____ over the ground.

   ① the most fast  ② fastest
   ③ the most fastest  ④ most fastest

※ 밑줄 친 부분이 틀리면 바르게 고치시오.

3. My the worst nightmare is being stuck somewhere with nothing to read.

4. She was happiest when she was with her children gathering around her.

※ 다음 문장을 해석하고 구문분석하시오.

5. This site recommends 10 travel destinations with the most beautiful scenery in the world.

6. Beijing's tallest building, the China Zun Tower is also among the tallest buildings in the world.

---

1. 해설) kind는 1음절로 비교급과 최상급을 만들 때는 -er, -est를 붙여서 만든다. 또 최상급에는 정관사 the를 함께 써야 하므로 빈칸에는 the kindest가 들어가야 한다.
   해석) 그녀는 내가 만나본 중에서 가장 친절한 소녀이다.
   정답) ④

2. 해설) 최상급에는 정관사 the를 붙이는 것이 원칙이지만 부사의 최상급에는 the를 붙이지 않아도 된다. 따라서 정관사 the 없는 fastest가 바르게 쓰였다. the fastest로 정관사를 붙여 줄 수도 있다.
   해석) 육상 동물들 중에서 치타는 땅 위를 가장 빨리 달릴 수 있다.
   정답) ②

3. 해설) 최상급 앞에 my 등의 소유격이 있으면 정관사 the를 붙일 수 없다. 따라서 정관사 또는 소유격을 삭제해야 한다.
   어휘) nightmare 악몽  stick 갇히게 하다
   해석) (내) 최악의 악몽은 읽을 것도 없이 어딘가에 갇혀있는 것이다.
   정답) My the worst → The worst/My worst

4. 해설) 동일물의 성격을 비교하는 최상급에서는 정관사 the를 붙이지 않는다. 이 문장은 그녀의 행복한 때를 비교하는데 그녀가 주위에 그녀의 아이들이 있을 때 가장 행복했다는 동일물 비교에 해당하므로 happiest가 바르게 쓰였다.
   어휘) gather 모으다
   해석) 그녀는 자신의 주변에 모인 아이들과 함께 있을 때가 가장 행복했다.
   정답) 틀린 부분 없음

5. 어휘) recommend 추천하다  travel destination 여행지  scenery 풍경
   해석) 이 사이트는 세계에서 가장 아름다운 풍경을 가진 10개의 여행지를 추천한다.
   분석) This site(S) recommends(V) 10 travel destinations(O) (with the most beautiful scenery in the world).

6. 해설) 베이징의 가장 높은 빌딩인 차이나 준 타워도 세계에서 가장 높은 빌딩 중 하나이다.
   분석) Beijing's tallest building, the China Zun Tower(S) is(V) also among the tallest buildings in the world.

# 출제유형 069

**POINT 36 비교 구문**

## 비교급/최상급 수식

**어법상 옳지 않은 것은?**

> Sometimes there is nothing you can do to stop yourself falling ill. But if you lead a healthy life, you will probably be able to get better ① much more quickly. We can all avoid ② doing things that we know ③ damages the body, such as smoking cigarettes, drinking too much alcohol or ④ taking harmful drugs.

### 유형 분석 & 전략

비교급이나 최상급에 동그라미, 앞이나 바로 뒤의 부사에 밑줄 후 올바른 부사인지 확인해야 합니다.

### 포인트 분석

you will probably be able to get better ① much more quickly.

### 해설

③ **문법포인트** 주어 - 동사 수 일치 damages는 주격 관계대명사로 시작하는 that절의 동사이므로 선행사에 수 일치를 해야 한다. 선행사가 복수인 things이므로 damages는 복수 형태인 damage라고 써야 한다. 관계대명사 that 뒤의 we know는 삽입절이다. (damages → damage)

① **문법포인트** 비교 구문 비교급 more quickly를 수식하는 much가 바르게 쓰였다.

② **문법포인트** 완전타동사와 동작의 목적어 타동사 avoid는 목적어로 동명사를 취한다. doing이 목적어로 바르게 쓰였다.

④ **문법포인트** 등위접속사의 병렬 구조 등위접속사 or를 통해 동명사 형태인 smoking, drinking, taking이 올바르게 병렬 연결되어 있다.

### 어휘

fall ill 병에 걸리다   damage 해를 끼치다   harmful 해로운

### 해석

때로는 자신이 병에 걸리는 것을 막기 위해 할 수 있는 것이 아무것도 없다. 그러나 건강한 삶을 산다면 아마도 훨씬 더 빨리 호전될 수는 있을 것이다. 우리 모두는 담배를 피거나, 술을 지나치게 많이 마시거나, 혹은 해로운 약물을 먹는 것과 같이 우리가 알기로 인체에 해를 끼치는 것들을 하는 것을 피할 수 있다.

**정답** ③

---

형용사나 부사 앞에서 '매우'라는 의미로 강조할 때 부사 very를 사용한다.

그러나 very는 원급만 수식하고 비교급과 최상급은 수식할 수 없다. 다른 부사를 사용하여 비교급과 최상급을 수식하고 강조한다.

| 원급 수식 | 매우 | very |
|---|---|---|
| 비교급 수식 | 훨씬 or 약간 | much, far, by far, still, even, a lot, rather, a little |
| 최상급 수식 | 단연코 | much, far, by far |

The new model of Ford Escort is **far** *more expensive* than the old one.

Ford Escort의 새로운 모델은 구 모델보다 훨씬 더 비싸다.

He is much *the most industrious* in his class.

그는 그의 학급에서 단연코 가장 부지런하다.

### 쌤's TIP

by far는 최상급의 앞과 뒤 모두에서 수식이 가능하다.

Golf is fun and this is **by far** the most important.

Golf is fun and this is the most important **by far**.

골프는 재미있으며, 이것이 단연코 가장 중요하다.

# Exercises

※ 빈칸에 들어갈 알맞은 말을 고르시오.

1. I am convinced that making pumpkin cake from scratch would be _____ than making cake from a box.

   ① very easy
   ② even easy
   ③ much easier
   ④ very easier

2. They are the largest animals ever to evolve on Earth, larger _____ than the dinosaurs.

   ① far
   ② much
   ③ by far
   ④ still

※ 밑줄 친 부분이 틀리면 바르게 고치시오.

3. Jessica is a much careless person who makes little effort to improve her knowledge.

4. The last of these policies is by far the most important to solve the nation's hunger problems.

※ 다음 문장을 해석하고 구문분석하시오.

5. Trust in management is by far the biggest component of job satisfaction.

6. Groups of people often change behavior much more rapidly than natural selection could change gene frequencies.

---

1. **해설** 뒤에 비교급 접속사 than이 있는 것으로 보아 easy는 비교급인 easier가 되어야 한다. very는 비교급을 수식할 수 없으므로 비교급을 수식할 수 있는 even, much, a lot 등이 easier 앞에 와야 한다.
   **어휘** convince 확신시키다  pumpkin 호박
   from scratch 처음부터  from a box 박스에 담긴 믹스로
   **해석** 호박 케이크를 맨 처음부터 만드는 것이 박스에 담긴 믹스로 케이크를 만드는 것보다 훨씬 더 쉬울 것이라고 나는 확신한다.
   **정답** ③

2. **해설** by far는 비교급과 최상급을 수식할 때 뒤에서 수식할 수 있다. 다른 비교급과 최상급을 수식하는 부사들은 모두 앞에서 수식해야 한다. 따라서 빈칸에는 by far가 들어가야 한다.
   **어휘** evolve 진화하다  dinosaur 공룡
   **해석** 그들은 지구상에서 진화한 가장 큰 동물인데, 공룡보다 훨씬 크다.
   **정답** ③

3. **해설** careless는 비교급이 아닌 형용사 원급이다. 형용사의 원급은 very로 수식하므로 much는 very로 고쳐야 쓴다.
   **어휘** careless 부주의한
   **해석** Jessica는 자신의 지식을 향상시키는 노력은 거의 하지 않는 경솔한 사람이다.
   **정답** much → very

4. **해설** 최상급을 수식하는 부사 by far는 최상급의 앞 또는 뒤에 놓여야 한다. by far가 최상급 앞에 쓰였으므로 바르게 쓰였다.
   **어휘** policy 정책  hunger 굶주림
   **해석** 이러한 정책들 중에 마지막 정책이 이 나라의 굶주림 문제를 해결하는 데 단연코 가장 중요하다.
   **정답** 틀린 부분 없음

5. **어휘** management 경영진  trust 신뢰  component 요소  satisfaction 만족
   **해석** 경영진에 대한 신뢰는 단연코 직무 만족에 있어 가장 큰 요소이다.
   **분석** Trust (in management) is by far the biggest component (of job satisfaction).
   S         V        C

6. **어휘** behavior 행동  natural selection 자연 선택  frequency 빈도
   **해석** 사람의 집단은 종종 자연 선택이 유전자 빈도를 변화시킬 수 있는 것보다 훨씬 더 급격하게 행동을 변화시킨다.
   **분석** Groups of people often change behavior / much more rapidly // than natural selection could change gene frequencies.
   S                      V      O                           S'                V'           O'

Chapter 05 형용사, 부사, 비교

# 출제유형 070

**POINT 37 비교 사용 표현**

## 비교 사용 표현

밑줄 친 부분에 들어갈 말로 가장 적절한 것은?

> He couldn't afford to buy a new car, _____ to consider taking a vacation abroad.

① still more
② still less
③ still most
④ still least

### 유형 분석 & 전략

원급이나 비교급을 이용하는 표현들이 있습니다.
그 의미가 생소할 뿐만 아니라 긍정, 부정의 의미를 혼동하기 쉽기 때문에 표현을 암기할 때 부정어의 유무에 주의하고 영어 문장에서 부정의 유무를 꼭 확인해야 합니다.

### 포인트 분석

> He couldn't afford to buy a new car, still less to consider taking a vacation abroad.

### 해설

**문법포인트** 비교 사용 표현 still more, still less는 모두 '~은 말할 것도 없이'의 의미가 있다. 그러나 still less는 앞 문장이 부정일 때, still more는 앞 문장이 긍정일 때 쓴다. 앞에 couldn't라는 부정문이 왔으므로 빈칸에는 still less가 가장 적합하다.

### 어휘

can't afford to ~할 여유가 없다   consider 고려하다
take a vacation 휴가를 가다

### 해석

그는 새 차를 살 여유가 없었으며, 해외 여행을 생각할 만큼의 여유는 더욱 없었다.

**정답** ②

## 1. 원급 비교 사용 주요 표현

| as ~ as 주어 can | 할 수 있는 만큼 ~한(= as ~ as possible) |
|---|---|
| not so much A as B | A라기보다는 B인 |
| not so much as ~ | ~조차도 아닌 |

You had better answer the letter as soon as you can.
너는 네가 할 수 있는 만큼 빨리 편지에 답하는 것이 낫다.

He is not so much a singer as an actor.
그는 가수라기보다는 연기자이다.

She could not so much as remember her son's name.
그녀는 아들의 이름조차도 기억할 수 없었다.

## 2. 비교급 비교 사용 주요 표현

| A is no 비교급 than B | B가 ~하지 않듯 A도 ~하지 않다(양자 부정) |
|---|---|
| A is no more B than C | C가 B가 아니듯 A도 B가 아니다(양자 부정) |
| A is no less B than C | C가 B이듯 A도 B이다 ➡ A와 C 둘 다 B이다 (양자 긍정) |
| much more / still more | ~은 말할 것도 없이 (긍정 의미 강화) |
| much less / still less | ~은 말할 것도 없이 (부정 의미 강화) |

He is no taller than his brother.
그도 형보다 크지 않다(둘 다 작다 ➡ 양자 부정).

A whale is no more a fish than a horse is (a fish).
말이 물고기가 아니듯 고래도 물고기가 아니다.

He is no less guilty than you are.
당신이 유죄이듯 그도 유죄이다. (둘 다 유죄이다 ➡ 양자 긍정)

He can speak French still more English.
그는 영어는 말할 것도 없이 불어를 할 수 있다.

He can't speak French still less English.
그는 영어는 말할 것도 없이 불어를 못한다.

### Check!

A is no more B than C = A is not B any more than C

He is not guilty any more than you are.
당신이 유죄가 아니듯 그도 유죄가 아니다. (둘 다 유죄가 아니다 → 양자 부정)

### 쌤's TIP

| no more than | 단지 ~밖에 안 되는(= only) |
|---|---|
| no less than | 자그마치 ~나 되는(= as much as) |
| not more than | 기껏해야(= at most) |
| not less than | 최소한(= at least) |

# Exercises

※ 빈칸에 들어갈 알맞은 말을 고르시오.

1. I know no more than he _____ about her mother.

   ① do        ② didn't
   ③ does      ④ doesn't

2. They are not interested in reading poetry, _____ in writing.   2024 국가직 9급

   ① still more   ② still less
   ③ much more   ④ less than

※ 밑줄 친 부분이 틀리면 바르게 고치시오.

3. She is no more talented than her sister <u>is not</u>.

4. He can speak English fluently, <u>much less</u> Spanish.

※ 다음 문장을 해석하고 구문분석하시오.

5. The cat didn't so much as quiver when a car door slammed on the next street.

6. The monkeys are one of the rarest animals, with an estimated population of not more than 100 individuals left on earth.

---

1. **해설** 「A no more B than C D」는 'C가 D가 아니듯 A도 B가 아니다'를 의미하는 양자부정의 표현이다. 이때 than 이후는 부정의 의미지만 부정부사를 사용하지 않는다. 따라서 빈칸에는 does가 들어가야 한다.
   **해석** 그녀의 어머니에 대해서는 나도 그만큼 아는 것이 없다.
   **정답** ③

2. **해설** 부정문 뒤에서 부정을 강조하는 경우 still less를 써야 한다. still more, much more는 긍정 강화이다. less than은 문맥상 빈칸에 들어갈 수 없다.
   **어휘** poetry 시
   **해석** 그들은 시 읽기에 관심이 없으며, 하물며 쓰기에는 더 관심이 없다.
   **정답** ②

3. **해설** 양자부정의 경우 than 이하에 부정어를 쓰지 않아야 한다. 따라서 is not은 is로 고쳐야 한다.
   **해석** 그녀는 그녀의 언니만큼이나 재능이 없다.
   **정답** is not → is

4. **해설** much less는 부정문 뒤에서 부정의 의미를 강조하는 표현이다. 앞 문장이 긍정이므로 긍정을 강화하는 much more 또는 still more로 고쳐야 한다.
   **해석** 그는 영어를 유창하게 한다. 게다가 스페인어까지 유창하게 한다.
   **정답** much less → much more/still more

5. **해설** 그 고양이는 옆 길가에서 차 문이 쾅 닫혔을 때 떨지조차 않았다.
   **분석** The cat[S] didn't so much as quiver[V'] // when a car door slammed[S' V'] / on the next street.

6. **해설** 이 원숭이들은 지구상에 개체가 고작 100마리밖에 남지 않은 것으로 추정되는 가장 희귀한 동물 중 하나이다.
   **분석** The monkeys[S] are[V] one of the rarest animals[C], / with an estimated population of not more than 100 individuals left on earth.

# 출제유형 071

**POINT 37** 비교 사용 표현

## 라틴 비교

**밑줄 친 부분에 들어갈 말로 가장 적절한 것은?**

> Your overcoat is _____ in quality to mine.

① more superior  ② superior
③ superiorer  ④ inferiorer

### 유형 분석 & 전략

라틴어에서 유래한 비교 사용 표현(prefer, superior, inferior 등)이 보이면 동그라미 후 비교하는 대상의 앞에 than/to인지 밑줄 그어 확인합니다.

### 포인트 분석

Your overcoat is (superior) in quality **to** mine.

다음의 단어들은 라틴어에서 유래한 단어로서 '~보다'를 표현할 때 than이 아니라 to를 사용하는 단어들이다.

| junior 더 어린 | senior 더 나이든 | |
|---|---|---|
| superior 더 우수한 | inferior 더 열등한 | to + 비교대상 |
| prefer 더 좋아하다 | | |

This car is superior **to** that one.
이 차는 저 차보다 더 뛰어나다.

### 해설

**문법포인트** 비교 사용 표현 superior는 '~보다 더 우수한'의 의미를 갖는 라틴 비교 표현이다. 이러한 라틴 비교 표현은 than이 아니라 to와 호응해서 쓰인다. 또한 단어 자체에 비교급의 의미가 있어 more를 앞에 두거나 단어 끝에 er을 붙여 비교급을 만들지 않는다.

### 어휘

quality 품질  superior 더 우수한

### 해석

너의 겨울 코트는 내 것보다 품질에서 더 우수하다.

**정답** ②

> **Check!**
>
> **prefer의 용법**
> 「prefer -ing to -ing」 형태 또는 「prefer to+동·원 rather than (to)+동·원」 형태로 쓴다.
>
> I prefer staying home **to** going out on a snowy day.
> = I prefer to stay home **rather than** (to) go out on a snowy day.
> 나는 눈 오는 날 밖에 나가는 것보다 집에 있는 것을 더 좋아한다.

# Exercises

※ 빈칸에 들어갈 알맞은 말을 고르시오.

1. We are all equal, so no one is inferior or superior _____ anyone else.

   ① to  
   ② than  
   ③ as  
   ④ more than

2. I prefer to cook at home rather than _____ at a restaurant.

   ① to eating out  
   ② eating  
   ③ to eat out  
   ④ eats

※ 밑줄 친 부분이 틀리면 바르게 고치시오.

3. A small town seems to be preferable <u>than</u> a big city for raising children.

4. I prefer listening to music <u>rather than</u> drawing pictures.

※ 다음 문장을 해석하고 구문분석하시오.

5. I'd prefer to see a movie rather than go to a restaurant with you.

6. Even though she is not superior to me, she has more experience than I do.

---

1. **해설** inferior와 superior는 모두 라틴어에서 비롯된 비교급 표현이다. 라틴어 비교 표현은 than 대신 to를 써서 표현하므로 빈칸에는 to가 들어가야 한다.
   
   **어휘** inferior 열등한   superior 우월한
   
   **해석** 우리는 모두 평등하다, 그러므로 누구도 다른 어떤 사람보다 열등하거나 우월하지 않다.
   
   **정답** ①

2. **해설** '~보다 …를 더 좋아하다'의 의미로 prefer 동사를 사용할 때는 「prefer+to부정사+rather than+(to)부정사」 또는 「prefer+(동)명사+to+(동)명사」 형태로 쓴다. rather than 앞에 to cook으로 to부정사가 있으므로 than 뒤에는 (to) 부정사의 형태가 와야 한다. 따라서 빈칸에는 to eat out이나 eat out이 들어가야 한다.
   
   **해석** 나는 식당에서 외식하는 것보다 집에서 해 먹는 것을 더 좋아한다.
   
   **정답** ③

3. **해설** prefer는 라틴어에서 유래한 비교급 표현이므로 than이 아니라 to와 호응한다. 또한 preferable 역시 라틴어에서 유래한 비교급 표현이므로 than은 to로 고쳐야 한다.
   
   **어휘** preferable 선호되는
   
   **해석** 아이들을 키우기에는 소도시가 대도시보다 더 선호되는 것으로 보인다.
   
   **정답** than → to

4. **해설** '~보다 …를 더 좋아하다'의 의미로 prefer 동사를 사용할 때는 「prefer+to부정사+rather than+(to)부정사」 또는 「prefer+(동)명사+to+(동)명사」 형태로 쓴다. rather than 앞뒤로 동명사가 왔으므로 rather than은 to로 고쳐야 한다.
   
   **해석** 나는 그림을 그리는 것보다 음악을 듣는 것을 선호한다.
   
   **정답** rather than → to

5. **해석** 나는 당신과 함께 식당에 가는 것보다 영화를 보는 것을 선호한다.
   
   **분석** I'd prefer(S V) to see a movie(O) // rather than go to a restaurant with you.

6. **어휘** experience 경험
   
   **해석** 그녀는 나보다 더 뛰어나지 않지만 경험은 나보다 더 많다.
   
   **분석** Even though she(S') is not(V') superior to me(C'), // she(S) has(V) more experience(O) // than I do.

## 출제유형 072

**POINT 37 비교 사용 표현**

## 배수 비교

**밑줄 친 부분에 들어갈 말로 가장 적절한 것은?**

> The lighthouse stood _____ any other structure along the coastline.

① as three times tall as
② three times taller as
③ as taller as three times
④ three times as tall as

### 유형 분석 & 전략

「~ times」의 형태를 가진 배수사가 보이면 동그라미, 뒤에 원급 비교 또는 비교급 비교의 형태와 어순이 올바른지 확인해야 합니다.

### 포인트 분석

The lighthouse stood three times as tall as any other structure along the coastline.

### 해설

**문법포인트** 비교 사용 표현 배수가 비교표현과 쓰일 때 비교 표현 바로 앞에 와서 쓰인다. 원급 비교와 쓰일 때는 「배수+as 원급 as」, 비교급과 쓰일 때는 「배수+비교급 than」의 형태가 된다.

### 어휘

lighthouse 등대  structure 구조물  coastline 해안선

### 해석

등대는 해안선을 따라 있는 다른 구조물들보다 세 배로 높게 서 있다.

**정답** ④

1. '몇 배만큼 ~하다'라는 의미를 전달하기 위해서는 배수사를 앞에 넣고 뒤에 원급 비교 또는 비교급 비교를 넣으면 된다.

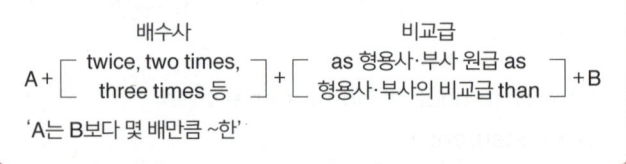

A + [ twice, two times, three times 등 ] (배수사) + [ as 형용사·부사 원급 as / 형용사·부사의 비교급 than ] (비교급) + B
'A는 B보다 몇 배만큼 ~한'

This house is twice as big as that house.
이 집은 저 집의 두 배만큼 크다.
= This house is two times bigger than that house.

2. **배수사 + 명사(구, 절)**

This house is two times the size of that house.
이 집은 저 집의 두 배 크기이다.

### 쌤's TIP

half와 twice는 원급 비교인 as ~ as의 형태로만 쓴다.
The new model is twice as expensive as the old one.
그 신모델은 구모델보다 두 배 더 비싸다.

# Exercises

※ 빈칸에 들어갈 알맞은 말을 고르시오.

1. The star is thousands of times _____ than the Sun.

   ① bright  ② brighter
   ③ brightest  ④ brightly

2. The new internet connection downloads files _____ the previous one.

   ① as four times rapidly as
   ② four times as rapid as
   ③ four times as rapidly as
   ④ as rapidly as four times

※ 밑줄 친 부분이 틀리면 바르게 고치시오.

3. The head of the department, who receives twice <u>the salary</u>, has to take responsibility.

4. The crab's eight spider-like walking legs may be <u>as three times long as</u> its body.

※ 다음 문장을 해석하고 구문분석하시오.

5. She saved up to five times as much as her young brother's savings which were 300 dollars.

6. Black Americans are over three times more likely than white people to experience kidney failure.

---

1. **해설** 빈칸 앞에 배수사인 times가 있고 뒤에는 비교급 접속사 than이 있으므로 비교급을 사용한 배수 비교임을 알 수 있다. 빈칸에는 비교급이 들어가야 하므로 brighter가 들어가야 한다.
   **해석** 그 별은 태양보다 천 배 더 밝다.
   **정답** ②

2. **해설** 원급을 사용하는 배수 비교는 「배수사+as+형용사/부사 원급+as」의 구문을 사용한다. 따라서 빈칸에는 four times as rapidly as가 들어가야 한다. 동사인 downloads를 수식하는 부사가 필요하므로 형용사가 사용된 ②는 답이 될 수 없다.
   **어휘** rapidly 빠르게  previous 이전의
   **해석** 새 인터넷 연결은 파일을 이전 것보다 네 배만큼 빠르게 다운로드한다.
   **정답** ③

3. **해설** 비교되는 명사 앞에 바로 배수사를 넣어 배수 비교로 표현할 수 있다. 이때는 원급의 as나 비교급의 than 없이 배수사를 명사 바로 앞에 두어야 한다. 따라서 twice the salary가 바르게 사용되었다.
   **어휘** department 부서  salary 월급  responsibility 책임
   **해석** 월급을 두 배 받는 그 부서장이 책임을 져야 한다.
   **정답** 틀린 부분 없음

4. **해설** 배수사와 원급을 이용한 배수 비교 표현의 경우 배수사는 원급 앞에 위치해야 한다. 따라서 as three times long as는 three times as long as로 고쳐야 한다.
   **어휘** crab 게  spider-like 거미처럼 생긴
   **해석** 그 게의 거미처럼 생긴 여덟 개의 걷는 다리는 몸의 세 배만큼 길 수도 있다.
   **정답** as three times long as → three times as long as

5. **해석** 그녀는 300달러인 어린 남동생의 저축액의 5배까지 저축했다.
   **분석** <u>She</u>(S) <u>saved</u>(V) <u>up to five times as much</u>(O) / as her younger brother's savings (which were 300 dollars).

6. **어휘** experience 경험하다  kidney failure 신부전
   **해석** 미국 흑인은 백인보다 신부전을 경험할 가능성이 3배 이상 높다.
   **분석** <u>Black Americans</u>(S) <u>are</u>(V) over three times more <u>likely</u>(C) / than white people / to experience kidney failure.

# 출제유형 073

**POINT 37** 비교 사용 표현

## The 비교급, the 비교급

**빈칸에 알맞은 말이 순서대로 짝지어진 것은?**

> The _____ he earns, the _____ he spends.

① more, more  
② more, much  
③ good, worse  
④ better, bad

### 유형 분석 & 전략

'~할수록 더 …하다'라는 의미의 표현은 the 비교급의 뒤에 위치하는 주어와 동사에 밑줄 그어 어순을 확인한다.
그리고 앞에 위치한 the 비교급에 동그라미, 형용사/부사의 선택이 맞는지, 형태는 올바른지 확인해야 합니다.

### 포인트 분석

The more he earns, the more he spends.
(S' V'      S V)

### 해설

**문법포인트** 비교 사용 표현 「The 비교급, the 비교급」은 '~하면 할수록 더욱 더 …하다'를 의미하는 표현이다. 양쪽 모두 비교급을 써야 하므로 ①이 와야 한다.

### 어휘

earn 벌다   spend 쓰다

### 해석

돈을 더 많이 벌수록 그는 돈을 더 많이 쓴다.

**정답** ①

## 1. ~할수록 …하다

> The 비교급 S'+V', the 비교급 S+V
> 'S'가 V'하면 할수록, S는 더욱 V하다'

The **more** you laugh, the **prettier** you get.
더 많이 웃을수록 더 예뻐진다.

## 2. 동사가 be동사일 경우

동사가 be동사인 경우 도치(V+S)와 be동사 생략이 가능하다.

The **bigger** the expectation is, the **smaller** the satisfaction is.
기대가 크면 클수록, 만족은 더 적다.

= The **bigger** is the expectation, the **smaller** is the satisfaction.
(주어와 be동사 도치)

= The **bigger** the expectation, the **smaller** the satisfaction.
(be동사 생략)

### Check!

**비교급 형태 주의**

The more a hotel is expensive, the better its service is. (×)
비교급은 분리해서 쓸 수 없다.

The more expensiver a hotel is, the better its service is. (×)
「more + -er」의 형태는 틀리다.

The more expensive a hotel is, the better its service is. (○)
호텔이 비쌀수록 서비스는 더 좋다.

### 쌤's TIP

비교급 뒤에 of the two 등이 와서 두 개의 비교대상 중에 '더 ~하다'의 의미를 나타낼 경우 비교급 앞에 the가 온다.

Kate is **the** taller of the two girls.
케이트는 그 두 소녀 중에 더 키가 큰 쪽이다.

### 구문분석 공식

**공식 29** 「the+비교급, the+비교급」 구문은 '더 …할수록, 더 …하다'를 의미한다.

the+비교급                    the+비교급
**The more** trust you bestow, // **the more** others trust you.

당신이 더 많은 신뢰를 줄수록,    //  다른 사람들이 당신을 더 많이 신뢰한다.

**해석** 당신이 더 많은 신뢰를 줄수록, 다른 사람들이 당신을 더 많이 신뢰한다.

**어휘** trust 신뢰; 신뢰하다   bestow 주다

# Exercises

※ 빈칸에 들어갈 알맞은 말을 고르시오.

1. The _____ the change, the more the trouble.

   ① little   ② less
   ③ least   ④ fewer

2. The older you grow, _____ to learn a foreign language.

   ① the more it becomes difficult
   ② the more it becomes difficulter
   ③ the more difficult it becomes
   ④ the more difficulter it becomes

※ 밑줄 친 부분이 틀리면 바르게 고치시오.

3. The more they attempted to explain their mistakes, the worst their story sounded.

4. The more signs and symptoms you have, the great the chance you are having a heart attack.

※ 다음 문장을 해석하고 구문분석하시오.

5. The greater the number of bystanders who witness an emergency, the less likely any one of them will help.

6. The more you allow yourself to worry, the more likely things are to go wrong.

---

1. 해설 「The 비교급, the 비교급」은 '~하면 할수록 더욱더 ~하다'를 의미하는 표현이다. 양쪽 모두 비교급을 써야 하므로 빈칸에는 less가 들어가야 한다. change가 셀 수 없는 명사로 사용되었기 때문에 fewer는 답이 될 수 없다.

   해석 변화가 적을수록 더 많은 문제가 생긴다.

   정답 ②

2. 해설 difficult의 비교급은 more difficult이므로 difficulter의 형태는 옳지 않으며, 비교급의 의미를 전달하는 more difficult는 분리해서 문두와 문미에 써줄 수 없다. 빈칸에는 the more difficult it becomes가 들어가야 한다.

   어휘 foreign 외국의

   해석 나이가 들어가면 들어갈수록 그만큼 더 외국어 공부하기가 어려워진다.

   정답 ③

3. 해설 「The 비교급, the 비교급」은 '~하면 할수록 더욱더 ~하다'를 의미하는 표현이다. 양쪽 모두 비교급을 써야 하므로 최상급인 worst를 비교급 worse로 고쳐야 한다.

   어휘 attempt 시도하다   explain 설명하다

   해석 그들이 자신들의 실수에 대해 설명하려고 시도하면 할수록 그들의 이야기는 더욱더 나쁘게 들렸다.

   정답 the worst → the worse

4. 해설 앞의 the more signs and symptoms로 보아 「The 비교급, the 비교급」의 구문임을 알 수 있다. great의 비교급은 greater이므로 the great을 the greater로 고쳐야 한다.

   어휘 symptom 증상   heart attack 심장마비

   해석 더 많은 신호와 증상을 가지면 가질수록, 심장마비를 가질 확률은 더 높다.

   정답 the great → the greater

5. 어휘 bystander 구경꾼   witness 목격하다
   emergency 응급 상황

   해석 응급 상황을 목격한 구경꾼의 수가 많으면 많을수록, 그들 중 어느 한 명이 도움을 줄 가능성은 더 줄어들 것이다.

   분석 The greater the number of bystanders (who witness an emergency), // the less likely any one (of them) will help.

6. 어휘 allow 허락하다   worry 걱정하다

   해석 당신이 스스로 걱정을 더 많이 하게 할수록, 일들이 잘못될 가능성이 더 많다.

   분석 The more you allow yourself to worry, // the more likely things are / to go wrong.

# 출제유형 074

**POINT 37 비교 사용 표현**

## 최상급 대용 표현

**밑줄 친 부분에 들어갈 말로 가장 적절한 것은?**

> The scientist explained the concept more clearly than _____ in the field.

① any other expert
② any other experts
③ all the other expert
④ all other experts

### 유형 분석 & 전략

원급이나 비교급을 사용하여 최상급의 의미를 전달하는 구문의 경우 주어로 부정어가 사용되었는지, 비교대상으로 「any other + 단수 명사」 또는 「all the other + 복수 명사」인지 확인하는 문제가 출제되고 있습니다.

### 포인트 분석

The scientist explained the concept more clearly than ⓐny other expert in the field.

---

원급이나 비교급을 사용해서 최상급의 의미를 표현할 수 있다.

| 부정 주어 + [원급 비교(as ~ as) / 비교급 비교(비교급 than)] + A |
| A(주어) + 비교급 than + [any other + 단수 명사 / all the other + 복수 명사] |

**Nothing** is **as precious as** health.
어떤 것도 건강만큼 소중하지 않다.
= **Nothing** is **more precious than** health.
= Health is **more precious than any other** thing.
= Health is **more precious than all the other** things.

**No city** in the world is **larger than** New York.
세상의 어떤 도시도 뉴욕만큼 크지 않다.
= **No city** in the world is **as large as** New York.
= New York is **larger than any other** city in the world.
= New York is **larger than all the other** cities in the world.

---

### 해설

**문법포인트** 비교 사용 표현 비교급을 사용해서 최상급의 의미를 표현할 때는 「주어 + 비교급 + than + any other 단수 명사/all the other 복수 명사」의 형태로 나타내야 한다. 따라서 정답은 any other expert이다.

### 어휘

concept 개념    expert 전문가    field 분야

### 해석

그 과학자는 그 분야의 다른 어떤 전문가보다도 더 명확하게 개념을 설명했다.

**정답** ①

---

### 구문분석 공식

**공식 30** 형용사/부사의 원급이나 비교급을 사용해서 최상급의 의미를 전달할 수 있다.

부정 주어 ─── 비교급 비교
**Nothing** is **more rewarding** // **than** helping others.
　　더 보람된 것은 없다　　　// 다른 사람들을 돕는 것보다.

**해석** 다른 사람들을 돕는 것보다 더 보람된 것은 없다.

**어휘** rewarding 보람된

# Exercises

※ 빈칸에 들어갈 알맞은 말을 고르시오.

1. Nothing is more refreshing _____ a good night's sleep.

   ① than                ② less than
   ③ as                  ④ more than

2. She is more beautiful than _____ in the class.

   ① other any girl      ② other any girls
   ③ any other girl      ④ any other girls

※ 밑줄 친 부분이 틀리면 바르게 고치시오.

3. He was more skillful than any other baseball <u>players</u> in his class.

4. Venture investments are riskier than all the other asset <u>class</u>.

※ 다음 문장을 해석하고 구문분석하시오.

5. No one has been more wrong about computerization than George Orwell in *1984*.

6. Nothing is as valuable as education for future for young children.

---

1. **해설**: 「부정 주어 + 비교급 비교」는 비교급으로 최상급을 표현하는 최상급 대용 표현이다. 비교급 다음에는 비교급 접속사/전치사인 than이 와야 하므로 빈칸에는 than이 들어가야 한다.
   **어휘**: refreshing 개운한
   **해석**: 밤에 잘 자는 것보다 더 개운한 것은 없다.
   **정답**: ①

2. **해설**: 최상급 대용 표현으로 「주어+비교급+than any other+단수 명사」가 사용된다. 따라서 빈칸에는 any other girl이 들어가야 한다.
   **해석**: 그녀는 학급에서 가장 예쁜 소녀이다.
   **정답**: ③

3. **해설**: 최상급 대용 표현으로 「주어+비교급+than any other+단수 명사」가 사용된다. 복수인 players는 단수인 player로 고쳐야 한다.
   **어휘**: skillful 숙련된
   **해석**: 그는 그의 학급의 다른 어떤 야구선수보다 더욱 숙련되었다.
   **정답**: players → player

4. **해설**: 최상급 대용 표현으로 「주어+비교급+than all the other+복수 명사」가 사용될 수 있다. all the other가 왔으므로 단수인 class는 복수인 classes로 고쳐야 한다.
   **어휘**: investment 투자  risky 위험한  class 부문
   **해석**: 벤처 투자는 다른 모든 자산 부문보다 위험하다.
   **정답**: class → classes

5. **어휘**: computerization 컴퓨터화
   **해석**: 소설 <1984년>에서의 조지 오웰만큼 컴퓨터화에 대해 틀린 사람은 없었다.
   **분석**: No one has been more wrong about computerization / than George Orwell in *1984*.
   (S  V  C)

6. **어휘**: valuable 가치 있는  education 교육
   **해석**: 어린아이들에게 미래를 위한 교육만큼 가치 있는 것은 없다.
   **분석**: Nothing is as valuable / as education for future / for young children.
   (S  V  C)

# 출제유형 075

**POINT 38 비교대상의 일치**

## 비교대상의 일치

### 밑줄 친 부분 중 어법상 옳지 않은 것은? — 2024 국가직 9급

> ① Despite the belief that the quality of older houses is superior to ② those of modern houses, the foundations of most pre-20th-century houses are dramatically shallow ③ compared to today's, and have only stood the test of time due to the flexibility of ④ their timber framework or the lime mortar between bricks and stones.

**유형 분석 & 전략**

비교 구문이 출제되는 경우 먼저 비교 구문에 동그라미 표시하여 형태(원급 비교/비교급 비교)가 올바른지 확인 후 비교하는 두 대상인 A와 B에 밑줄 그어 형태의 일치를 확인해야 합니다.

**포인트 분석**

the quality of older houses is superior to ② those of modern houses,
→ that

**해설**

② **문법포인트** 비교대상의 일치 the quality of older houses와 those of modern houses가 비교되고 있다. quality라는 불가산명사를 받아야 하므로 복수형인 those가 아니라 that이 되어야 한다. (those → that)

① **문법포인트** 부사절 접속사의 선택 Despite는 전치사이므로 뒤에 명사/명사구가 와야 한다. 뒤에 명사인 the belief가 왔으므로 바르게 쓰였다.

③ **문법포인트** 분사구문 분사구문 compared의 의미상 주어는 주절의 the foundations of most pre-20th-houses이다. 이것이 오늘날의 집들의 토대와 비교된다는 수동의 의미이므로 과거분사 compared가 바르게 쓰였다.

④ **문법포인트** 인칭대명사 their는 앞에서 나왔던 pre-20th-century houses를 지칭하므로 복수형 대명사 their의 형태가 바르게 쓰였다.

**어휘**

superior to ~보다 우수한   foundation (건물의) 토대
dramatically 엄청나게   shallow 얕은   flexibility 유연성   timber 목재
framework 구조   lime mortar 석회 모르타르

**해석**

옛날 집들의 품질이 현대 집들의 품질보다 우수하다는 믿음에도 불구하고, 대부분의 20세기 이전의 집들의 토대는 오늘날의 집들에 비해 엄청나게 얕고, 목재 구조의 유연성이나 벽돌과 돌 사이의 석회 모르타르 덕분에 시간의 시험을 견뎠을 뿐이다.

**정답** ②

---

### 1. 지칭하는 명사의 대상 일치

비교하는 대상이 명사인 경우 그 대상이 일치해야 한다. 이때 반복되는 명사는 대명사(that / those, one / ones) 또는 소유대명사로 쓴다.

| 비교되는 명사의<br>단·복수 구분 | 비교대상 뒤에 수식어가 있는 경우 | that / those |
|---|---|---|
| | 비교대상 앞에 수식어가 있는 경우 | one / ones |
| 비교대상이<br>소유격+명사인 경우 | 소유대명사 사용 | |

**(1) 비교되는 명사의 단·복수 구분**

비교 구문에서 앞에서 언급된 비교대상을 뒤에서 다시 지칭할 때 that/those, one/ones를 사용한다.

The number of boy students is bigger than that of girl students.
남학생의 수는 여학생의 수보다 많다.

The houses of the rich are larger than those of the poor.
부자들의 집은 가난한 사람들의 집보다 더 크다.

The blue pen is longer than the red one.
그 파란 펜은 빨간 펜보다 더 길다.

**(2) 소유격 + 명사 ➡ 소유대명사**

I think my idea is better than Jack's.
내 생각이 Jack의 생각보다 좋다고 생각한다.

### 2. 동사의 종류 일치

비교하는 대상이 주어의 동작이나 상태인 경우 동사가 사용되며 이 경우 동사의 종류를 일치시켜야 한다. 제시된 대상의 동사가 be동사, 조동사, 일반동사일 경우 각각 be동사, 조동사 대동사인 do로 일치시킨다.

She is much taller than her sister (is).
그녀는 그녀의 언니보다 훨씬 더 키가 크다.

John made a much greater contribution to my research than Jane (did).
John은 Jane이 했던 것보다 내 연구에 훨씬 더 큰 공헌을 했다.

### 3. 형태의 일치

비교되는 것의 형태를 일치시켜야 한다. 동명사는 동명사로, to부정사는 to부정사로 형태가 일치된다.

Seeing the traditional market is more fun than going to a club.
전통 시장을 구경하는 것은 클럽에 가는 것보다 더 재밌다.

It is better to do well than to say well.
잘 말하는 것보다 잘 행하는 것이 낫다.

**쌤's TIP**

주요 비교 구문

A [ as 원급 as / 비교급+than
compared to / be different from
be similar to / be like
outgrow / excel / exceed
surpass / outscore ] B

# Exercises

※ 빈칸에 들어갈 알맞은 말을 고르시오.

1. The traffic of a big city is busier than _____ of a small city.

   ① it      ② that
   ③ those      ④ them

2. The global economy grows more quickly than it _____ a decade ago.

   ① is      ② was
   ③ does      ④ did

※ 밑줄 친 부분이 틀리면 바르게 고치시오.

3. It is more important to exercise regularly than exercising vigorously.

4. His experience at the hospital was worse than her.

※ 다음 문장을 해석하고 구문분석하시오.

5. I'd rather relax at home than go to the movies tonight.

6. They also tend to imagine that their futures will be brighter than those of their peers.

---

1. **해설** 비교급 than 뒤에 빈칸이므로 앞의 비교대상과 일치하는 명사나 대명사가 들어가야 한다. 문맥상 대도시의 traffic과 소도시의 traffic이 비교되고 있으므로 이 traffic을 받는 that이 들어가야 한다.
   **어휘** traffic 교통    busy 분주한
   **해석** 대도시의 교통은 작은 도시의 교통보다 더 분주하다.
   **정답** ②

2. **해설** 비교할 때 동사의 비교도 중요하다. 빈칸은 동사의 자리로 앞의 grows와 비교되는데, grows가 일반동사이므로 대동사 do를 사용해서 비교해야 한다. a decade ago로 과거를 의미하므로 과거 시제인 did가 들어가야 한다.
   **어휘** global 세계의    decade 10년
   **해석** 세계 경제는 10년 전보다 더 빠르게 성장한다.
   **정답** ④

3. **해설** It이 가주어이고 to exercise regularly가 진주어이다. to exercise regularly와 exercising vigorously가 비교되고 있는 문장이므로 진주어인 to exercise의 형태와 동일하게 고쳐야 한다.
   **어휘** exercise 운동하다    regularly 정기적으로
   vigorously 강도 높게
   **해석** 강도 높은 운동보다는 정기적인 운동이 더 중요하다.
   **정답** exercising → to exercise

4. **해설** 이 문장은 His experience와 her를 비교하는데 her는 목적격과 소유격으로 쓰이는 대명사로 의미상 His experience를 받을 수 없다. 문맥상 her experience를 의미해야 하기 때문에 소유대명사 hers로 고쳐야 한다.
   **어휘** experience 경험
   **해석** 그 병원에서의 그의 경험은 그녀의 경험보다 더 나빴다.
   **정답** her → hers

5. **어휘** relax 쉬다    go to the movie 영화 보러 가다
   **해석** 오늘 밤 나는 영화 보러 가기보다는 집에서 쉬고 싶다.
   **분석** I'd rather relax at home // than go to the movies tonight.
         S      V

6. **어휘** peer 동료
   **해석** 그들 또한 자신들의 미래가 그들의 동료들의 미래보다 더 밝을 것으로 상상하는 경향이 있다.
   **분석** They also tend to imagine // that their futures will be brighter than those of their peers.
       S      V               O

Chapter 05 형용사, 부사, 비교

# Chapter 06
## 접속사

**POINT 39** 등위접속사의 병렬 구조
출제 유형 076 등위(상관)접속사의 병렬 구조
출제 유형 077 등위상관접속사의 호응

**POINT 40** 명사절 접속사의 선택
출제 유형 78 명사절 접속사 that vs. what 구분
출제 유형 79 "A와 B의 관계는 C와 D의 관계와 같다"

**POINT 41** 부사절 접속사의 선택
출제 유형 080 목적/결과의 부사절 접속사 that
출제 유형 081 부정의 의미를 가진 접속사의 중복부정 금지
출제 유형 082 부사절 vs. 부사구

**POINT 42** 주요 양보구문
출제 유형 083 복합관계사 양보구문
출제 유형 084 접속사 as/though 양보구문

**POINT 43** 관계대명사의 선택
출제 유형 085 who/whose/whom, which/of which[whose] 선택
출제 유형 086 관계대명사 that
출제 유형 087 관계대명사 vs. what
출제 유형 088 전치사+관계대명사

**POINT 44** 관계부사
출제 유형 089 관계대명사 vs. 관계부사

**POINT 45** 복합관계사
출제 유형 090 whoever vs. whomever

## 동기쌤의 문법OT

### 🚢 등위접속사

**어디까지 알고 있니?**　○ 등위접속사의 역할　　○ 등위접속사의 종류　　○ 등위상관접속사

#### 접속사

접속사는 단어와 단어, 구(phrase)와 구, 절(clause)과 절을 연결시키는 연결 고리 역할을 한다.
접속사는 크게 등위접속사와 종속접속사로 나누어 볼 수 있다. 등위접속사는 문법적으로 대등한 단어와 단어, 구와 구, 절과 절을 연결해 주는 접속사이다. 반면 종속접속사는 부가적인 역할을 하는 종속절을 이끌어 주요 역할을 하는 주절과 연결해 주는 접속사이다.

He leaves at two and arrives at eight.　그는 2시에 떠나서 8시에 도착한다.
　동사　　　　등위접속사　동사

Since the weather is bad, we shouldn't go hiking.
종속접속사　　　종속절　　　　　　주절
날씨가 나쁘기 때문에 우리는 하이킹을 가면 안 된다.

### 🎓 쌤's TIP
등위접속사는 연결되는 요소의 문법적 특성이 같아야 한다. 단어는 단어와, 구는 구와, 절은 절과 연결해야 하며 이를 병렬 구조라 한다.

### 1 등위접속사의 역할

등위접속사는 문법적으로 대등한 단어와 단어, 구와 구, 절과 절을 연결해 준다.

She gave some money and a big bag.　그녀는 약간의 돈과 큰 가방 하나를 주었다.
　　　　구(명사구)　등위접속사　구(명사구)

The man is poor, but she loves him.　그 남자는 가난하지만, 그녀는 그를 사랑한다.
　　　절　　　등위접속사　　절

### 2 등위접속사의 종류

### 🎓 쌤's TIP
for 앞에는 반드시 콤마(,)가 나와야 한다.

| and 그리고, 그러면 | but 그러나 |
| or 또는, 그렇지 않으면 | so 그래서 |
| for 때문에 | nor … 또한 ~가 아니다 |

New shopping complexes and movie theatres help revive urban areas.
새로운 쇼핑 단지와 영화관은 도시 지역을 부활시키는 것을 돕는다.

She told me she would keep the secret, but she didn't.
그녀는 나에게 비밀을 지킬 것이라 말했지만, 그녀는 지키지 않았다.

I was really tired of the job, so I quit it.
나는 정말 그 일에 싫증이 나서 그만뒀다.

I was late for the meeting, for I was in the traffic jam.
나는 교통 체증 속에 갇혀 있었기 때문에 회의에 늦었다.

## 3 등위상관접속사

등위접속사 중 연결하는 두 가지 요소의 상관관계를 맺어 주는 접속사를 등위상관접속사라 한다.

| | |
|---|---|
| both A and B A와 B 둘 다 | not A but B A가 아니라 B인 |
| either A or B A 혹은 B | not only A but also B A뿐만 아니라 B도 |
| neither A nor B A도 B도 아닌 | B as well as A A뿐만 아니라 B도 |

**Both** students **and** teachers wanted to spend more time on the playground.
학생들과 교사들 모두 운동장에서 좀 더 시간을 보내기를 원했다.

They are not only delicious but also very nutritious.
그것들은 맛있을 뿐 아니라 영양가도 매우 높다.

> **쌤's TIP**
> 등위상관접속사로 연결된 단어나, 구, 혹은 절이 주어로 쓰일 때 주어-동사 수 일치에 주의해야 한다.

### Check up!

[ 01-04 ] 등위접속사 및 등위상관접속사를 표시하고 이를 통해 연결되는 내용을 표시하시오.

01  I love to spend my free time relaxing and watching TV.

02  His charity was not only generous but also quiet.

03  She was both my wife and my business partner.

04  I like him not because he is perfect but because he has a few defects.

**정답** 01 and: relaxing / watching   02 not only ~ but also ~: generous / quiet   03 both ~ and: my wife / my business partner
04 not ~ but ~: because he is perfect / because he has a few defects

**해석** 01 나는 여가 시간에 쉬고 TV 보며 보내는 것을 좋아한다.
02 그의 자선 기부는 관대했을 뿐 아니라 조용했다.
03 그녀는 나의 아내이며 동시에 나의 사업 파트너였다.
04 나는 그가 완벽해서 좋아하는 것이 아니라 그가 몇 가지 결점이 있기에 좋아한다.

**해설** 01 등위접속사 and가 동명사와 동명사를 연결했다.
02 등위상관접속사로 형용사와 형용사가 동등하게 연결되었다.
03 등위상관접속사로 명사와 명사가 연결되었다.
04 등위상관접속사가 절과 절을 연결했다.

## 종속접속사

**어디까지 알고 있니?** ○ 종속접속사의 역할    ○ 명사절 접속사    ○ 부사절 접속사

**종속접속사**
종속접속사는 문장의 주요 의미를 담당하는 주절의 의미를 보조하기 위해 또 다른 부가적인 절(종속절)을 주절에 연결하는 역할을 한다.

### 4  종속접속사의 역할
주요한 의미를 전달하는 하나의 절(주절)을 완성하기 위해 또 다른 절(종속절)이 문장에서 명사, 형용사, 부사의 역할을 담당할 때 이 두 개의 절을 연결하는 접속사를 종속접속사라 한다.

He knows what she said at school.
　주절　　접속사　　종속절(명사절)
그는 학교에서 그녀가 말했던 것을 알고 있다.

When the phone rang, I was watching TV.
접속사　　종속절(부사절)　　　　　주절
전화가 왔을 때 나는 TV를 보고 있었다.

The banana that we bought yesterday was very expensive.
　　　　　접속사　　종속절(형용사절)
　　　　　　　　　주절
우리가 어제 산 바나나는 매우 비쌌다.

이 중 가장 많이 사용되며, 시험에도 가장 많이 출제되는 명사절 접속사와 부사절 접속사에 대해 좀 더 자세히 알아보기로 하자.

### 5  명사절 접속사
명사절이란 「접속사+주어+동사」라는 절의 형태로 문장에서 명사의 역할, 즉 주어, 목적어, 보어의 역할을 하는 절을 말한다. 이 명사절을 이끄는 접속사를 명사절 접속사라 한다.

Whether she wrote this book is doubtful.   그녀가 이 책을 썼는지 의심스럽다.
　　　　주어

I know what he wants to tell me.   나는 그가 나에게 무엇을 말하고 싶어 하는지 알고 있다.
　　　목적어

The problem is that he often makes mistakes.   문제는 그가 종종 실수를 한다는 것이다.
　　　　　　　　보어

## 6 부사절 접속사

부사절이란 「접속사+주어+동사」라는 절의 형태로 문장의 주된 부분인 주절의 의미를 수식하는 부사 역할을 하는 절을 말한다. 이 부사절을 이끄는 접속사를 부사절 접속사라 한다.

<u>**Since** he succeeded in passing the test</u>, he could get a job.
　　　　　　　　이유의 부사절

시험에 통과했기 때문에 그는 직업을 구할 수 있었다.

Please let me know <u>**when** you find these items</u>.
　　　　　　　　　　　　시간의 부사절

당신이 이 물품들을 찾으면 저에게 알려 주세요.

### Check up!

[ 01-05 ] 종속접속사로 연결된 종속절을 찾아 밑줄을 긋고 명사절/부사절을 구분하시오.

01　He stuttered a lot when he was young.

02　I didn't know that you have a dog.

03　Whether he is successful is not my concern.

04　If it rains tomorrow, I will stay home.

05　I'm not sure about what I have to do.

**정답** 01 He stuttered a lot <u>when he was young</u>. 부사절
　　　 02 I didn't know <u>that you have a dog</u>. 명사절
　　　 03 <u>Whether he is successful</u> is not my concern. 명사절
　　　 04 <u>If it rains tomorrow</u>, I will stay home. 부사절
　　　 05 I'm not sure about <u>what I have to do</u>. 명사절

**해석** 01 그는 어렸을 때 말을 많이 더듬었다.
　　　 02 나는 당신이 개를 가지고 있는 줄은 몰랐다.
　　　 03 그가 성공을 하는지 못 하는지는 나의 관심사가 아니다.
　　　 04 내일 비가 오면 나는 집에 있을 것이다.
　　　 05 난 무엇을 해야 할지 확신이 서지 않는다.

**해설** 01 when이 시간의 부사절을 이끈다.
　　　 02 that이 동사 know의 목적어인 명사절을 이끈다.
　　　 03 Whether가 문장의 주어가 되는 명사절을 이끈다.
　　　 04 If는 조건의 부사절을 이끈다.
　　　 05 what이 전치사 about의 목적어인 명사절을 이끈다.

## 관계사

**어디까지 알고 있니?**
- 관계사의 종류
- 관계사의 용법
- 관계대명사
- 관계부사
- 관계사의 생략

### 관계사
관계사란 문장과 문장을 연결하는 접속사의 기능과 함께, 앞에서 언급된 명사를 대신하는 대명사나 부사로의 역할을 담당한다. 관계사 하나가 두 가지 기능을 동시에 수행하는 일종의 멀티태스킹을 하는 것이다. 관계사가 이끄는 절은 명사의 뒤에 오며, 그 앞선 명사를 수식하는 형용사절의 역할을 한다. 이때 관계사절의 수식을 받는 앞선 명사를 선행사라고 한다.

I bought a smartphone (which was released two days ago).
　　　　　　선행사

나는 (이틀 전에 출시된) 스마트폰을 구입했다.

### 7 관계사의 종류
관계사에는 접속사와 대명사의 기능을 동시에 수행하는 관계대명사가 있고, 접속사와 부사의 기능을 동시에 수행하는 관계부사가 있다.

I want to buy the house which my parents saw yesterday.
　　　　　　　선행사　관계대명사

나는 부모님이 어제 보신 그 집을 사고 싶다.

I want to buy the house where I lived when I was young.
　　　　　　　선행사　관계부사

나는 어렸을 때 살던 그 집을 사고 싶다.

### 8 관계사의 용법

**(1) 한정적 용법**
선행사와 관계대명사절 사이에 특별한 구분이 없고, 관계대명사절을 먼저 해석한 후 명사를 해석하는 방식으로 명사의 의미를 한정한다.

The woman (whom you had lunch with) is the one I told you about.

(네가 점심을 함께 먹은) 그 여자는 내가 너에게 말한 사람이다.

**(2) 계속적 용법**
앞에 나오는 명사를 보충 설명하는 용법을 계속적 용법이라 하며 선행사와 관계대명사절 사이를 콤마(,)로 분리하고, 앞에서부터 뒤로 해석한다.

I looked at her, who said bye to me.

나는 그녀를 바라보았고, 그녀는 나에게 작별 인사를 했다.

## 9 관계대명사

### (1) 역할
관계대명사는 문장과 문장을 연결하는 접속사의 역할뿐 아니라 문장에서 대명사의 역할을 한다.

| 관계 | 대명사 |
|---|---|
| 접속사 | + 대명사 |

I have a girlfriend and she plays the piano very well.
나는 피아노를 매우 잘 연주하는 여자 친구가 있다.
= I have a girlfriend (who plays the piano very well).
　　　　　선행사　　　　　관계대명사절

➡ 위의 예문에서처럼 관계대명사절이 앞에 놓인 선행사 a girlfriend를 수식하는 역할을 한다. 동시에 관계대명사인 who는 대명사로서 관계대명사절의 주어 역할을 한다.

### (2) 종류
관계대명사는 선행사와 관계절에서의 역할에 따라 다음과 같이 분류된다.

| 선행사 | 주격 | 목적격 | 소유격 |
|---|---|---|---|
| 사람 | who | whom | whose |
| 동물, 사물 | which | which | whose/of which |
| 사람, 동물, 사물 | that | that | |

① 관계대명사 who, whom, whose

선행사가 사람일 경우 who, whom, whose를 각각 주격, 목적격, 소유격으로 사용한다.
We need a person who can speak both English and French.
　　　　　사람 선행사　　주격 관계대명사
우리는 영어와 불어를 모두 할 수 있는 사람이 필요하다.
The sister whom I am going to visit is single.　내가 방문할 예정인 언니는 미혼이다.
　사람 선행사　목적격 관계대명사

② 관계대명사 which, whose/of which

선행사가 동물, 사물일 경우 which를 주격과 목적격으로, of which나 whose를 소유격으로 사용한다.
I have a house which has a green roof.　나는 초록색 지붕을 가진 집이 있다.
　사물 선행사　주격 관계대명사
I have a house whose roof is green.　나는 지붕이 초록색인 집이 있다.
　사물 선행사　소유격 관계대명사(= and its)

**쌤's TIP**

목적격 관계대명사는 관계절에서 목적어 역할을 하므로 목적어를 중복하여 쓰지 않는다.
I needed a pen which he had bought last week.
나는 그가 지난주에 샀던 펜이 필요했다.
I needed a pen which he had bought it last week. (×)

### (3) 유사관계대명사
일반적인 관계대명사 이외에 특수한 상황에서 관계대명사 역할을 하는 단어들이 있다. 이를 유사관계대명사라고 부른다. 선행사가 중요한 단서가 되므로 무엇보다도 선행사를 주목할 필요가 있다.

**유사관계대명사와 선행사**

| 선행사 | 유사관계대명사 |
|---|---|
| 부정어(few/little/no/not/never 등)+명사 | but (= that ~ not) |
| the same/as/such/so+명사 | as |
| 비교급+명사 | than |

There is no rule but has some exceptions. 예외 없는 법칙은 없다.
= There is no rule that doesn't have some exceptions.
Habits are easily formed: especially such habits as are bad.
습관은 쉽게 형성된다. 특히 나쁜 습관이 그렇다.
He spends more money than is necessary. 그는 필요한 것보다 더 많은 돈을 쓴다.

## 10 관계부사

### (1) 역할
관계대명사가 「접속사+대명사」의 역할을 하는 데 반해, 관계부사는 「접속사+부사」의 역할을 한다.

관계 　 부사
접속사 + 부사

➡ 관계부사절이 앞에 놓인 선행사 the time을 수식하는 역할을 한다. 또한 관계부사인 when은 관계부사절에서 시간을 표현하는 부사의 역할을 담당하고 있다.

She didn't tell me the time and she would come back at the time.
= She didn't tell me the time (when she would come back).
　　　　　　　　　　선행사　　　　　관계부사절
그녀는 (그녀가 돌아올) 시간을 나에게 말해 주지 않았다.

### (2) 종류
관계부사는 선행사에 따라 다음과 같이 달라진다.

| 선행사 | 관계부사 |
| --- | --- |
| 시간(the time, the day, the year) | when |
| 장소(the place, the region, the house) | where |
| 이유(the reason) | why |
| 방법(the way) | how |

The 1400s is the period when the revival of classical culture occurred.
　　　　　　　선행사(시간)
1400년대는 고전 문화의 부흥이 일어난 시기이다.
Seoul is the place where I was born. 서울은 내가 태어난 곳이다.
　　　　　　선행사(장소)
This is the reason why I refuse to go. 이것이 내가 가기를 거부하는 이유이다.
　　　　선행사(이유)

#### Check!

**the way / how**

선행사가 방법을 의미하는 the way일 때 관계부사로 how가 사용된다. 하지만 the way how라고 함께 쓰이지는 않으며, 대신에 the way나 how 중 하나가 단독으로 사용된다.
He knows the way I opened the door. 그는 내가 문을 어떻게 열었는지 안다.
= He knows how I opened the door.
He knows the way how I opened the door. (×)

## 11 관계대명사/관계부사의 생략

**(1) 목적격 관계대명사(whom, which, that)는 자주 생략된다.**
She is the lady (whom) I met last year. 그녀는 내가 작년에 만났던 여자이다.
This is the book (which) he wanted to buy. 이것은 그가 사고 싶어 했던 책이다.

**(2) 「주격 관계대명사(who, which, that)+be동사」도 생략 가능하다.**
I have a watch (which was) made in Switzerland.
나는 스위스에서 만들어진 시계를 가지고 있다.

**(3) 관계부사(when, where, why, how)는 관계부사 that으로 바꿔 쓸 수 있으며 이때 관계부사 that은 자주 생략되어 사용된다.**
The last time (that) I saw her, she looked fine.
마지막으로 내가 그녀를 봤을 때, 그녀는 좋아 보였다.

### Check up!

[ 01-05 ] 관계절을 찾아 괄호로 표시하고 관계절이 수식하는 선행사를 찾아 표시하시오.

01  I know the boy who is talking with Jane.

02  Look at the girl and her dog that are running.

03  A woman whose hair was red approached me.

04  Now is the time when I need your help.

05  Do you know the reason he didn't come?

**[정답]**
01 I know the boy (who is talking with Jane).
02 Look at the girl and her dog (that are running).
03 A woman (whose hair was red) approached me.
04 Now is the time (when I need your help).
05 Do you know the reason (he didn't come)?

**[해석]**
01 나는 Jane과 말을 하고 있는 소년을 안다.
02 달리고 있는 소녀와 그녀의 개를 보아라.
03 빨간 머리를 가진 여자가 내게 접근했다.
04 지금이 내게 너의 도움이 필요한 때이다.
05 그가 오지 않았던 이유를 너는 알고 있니?

**[해설]**
01 the boy를 수식하는 관계대명사절 안에 주어가 없으므로 주격 관계대명사 who가 사용되었다.
02 사람과 동물이 함께 선행사가 되었으므로 관계대명사 that이 사용되었다.
03 앞서 수식받는 선행사인 woman의 머리카락이 빨간색이므로 '그녀의'라는 소유격에 해당되는 소유격 관계대명사 whose가 와야 한다.
04 시간의 선행사(the time)가 왔으므로 관계부사는 when이 사용되었다.
05 선행사가 the reason이므로 이유를 묻는 관계부사 why가 쓰여야 하는데, 생략된 표현이다.

# 출제유형 076

**POINT 39** 등위접속사의 병렬 구조

## 등위(상관)접속사의 병렬 구조

### 밑줄 친 부분 중 어법상 옳지 않은 것은?
2025 국가직 9급

The city opened the Smart Senior Citizens' Center, a leisure facility that offers ① customized programs for the elderly. It ② features virtual activities such as silver aerobics and ③ laughter therapy, monitors health metrics in collaboration with public health centers, and ④ including indoor gardening activities.

#### 유형 분석 & 전략

등위(상관)접속사가 보이면 동그라미하고 앞뒤로 연결된 A, B에 밑줄 후 문법적 성분이나 품사가 같은지 확인해야 합니다.
세 개 이상이 연결된 경우 등위접속사와 콤마도 동그라미하고 앞뒤로 연결된 A, B, C에 모두 밑줄 후 병렬 관계를 확인해야 합니다.

#### 포인트 분석

It features virtual activities such as silver aerobics and
　동사(A)
laughter therapy, monitors health metrics in collaboration
　　　　　　　　　 동사(B)
with public health centers, and ④ including indoor
gardening activities.　　　　　　　→ includes 동사(C)

#### 해설

④ **문법포인트** 등위접속사의 병렬 구조 등위접속사 and 뒤의 including 앞에 병렬로 연결될 수 있는 요소가 없다. 문맥상 features, monitors와 병렬로 연결되는 것이 가장 적절하므로 including은 includes로 바르게 고쳐야 한다. (including → includes)
① **문법포인트** 현재분사 vs. 과거분사 customize와 program의 관계는 프로그램이 맞춤형이 되는 수동의 의미이므로 과거분사 customized가 바르게 수식하고 있다.
② **문법포인트** 주어 – 동사 수 일치 / 등위접속사의 병렬 구조 feature의 주어가 3인칭 단수인 It이고 현재시제이므로 features로 바르게 쓰였다. 또한 monitors, includes와 함께 병렬로 바르게 연결되었다.
③ 명사인 laughter가 therapy와 함께 복합명사를 이루며 '웃음 치료'라는 의미로 바르게 쓰였다.

#### 어휘

facility 시설　customize 맞추다　feature ~을 특징으로 하다
laughter therapy 웃음 치료　health metrics 건강 지표
in collaboration with ~와 협력하여

#### 해석

시는 노인들을 위해 맞춤형 프로그램을 제공하는 여가 시설인 스마트 노인 센터를 개방했다. 이것은 노인 에어로빅과 웃음 치료와 같은 실질적 활동을 특징으로 하며, 공공 건강센터와 협력하여 건강 지표를 추적 관찰하고, 실내 원예 활동을 포함한다.

**정답** ④

### 1. 등위접속사의 주요 용법

| | |
|---|---|
| 명령문 + and | ~해라, 그러면 …할 것이다 |
| 명령문 + or | ~해라, 그렇지 않으면 …할 것이다 |
| 부정문 + nor + 동사 + 주어(도치) | ~는 아니고, … 역시 아니다 |

Do your best, and you will pass the test.
최선을 다해라, 그러면 시험에 합격할 것이다.

Hurry up, or you will be late.
서둘러라, 그러지 않으면 늦을 것이다.

He doesn't like movies, nor does his wife.
그는 영화를 좋아하지 않고, 그의 아내 또한 마찬가지다.

### 2. 등위접속사의 병렬 구조

등위접속사로 연결된 두 요소는 반드시 문법적으로 같은 구조이어야 한다. 이를 '병렬 구조'라고 한다.

When free at home, my mother likes to knit, to sew, and to cook.
　　　　　　　　　　　　　　　　 to부정사구　to부정사구　 to부정사구
엄마는 집에서 한가할 때 뜨개질하기, 바느질하기, 그리고 요리하기를 좋아하신다.

Children like singing and dancing.
　　　　　 동명사　　　 동명사
아이들은 노래 부르는 것과 춤추는 것을 좋아한다.

#### 구문분석 공식

**공식 31** A and/but B가 있는 경우 같은 문법 요소인 A와 B를 파악하면 구조 파악이 쉬워진다.

　　　　　　　 A　　　　　　(A와 B 둘 다)　　　 B
I like / both swimming in the pool / and sunbathing at the beach.

나는 좋아한다 / 수영장에서 수영하는 것과 / 해변에서 일광욕하는 것을 둘 다.

**해석** 나는 수영장에서 수영하는 것과 해변에서 일광욕하는 것을 둘 다 좋아한다.

# Exercises

※ 빈칸에 들어갈 알맞은 말을 고르시오.

1. My home offers me a feeling of security, _____, and love.

   ① warm      ② warmth
   ③ warmly      ④ warming

2. Conditions required for plant growth include abundant water, an adequate supply of oxygen, and _____.

   ① the temperatures must be appropriate
   ② having appropriate temperatures
   ③ is required for temperature
   ④ appropriate temperatures

※ 밑줄 친 부분이 틀리면 바르게 고치시오.

3. You needn't worry about changing dollars to pounds or to reserve a hotel.

4. Infection with the SARS virus causes acute respiratory distress and sometimes dies.

※ 다음 문장을 해석하고 구문분석하시오.

5. Neither threat nor persuasion could force him to change his mind.

6. The clientele of the fine-dining restaurant expects, demands, and is willing to pay for excellence.

---

1. **해설** 등위접속사로 연결되는 것은 문법적으로 병렬을 이루어야 한다. 빈칸은 명사인 security, love와 등위접속사 and로 연결되고 있고 전치사 of 목적어이어야 하므로 명사인 warmth가 들어가야 한다.
   **어휘** offer 제공하다   security 안정감
   **해석** 우리 집은 나에게 안정감, 따뜻함, 그리고 사랑의 느낌을 준다.
   **정답** ②

2. **해설** 등위접속사로 연결되는 요소는 문법적으로 같은 구조가 되어야 한다. and 앞에 두 개의 명사구가 나왔으므로 빈칸에도 같은 구조의 appropriate temperatures가 와야 한다.
   **어휘** condition 조건   abundant 풍부한   adequate 충분한   oxygen 산소   temperature 온도   appropriate 적합한
   **해석** 식물 생육에 필요한 조건은 풍부한 물, 충분한 산소 공급, 그리고 적합한 온도를 포함한다.
   **정답** ④

3. **해설** to reserve는 문맥상 about의 목적어인 changing과 등위접속사 or로 연결된 것이므로 동명사인 reserving으로 고쳐야 한다.
   **어휘** reserve 예약하다
   **해석** 너는 달러를 파운드로 바꾸거나 호텔을 예약하는 것에 대해 걱정할 필요가 없다.
   **정답** to reserve → reserving

4. **해설** die는 동사로 '죽다, 사망하다'는 의미이다. 형태상으로는 causes와 병렬로 착각할 수 있지만 주어인 Infection이 사망하는 것이 아니므로 문맥상 어울리지 않는다. 문맥상 명사구인 acute respiratory distress와 병렬 구조를 이루어 동사인 causes의 목적어 역할을 해야 한다. 따라서 명사인 death가 적절하다.
   **어휘** infection 감염   acute 급성의   respiratory distress 호흡곤란
   **해석** 사스 바이러스에 감염되면 급성 호흡곤란이 발생하고 때로 사망에 이르게 한다.
   **정답** dies → death

5. **어휘** threat 협박   persuasion 설득   force 강요하다
   **해석** 협박도 설득도 그의 마음을 바꾸도록 강요할 할 수는 없었다.
   **분석** Neither threat nor persuasion [S] could force [V] him [O] to change his mind. [OC]

6. **어휘** clientele 고객   fine-dining restaurant 고급 식당   excellence 탁월함
   **해석** 고급 레스토랑의 고객은 탁월함을 기대하고 요구하며 (탁월함에 대해) 기꺼이 값을 지불하려고 한다.
   **분석** The clientele (of the fine-dining restaurant) [S] / expects [V1], demands [V2], and is willing to pay [V3] for excellence.

# 출제유형 077

**POINT 39 등위접속사의 병렬 구조**

## 등위상관접속사의 호응

**밑줄 친 부분에 들어갈 말로 가장 적절한 것은?**

> Tea and drugs are as different as life and death, and day and night; The evils of drug use are well known, but what is seldom appreciated is that tea is not only a mood booster _____ a cure.

① but also　　② as well as
③ nor　　　　④ such as

### 유형 분석 & 전략

등위상관접속사를 구성하는 두 요소 중 하나가 보이면 우선 동그라미하고 호응 관계를 이루는 등위접속사를 뒤에서 찾아 밑줄 표시합니다.

### 포인트 분석

but what is seldom appreciated is that tea is (not only) a mood booster but also a cure.

### 해설

**문법포인트** 등위접속사의 병렬 구조 「not only A but also B」는 등위상관접속사로 'A뿐만 아니라 B도'라는 의미이다. 빈칸 앞쪽에 not only 다음에 명사구가 있고 빈칸 다음에 명사구가 있으므로 빈칸에는 but also가 들어가는 것이 적절하다.

### 어휘

evil 해악  appreciate 인식하다  mood booster 기분을 좋게 하는 것
cure 치료제

### 해석

차와 약물은 삶과 죽음, 그리고 낮과 밤만큼이나 서로 다르다; 약물 사용의 해악은 잘 알려졌지만, 거의 인식되지 않는 것은 차가 기분을 좋게 하는 것일 뿐만 아니라 치료제이기도 하다는 것이다.

**정답** ①

## 1. 주요 등위상관접속사

등위접속사 중 연결하는 두 가지 요소의 상관관계를 맺어 주는 접속사를 등위상관접속사라 한다.

> both A and B A와 B 둘 다　　either A or B A 혹은 B
> neither A nor B A도 B도 아닌　　not A but B A가 아니라 B인
> not only A but also B A뿐만 아니라 B도
> B as well as A A뿐만 아니라 B도

## 2. 등위상관접속사의 병렬 구조

등위상관접속사로 연결된 요소들도 반드시 문법적으로 같은 구조, 즉 병렬 구조이어야 한다.

She enjoys **neither** skiing **nor** hiking.
　　　　　　　단어(동명사) 단어(동명사)
그녀는 스키 타는 것도 도보 여행하는 것도 즐기지 않는다.

You can **either** work in this group **or** join a different one.
　　　　　　　구(동사)　　　　　　　구(동사)
너는 이 그룹에서 일을 하거나 다른 그룹에 참가할 수 있다.

### 쌤's TIP

**A뿐만 아니라 B도**

not [only / just / merely] A [but (also) B / but B as well]

This is **not just** a machine **but** an artwork.
이것은 기계일 뿐만 아니라 예술작품이기도 하다.

### 구문분석 공식

**공식 32** 「not A but B」 ≠ 「not only A but also B」

He must set himself to realize / **not** what is bad in a book, // **but** what is good.
　　　　　　　　　　　　　　　　not　　A
　　　　　　but　　B(A가 아니라 B)

그는 깨달으려고 애써야 한다 / 책에서 무엇이 나쁜지가
// 아니라 무엇이 좋은지를.

**해석** 그는 책에서 무엇이 나쁜지가 아니라 무엇이 좋은지를 깨달으려고 애써야 한다.

**어휘** set oneself to ~하려고 애쓰다　realize 깨닫다

# Exercises

※ 빈칸에 들어갈 알맞은 말을 고르시오.

1. Inside the examination room we could neither smoke _____ talk.

   ① or        ② nor
   ③ and       ④ but

2. He is a man of both experience _____ knowledge.

   ① and       ② but
   ③ or        ④ so

※ 밑줄 친 부분이 틀리면 바르게 고치시오.

3. This isn't a simple matter of physical energy we think we have or don't have but <u>in</u> our mental or psychic energy.

4. It is not the strongest of the species, nor the most intelligent, <u>or</u> the one most responsive to change that survives to the end.

※ 다음 문장을 해석하고 구문분석하시오.

5. Bosses not only manage to maintain their staff's productivity, but also treat them nicely.

6. Learning to pose questions and receive information that is satisfying is a key social as well as intellectual experience in a child's development.

---

1. **해설** neither가 있고 뒤에 smoke와 talk라는 동급의 동사가 이어지는 것으로 보아 등위상관접속사 「neither A nor B」의 구문임을 알 수 있다. 따라서 빈칸에는 nor가 들어가야 한다.
   **어휘** examination room 진료실
   **해석** 진료실 내부에서 우리는 담배를 피우거나 이야기를 할 수 없었다.
   **정답** ②

2. **해설** 앞에 both가 있고 두 개의 명사인 experience와 knowledge가 있는 것으로 보아 등위상관접속사인 「both A and B」의 구문임을 알 수 있다. 따라서 빈칸에는 and가 들어가야 한다.
   **해석** 그는 경험과 지식을 둘 다 겸비한 사람이다.
   **정답** ①

3. **해설** 문맥상 「not A but B」의 구조로 of physical energy ~와 of our mental or psychic energy가 matter에 연결되는 구조이다. 등위상관접속사로 연결되는 요소는 병렬을 이루어야 하므로 전치사 in은 of로 고쳐야 한다.
   **어휘** physical 물리적인  mental 정신적인  psychic 초자연적인
   **해석** 이것은 우리가 생각하기에 우리가 가지고 있거나 가지고 있지 않은 물리적 에너지라는 단순한 문제가 아니라 정신적인 또는 초자연적인 에너지의 문제이다
   **정답** in → of

4. **해설** 「it ~ that」 강조구문이 사용된 문장이다. 또한 우리말에서 '~이 아니고, …이다'를 영어로 옮기면 「not A but B」 구문이 되어야 한다. 따라서 not 뒤로 or가 아닌 but이 위치해야 한다.
   **어휘** species 종  intelligent 지적인  responsive 반응하는  survive 생존하다
   **해석** 끝까지 생존하는 종은 가장 강한 종도, 가장 지적인 종도 아니고, 변화에 가장 잘 반응하는 종이다.
   **정답** or → but

5. **어휘** manage 용케 해내다  productivity 생산성  treat 대하다
   **해석** 사장은 용케 직원의 생산성을 유지하는 것뿐만 아니라 직원들을 친절히 대하는 것도 해낸다.
   **분석** <u>Bosses</u>(S) not only <u>manage</u>(V1) <u>to maintain their staff's productivity</u>(O1), // but also <u>treat</u>(V2) <u>them</u>(O2) nicely.

6. **어휘** pose 제기하다  satisfying 만족하는  intellectual 지적인  development 발달
   **해석** 질문을 제기하고 만족스러운 정보를 얻는 법을 배우는 것이 아동의 발달에 있어 지적일 뿐만 아니라 중요한 사회적 경험이다.
   **분석** <u>Learning to pose questions and receive information (that is satisfying)</u>(S) / <u>is</u>(V) <u>a key social</u>(C) / as well as intellectual experience / in a child's development.

# 출제유형 078

**POINT 40** 명사절 접속사의 선택

## 명사절 접속사 that vs. what 구분

**밑줄 친 부분 중 어법상 옳지 않은 것은?**

> One reason for upsets in sports — ① in which the team ② predicted to win and apparently superior to its opponents surprisingly loses the contest — is ③ what the superior team may not have perceived its opponents as ④ threatening.

### 유형 분석 & 전략

주어/목적어/보어 역할을 하는 명사절을 [ ] 표시 후, 표시된 절이 완전/불완전한지에 따라 접속사 that/what을 구분해야 합니다.

### 포인트 분석

One reason for upsets in sports — is [③ what the superior
                                    V   O  → that(완전절)
team may not have perceived its opponents as threatening].

### 해설

③ **문법포인트** 명사절 접속사의 선택 what 뒤의 절이 완전하다. what 뒤에는 완전한 절이 올 수 없으므로 is의 보어 역할을 하면서 완전한 절을 이끌 수 있는 명사절 접속사 that으로 고쳐야 한다. (what → that)

① **문법포인트** 관계대명사의 선택 선행사는 sports이고, 뒤에 완전한 절이 왔으므로 「전치사+관계대명사」가 바르게 쓰였다.

② **문법포인트** 현재분사 vs. 과거분사 수식받는 명사 team과 의미상 수동의 관계이며 타동사인 predicted(predict) 뒤에 목적어가 없으므로 과거분사가 바르게 쓰였다.

④ **문법포인트** 현재분사 vs. 과거분사 perceive는 목적격보어로 「as+형용사」를 쓸 수 있는데, 목적어와 의미상 능동의 관계이므로 현재분사 threatening이 바르게 쓰였다.

### 어휘

upset 뜻밖의 패배  apparently 분명히  opponent 상대

### 해석

스포츠에서 뜻밖의 패배에 대한 한 가지 이유는 — 이길 것으로 예상되고 상대보다 분명히 우월한 팀이 놀랍게도 경기에서 지는 — 그 우월한 팀이 자기 상대를 위협적이라고 인식하지 않았을지도 모르기 때문이다.

**정답** ③

---

## 1. 명사절 종속접속사의 종류

(1) that/if/whether: 접속사 역할만 하므로 뒤에 완전한 절이 온다.
   I think **that** I was wrong. 내가 틀렸던 것 같아.
   I wonder **if** I should go or not. 내가 가야 할지 말아야 할지 모르겠어.

(2) 의문부사 where/when/why/how: 접속사와 부사 역할을 하므로 뒤에 완전한 절이 온다.
   I wonder **where** I left my keys. 열쇠가 어디 갔는지 모르겠네.
   We can't tell **when** she will come. 우린 그녀가 언제 올지 모른다.

(3) 의문대명사 what/who/which: 접속사와 대명사 역할을 하므로 뒤에 불완전한 절이 온다.
   You know **what** this means. 여러분은 이게 무슨 뜻인지 알고 있습니다.

(4) 복합관계대명사 whoever/whomever/whatever/whichever: 접속사와 대명사 역할을 하므로 뒤에 불완전한 절이 온다.
   **Whoever** says that is a liar. 누구든 그 말을 하는 사람은 거짓말쟁이이다.

### Check!

**동격의 접속사 that**
that절이 앞에 나온 추상적 의미를 가진 명사의 구체적인 내용을 설명해주는 경우 that절을 동격의 that절이라고 한다.
People know the fact **that** the earth is round.
                                  the fact와 동격

**접속사 if의 사용**
If가 이끄는 명사절은 whether 명사절과는 달리 주어나 전치사의 목적어로 쓸 수 없고 동사의 목적어로만 쓰인다. 또한 if or not의 형태로 쓸 수 없으며 or not을 쓰려면 문장의 맨 끝에 두어야 한다.
**If** he is smart or pretentious is debatable. (×)
                주어 불가

## 2. 명사절 종속접속사의 선택: that vs. what

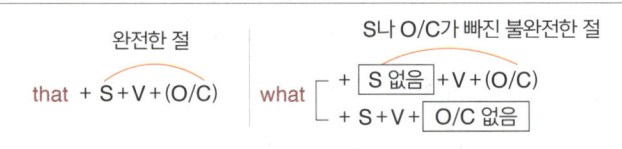

I can't believe **that** he did such a mean thing.
그가 그런 비열한 짓을 했다는 것을 믿을 수 없다.
I can't believe **what** he told me. 그가 나에게 말했던 것을 믿을 수 없다.

### 구문분석 공식

**공식 33** 「접속사+주어+동사」는 '~가 …하는 것'이라고 해석한다.

                  S(명사절)
**Whether** praise helps or hurts a performance /
               V
depends on task types.

**해석** 칭찬이 성과에 도움이 되는지 해가 되는지는 일의 유형에 달려 있다.

# Exercises

※ 빈칸에 들어갈 알맞은 말을 고르시오.

1. For every mystery, there is someone trying to figure out _____ happened.

    ① whether        ② which
    ③ what           ④ that

2. An online search will show you _____ the archives contain many things.

    ① who            ② which
    ③ what           ④ that

※ 밑줄 친 부분이 틀리면 바르게 고치시오.

3. He has to write an essay on <u>if</u> or not the death penalty should be abolished.

4. This wealth is <u>that</u> fueled later events such as the Enlightenment and the Industrial Revolution.

※ 다음 문장을 해석하고 구문분석하시오.

5. Whether or not we are likely to get various diseases depends on how well our immune system works.

6. For centuries, humans have looked up at the sky and wondered what exists beyond the realm of our planet.

---

1. (해설) figure out의 목적어가 필요한데 뒤에 happened라는 동사가 나왔으므로 함께 명사절을 만들 수 있는 것이 필요하다. that은 명사절 접속사일 때 뒤에 완전한 절이 와야 하는데 happened의 주어가 없는 불완전한 문장이므로 what이 들어가야 한다.
   (해석) 모든 불가사의에는, 무슨 일이 일어난 것인지 알아내고자 하는 누군가가 있다.
   (정답) ③

2. (해설) 빈칸 뒤에 완전한 절이 나오고 접속사가 없으므로 빈칸에는 접속사가 들어가야 한다. show 뒤에 간접목적어가 있는 것으로 보아 직접목적어인 명사절을 이끄는 접속사가 들어가야 하고 절이 완전하므로 that이 들어가야 한다.
   (어휘) search 검색   archive 기록보관소
   (해석) 온라인 검색은 당신에게 그 기록보관소들이 많은 것들을 포함한다는 것을 보여줄 것이다.
   (정답) ④

3. (해설) if 명사절은 타동사의 목적어로만 쓰이며, 주어와 전치사의 목적어로는 쓰지 못한다. 또한, or not을 if에 바로 이어서 if or not으로 쓸 수 없다. if 명사절에서 or not은 if 명사절의 끝에 와야 한다. 반면 같은 의미를 가진 whether 명사절은 주어로도 쓰며, 동사 및 전치사의 목적어로도 쓸 수 있고, or not이 whether or not처럼 바로 이어져도 되고 whether 명사절의 끝에 와도 된다. 따라서 if를 whether로 고쳐야 한다.
   (어휘) death penalty 사형   abolish 폐지하다
   (해석) 그는 사형이 폐지되어야 하는지 아닌지에 대한 에세이를 써야 한다.
   (정답) if → whether

4. (해설) 동사 is의 뒤에 보어로 명사절이 필요하다. that 이하에 주어가 없는 불완전한 절이므로 that을 what으로 고쳐야 한다.
   (해석) 이 부가 계몽운동과 산업혁명과 같은 이후의 사건을 부채질한 것이다.
   (정답) that → what

5. (어휘) various 다양한   immune system 면역 체계
   (해석) 우리가 다양한 질병에 걸릴 가능성이 있는지 없는지는 우리의 면역 체계가 얼마나 잘 작동하는지에 달려 있다.
   (분석) <u>Whether or not we are likely to get various diseases</u> [S] / <u>depends</u> [V] on how well our immune system works.

6. (어휘) exist 존재하다   realm 영역
   (해석) 수 세기 동안, 사람들은 하늘을 올려다보고 우리 지구의 영역 너머에 무엇이 존재하는지를 궁금해했다.
   (분석) For centuries, / <u>humans</u> [S] <u>have looked up</u> [V1] at the sky // <u>and wondered</u> [V2] <u>what exists beyond the realm (of our planet)</u> [O2].

Chapter 06 접속사   231

# 출제유형 079

**POINT 40** 명사절 접속사의 선택
## "A와 B의 관계는 C와 D의 관계와 같다"

---

**밑줄 친 부분에 들어갈 말로 가장 적절한 것은?**

> As they say, reading is to the mind _____ food is to the body.

① that  ② what
③ which  ④ whose

### 유형 분석 & 전략

「A is to B what C is to D」의 구문이 나오면 명사절 접속사 what, 전치사 to에 동그라미하고 문장의 어순 등이 올바르게 사용되었는지 확인해야 합니다.

### 포인트 분석

reading is to the mind what food is to the body.
　A　　　　B　　　　　C　　　　　D

### what 사용 주요 표현

| what + 주어 + be동사 | 인격·지위 |
|---|---|
| what + 주어 + have | 소유물 |
| A is to B what C is to D<br>= A is to B as C is to D<br>= What C is to D, A is to B<br>= As C is to D, (so) A is to B | A가 B에 대한 관계는<br>C가 D에 대한 관계와 같다 |

A man's worth lies not in what he has, but in what he is.
한 사람의 가치는 그 사람이 가진 것이 아니라 그가 어떠한 사람인가에 있다.

Reading is to the mind what food is to the body.
독서와 마음의 관계는 음식과 신체의 관계와 같다.
= Reading is to the mind as food is to the body.
= What food is to the body, reading is to the mind.
= As food is to the body, (so) reading is to the mind.

### 쌤's TIP

**what 사용 표현**
what I am (현재의 나)
what I was[used to be] (과거의 나)
what I have (현재 내가 가진 것)
what I had (과거에 내가 가졌던 것)

### 해설

**문법포인트** 명사절 접속사의 선택 「A is to B what C is to D」의 구문은 'A와 B의 관계는 C와 D의 관계와 같다'라고 해석된다. reading과 the mind, 접속사 what, exercise와 the body의 모든 요소가 바르게 쓰였다.

### 어휘
as they say 흔히 말하듯

### 해석
흔히 말하듯, 독서의 정신에 대한 관계는 음식의 육체에 대한 관계와 같다.

**정답** ②

### 구문분석 공식

**공식 34** 목적어로 사용된 'that 명사절'에서 접속사 that은 주로 생략

주로 생략됨
I'll make sure // (that) you get the right order.
확실히 할게요 // 당신이 정확한 주문을 받도록.

**해석** 당신이 정확한 주문을 받도록 확실히 할게요.

**어휘** make sure 확실하게 하다

# Exercises

※ 빈칸에 들어갈 알맞은 말을 고르시오.

1. Patience is to success _____ water is to plants.

   ① that	② what
   ③ whose	④ whatever

2. The new processor is to other processors _____: i.e. faster.

   ① just as Ferrari to other cars
   ② what Ferrari is to other cars
   ③ so Ferrari is to other cars
   ④ for which Ferrari is to other cars

※ 밑줄 친 부분이 틀리면 바르게 고치시오.

3. Facts are to the scientist which words are to the poet.

4. That the shield is to Ares, the cup is to Dionysus.

※ 다음 문장을 해석하고 구문분석하시오.

5. Insurance companies are to health care what a fox is to guarding hens.

6. Many economists alleged that the market economy failed to address income inequality.

---

1. **해설** 'A와 B의 관계는 C와 D의 관계와 같다'라는 명사절 접속사 what을 이용한 「A is to B what C is to D」의 구문을 이용해서 표현할 수 있다. 빈칸에는 Patience와 success, water와 plants의 모든 요소를 연결할 수 있는 접속사 what이 들어가야 한다.
   **해석** 인내와 성공의 관계는 물과 식물의 관계와 같다.
   **정답** ②

2. **해설** 'A와 B의 관계는 C와 D의 관계와 같다'라는 명사절 접속사 what을 이용한 「A is to B what C is to D」의 구문을 이용해서 표현할 수 있다. 따라서 빈칸에는 접속사 what이 쓰인 what Ferrari is to other cars가 들어가야 한다.
   **해석** 새로운 프로세서와 다른 프로세서의 관계는 페라리와 다른 차들과의 관계와 같다: 즉, 더 빠르다.
   **정답** ②

3. **해설** 'A와 B의 관계는 C와 D의 관계와 같다'라는 명사절 접속사 what을 이용한 「A is to B what C is to D」의 구문을 이용해서 표현할 수 있다. 따라서 which는 what으로 고쳐야 한다.
   **해석** 사실과 과학자들과의 관계는 단어와 시인들의 관계와 같다.
   **정답** which → what

4. **해설** 'A와 B의 관계는 C와 D의 관계와 같다'라는 명사절 접속사 what을 이용한 「A is to B what C is to D」 또는 「What C is to D, A is to B」의 구문을 이용해서 표현할 수 있다. 따라서 That은 What으로 고쳐야 한다.
   **어휘** shield 방패
   **해석** 술잔과 디오니소스(술의 신)와의 관계는 방패와 아레스(군신)와의 관계와 같다.
   **정답** That → What

5. **어휘** insurance 보험   health care 건강관리   hen 암탉
   **해석** 보험회사와 건강관리의 관계는 여우와 암탉 지키기의 관계와 같다.
   **분석** Insurance companies are to health care // what a fox is to guarding hens.

6. **어휘** allege 주장하다   address 해결하다   income 소득   inequality 불평등
   **해석** 많은 경제학자들은 시장 경제가 소득 불평등을 해결하지 못했다고 주장했다.
   **분석** Many economists alleged // (that) the market economy failed to address income equality.

Chapter 06 접속사 233

# 출제유형 080

**POINT 41 부사절 접속사의 선택**

## 목적/결과의 부사절 접속사 that

**밑줄 친 부분에 들어갈 말로 가장 적절한 것은?**

> Oxygen is so important to humans with multiple organ systems _____ it will lead to death if we are deprived of it for only a short time.

① that ② what
③ when ④ even if

### 유형 분석 & 전략

so, such 등에 우선 동그라미하고 that을 찾아 밑줄을 긋고 목적 또는 결과의 의미가 문맥에 맞는지 확인합니다.

### 포인트 분석

Oxygen is ⓢo important to humans with multiple organ systems that we can be led to death

### 해설

**문법포인트** 부사절 접속사의 선택 「so ~ that」은 부사절 접속사 구문으로 '너무 ~해서 …하다'라는 뜻을 나타낸다.

### 어휘

oxygen 산소  organ system 기관  deprive A of B A에게서 B를 빼앗다

### 해석

산소는 수많은 기관을 지닌 인간에게 너무 중요해서 만약 우리가 아주 잠시라도 산소를 빼앗긴다면 우리는 죽음에 이를 수 있다.

**정답** ①

## 1. 주요 부사절 접속사

| | |
|---|---|
| 시간 | while ~하는 동안 / when ~할 때 / before ~ 전에 / after ~ 후에 / until ~할 때까지 / by the time ~할 때까지 / as soon as ~하자마자 / whenever ~할 때마다 |
| 이유 | because ~이기 때문에(직접적 이유) / as / since ~이기 때문에(여러 이유 중 하나) / in that ~라는 점에서 / now that ~이기 때문에 / seeing that ~을 고려하면 |
| 조건 | if 만일 ~한다면 / unless 만일 ~하지 않는다면(= if not) / whether (or not) ~이든 아니든 / as/so long as ~하는 한 / provided that 만일 ~라면(~라고 가정하면) / given that 만일 ~라면(~라고 가정하면) |
| 양보 | although / though / even though / even if 비록 ~이지만 / while / whereas ~하는 반면 |
| 목적 | so that / in order that ~하기 위해서 / lest … should ~ ~하지 않기 위해서 |
| 결과 | so + 형용사/부사 + that + S + V 너무 ~해서 …하다 / such + a/an + 형용사 + 명사 + that + S + V 너무 ~한 ~이어서 …하다 / so that 그래서, 그 결과 |
| 비교 | as / like ~처럼 |

Toads differ from frogs in that they have dry, warty skin.
두꺼비는 건조하고 우툴두툴한 피부를 가지고 있다는 점에서 개구리와 다르다.

Provided (that) you finish your homework, you can go out.
숙제를 다 끝냈으면 나가도 된다.

I watch a lot of American movies so that I can improve my English.
나는 영어 실력을 향상시킬 수 있도록 하기 위해서 많은 미국 영화를 본다.

The novel was so interesting that I read it four times.
그 소설은 너무 재미있어서 나는 그것을 네 번 읽었다.

No student submitted the paper in time, so that the teacher got angry.
어떤 학생도 과제를 제시간에 제출하지 않았고, 그래서 선생님이 화가 나셨다.

### 구문분석 공식

**공식 35** 「so/such ~ that …」 '너무 ~해서 …하다'

such + a/an + (형용사) + 명사 + that + S + V (너무 ~해서 …하다)
He is such a clown // that he makes everyone laugh.

그는 너무나 광대 같은 사람이어서 // 그는 모든 사람을 웃긴다.

**해석** 그는 너무나 광대 같은 사람이어서 모든 사람을 웃긴다.

**공식 36** 「so that」 '~하기 위해서'/'그래서'

~하기 위해서(목적)
People work // so that they can get a sense of self and individualism.

사람들은 일을 한다 // 자아감과 개성을 얻기 위해서.

**해석** 사람들은 자아감과 개성을 얻기 위해서 일을 한다.

# Exercises

※ 빈칸에 들어갈 알맞은 말을 고르시오.

1. They were short of water, _____ they drank as little as possible.

   ① so that  ② but that
   ③ as if    ④ for fear

2. Tom played so well _____ he received a standing ovation from the audience.

   ① what   ② that
   ③ which  ④ when

※ 밑줄 친 부분이 틀리면 바르게 고치시오.

3. So little has life altered here which it's easy to imagine yourself back in the 13th century.

4. It was such a dark night what I could see nothing.

※ 다음 문장을 해석하고 구문분석하시오.

5. He wanted to set up his own online business so that he could work from home.

6. Major brands offer such cheap clothes that they can be treated like disposable items.

---

1. 해설) '물이 부족하다'라는 말이 왔고, 그 뒤에는 물을 가능한 적게 마셨다는 내용이므로 빈칸에는 '그래서, 그 결과'를 의미하는 부사절 접속사가 들어가야 한다. 따라서 빈칸에는 so that이 가장 적절하다.
   어휘) be short of ~ ~이 부족하다  so that 그래서
   해석) 그들은 물이 부족했으므로 가능한 한 적게 마셨다.
   정답) ①

2. 해설) 빈칸 앞에 so가 있고 문맥상 연주를 잘해서 그 결과 기립 박수를 받았다는 내용이 이어져야 하므로 원인-결과를 의미하는 「so+형/부+that S+V」의 구문으로 만들어야 한다. 따라서 빈칸에는 that이 들어가야 한다.
   어휘) standing ovation 기립 박수
   해석) Tom은 연주를 너무 잘해서 청중들로부터 기립 박수를 받았다.
   정답) ②

3. 해설) which는 의문사로 쓰이든 관계대명사로 쓰이든 뒤에 이어지는 절은 불완전해야 하는데 완전한 절이 왔으므로 틀렸다. 문맥상 which 이하가 결과를 의미하므로 앞의 so와 연결되는 부분이 원인에 해당하므로 「so ~ that」 부사절이 와야 한다. 따라서 which는 that으로 고쳐야 한다. 또한 So little 부정 부사가 문두에 있어서 주어 동사가 도치되었다.
   어휘) little 거의 ~ 않는  alter 변하다
   해석) 여기에서의 삶이 거의 변하지 않아 13세기로 돌아간 당신 자신을 상상해보는 것은 쉬운 일이다.
   정답) which → that

4. 해설) what은 뒤에 이어지는 절이 불완전해야 하는데 완전한 절이 왔으므로 틀렸다. 문맥상 what 이하가 결과를 의미하므로 앞의 such와 연결되는 「such ~ that」 부사절이 되어야 한다. 따라서 what은 that으로 고쳐야 한다.
   해석) 너무나 어두운 밤이어서 나는 아무것도 볼 수 없었다.
   정답) what → that

5. 어휘) set up 세우다
   해석) 그는 집에서 일할 수 있도록 자신의 온라인 사업체를 세우고 싶었다.
   분석) He(S) wanted(V) to set up his own online business(O) // so that he(S') could work(V') from home.

6. 어휘) cheap 값싼  treat 취급하다  disposable 일회용의
   해석) 주요 브랜드들이 너무나 값싼 의류를 공급해서 그것들이 일회용품처럼 취급될 수 있다.
   분석) Major brands(S) offer(V) such cheap clothes(O) // that they(S') can be treated(V') / like disposable items.

# 출제유형 081

**POINT 41** 부사절 접속사의 선택

## 부정의 의미를 가진 접속사의 중복부정 금지

---

**밑줄 친 부분에 들어갈 말로 가장 적절한 것은?**

> The mother turned her head away lest her son _____ her tears.

① saw  ② had seen
③ should see  ④ didn't see

### 유형 분석 & 전략

접속사 lest, for fear that, nor, unless가 보이면 동그라미하고 뒤에 위치한 주어와 동사 중 동사에 밑줄 그어 부정어의 유무를 확인해야 합니다.

### 포인트 분석

Mother turned her head away (lest) her son should see her tears.

---

lest ~ should .../for fear that ~ should ... (= so that ~ may not ...), unless(= if ~ not), nor(= and ~ not ... either) 등의 접속사는 부정(not)의 의미를 내포한 접속사이므로 다시 부정어구를 사용하지 않는다.

I didn't go out lest I should waste money.
나는 돈을 낭비하지 않기 위해 밖에 나가지 않았다.
I didn't go out lest I should not waste money. (×)

Unless you go out, we will go out.
네가 나가지 않으면 우리가 나갈 거야.
Unless you don't go out, we will go out. (×)

He didn't like it, nor did his wife.
그는 그것을 싫어했고, 그의 아내도 역시 그것을 싫어했다.
He didn't like it, nor didn't his wife. (×)

---

### 해설

**문법포인트** 부사절 접속사의 선택 「lest ~ (should) ....」는 '~가 ...하지 않기 위해'라는 의미를 나타낸다. lest는 부정의 의미가 내포된 접속사이므로 부정어구를 다시 사용하지 않아야 한다.

### 어휘

**turn one's head away** 고개를 돌리다

### 해석

어머니는 아들이 자신의 눈물을 보지 못하도록 고개를 돌렸다.

정답 ③

# Exercises

※ 빈칸에 들어갈 알맞은 말을 고르시오.

1. There can be no true liberty _____ there is economic liberty.

   ① that        ② what
   ③ unless      ④ lest

2. He studied hard _____ he should fail in the exam.

   ① that        ② what
   ③ unless      ④ lest

※ 밑줄 친 부분이 틀리면 바르게 고치시오.

3. This agricultural chemical doesn't kill the sheep, nor <u>doesn't</u> it paralyze them.

4. I daren't tell you what he did, lest he <u>is</u> angry with me.

※ 다음 문장을 해석하고 구문분석하시오.

5. The boy talked to his mother in whispers for fear that his father should be heard.

6. Lest there be any doubt, I confess that I do not claim to be an expert in this area.

---

1. **해설** 두 개의 절이 연결되는 자리이므로 접속사가 필요하다. 앞에 완전한 절이 나왔기 때문에 주어나 목적어의 역할을 하는 that은 명사절을 이끄므로 올 수 없고, what은 불완전한 절이 와야 하고, lest는 동사가 should가 생략된 동사원형이 와야 하므로 각각 쓸 수 없다. 완전한 문장 뒤에 수식어로 부사절이 가능하므로 부사절 접속사 unless는 들어갈 수 있다. 또 unless에 이어지는 절은 긍정문이어야 하므로 적절하다.

   **어휘** liberty 자유

   **해석** 경제적 자유가 없다면 진정한 자유가 있을 수 없다.

   **정답** ③

2. **해설** 두 개의 절이 연결되는 자리이므로 접속사가 필요한데 앞뒤의 절이 완전하므로 주어나 목적어의 역할을 하는 명사절 that은 올 수 없고, what은 불완전한 절이 와야 하므로 적절하지 않다. 빈칸에는 부사절 접속사가 와야 할 자리이다. 의미상 '~하지 않는다면'이 아니라 '~하지 않도록'이 적절하므로 lest가 와야 한다. lest는 이어지는 절의 동사가 「(should)+동사원형」이 되므로 들어갈 수 있고 또 긍정문으로 이어져 문맥적으로도 lest가 바르다.

   **어휘** fail 떨어지다

   **해석** 그는 시험에 떨어지지 않도록 열심히 공부했다.

   **정답** ④

3. **해설** nor는 or not의 의미로 이미 부정의 의미가 있기 때문에 이어지는 절에서 다시 부정어를 쓰지 않는다. 따라서 doesn't는 does로 고쳐야 한다.

   **어휘** agricultural chemical 농약   sheep 양
   paralyze 마비시키다

   **해석** 이 농약은 양들을 죽이지도 않고 마비시키지도 않는다.

   **정답** doesn't → does

4. **해설** lest에 이어지는 절의 동사는 「(should)+동사원형」의 형태를 가져야 한다. 따라서 is는 (should) be로 고쳐야 한다.

   **어휘** dare (조동사) 감히 ~하다

   **해석** 그가 내게 화를 낼까봐서 그가 한 일을 감히 네게 말할 수 없다.

   **정답** is → (should) be

5. **어휘** whisper 속삭임

   **해석** 그 소년은 그의 아버지가 들을까 봐 두려워서 그녀의 엄마에게 속삭이며 말했다.

   **분석** <u>The boy</u> <u>talked</u> to his mother in whispers // for fear that <u>his father</u> <u>should be heard</u>.

6. **해석** 의심이 없도록, 내가 이 분야에서 전문가라고 주장을 하는 것은 아님을 고백한다.

   **분석** Lest <u>there</u> <u>be</u> any doubt, // <u>I</u> <u>confess</u> // that <u>I</u> <u>do not claim</u> <u>to be an expert</u> in this area.

# 출제유형 082

**POINT 41 부사절 접속사의 선택**

## 부사절 vs. 부사구

### 밑줄 친 부분 중 어법상 옳지 않은 것은?  2024 지방직 9급

One of the many ① <u>virtues</u> of the book you are reading ② <u>is</u> that it provides an entry point into *Maps of Meaning*, ③ <u>which</u> is a highly complex work ④ <u>because of</u> the author was working out his approach to psychology as he wrote it.

#### 유형 분석 & 전략

despite/although, because of/because, during/while이 보이면 밑줄을 긋고 뒤에 동사가 있는 절의 형태인지, 동사 없이 명사(구)만 있는지 확인해야 합니다.
동사가 보이면 동그라미, 동사가 보이지 않는다면 명사(구)에 동그라미 표시하세요.

#### 포인트 분석

④ because of the author was working out his approach to psychology
→ because

#### 해설

④ **문법포인트** 부사절 접속사의 선택 because of는 전치사인데 뒤에 주어와 동사가 있는 절이 오고 있으므로 절을 이끌도록 부사절 접속사 because로 고쳐야 한다. (because of → because)
① **문법포인트** 명사의 이해 앞에 셀 수 있는 명사를 수식할 수 있는 수형용사 many가 왔으므로 virtue는 셀 수 있는 명사임을 알 수 있고, 복수형 virtues로 바르게 쓰였다.
② **문법포인트** 주어 - 동사 수 일치 주어 One of the many virtues가 수식하고, of the book you are reading이 many virtues를 수식한다. 주어가 One이므로 단수 동사 is가 바르게 쓰였다.
③ **문법포인트** 관계대명사의 선택 선행사는 *Maps of Meaning*이고, 사물을 선행사로 하는 주격 관계대명사 which가 계속적 용법으로 바르게 쓰였다.

#### 어휘

virtue 장점  entry point 진입 지점  highly 매우  complex 복잡한
author 작가  work out 생각해 내다

#### 해석

당신이 읽고 있는 책의 여러 장점 중 하나는 그것이 <의미의 지도>에 대한 진입 지점을 제공한다는 것인데, 그것은 작가가 그것을 쓰면서 심리학에 대한 접근법을 이끌어 내고 있었기 때문에 매우 복잡한 작품이다.

**정답** ④

---

부사절을 구성하는 접속사와 부사구를 형성하는 전치사를 혼동시키는 문제가 자주 출제된다.

| 의 미 | 부사절<br>(접속사+S+V+O/C) | 부사구<br>(전치사+명사구) |
|---|---|---|
| ~ 때문에 | because+S+V+O/C | because of / due to<br>+명사(구) |
| 비록 ~이지만 | although+S+V+O/C | in spite of / despite +<br>명사(구) |
| ~ 동안 | while+S+V+O/C | during+명사(구) |

The team won **because of** its superior number.
그 팀은 수적 우세 덕분에 이겼다.

The team won because its superior number. (✕)

**Although** it wasn't an easy decision, we made it.
그것은 쉬운 결정이 아니었지만 우리는 해냈다.

Despite it wasn't an easy decision, we made it. (✕)

# Exercises

※ 빈칸에 들어갈 알맞은 말을 고르시오.

1. _____ he was sleepy, he kept watching TV.

   ① Despite          ② Because of
   ③ Although         ④ Where

2. _____ these intellectual and physical challenges, he loves to run.

   ① Despite          ② Because
   ③ Although         ④ Where

※ 밑줄 친 부분이 틀리면 바르게 고치시오.

3. Although our help with searching for every job opening possible, he could not find a suitable job.

4. While the youth, it is nice to enjoy development of mind and body.

※ 다음 문장을 해석하고 구문분석하시오.

5. Because of the East River's great width and rough tides, it would be difficult to build anything on it.

6. Because the world's problems shouldn't be the human family's heirloom, we should do our best to get rid of them.

---

1. 해설) 빈칸 뒤에 절의 구조가 이어졌고, 뒤에 주절이 있으므로 빈칸에는 부사절 접속사가 들어가야 한다. 문맥상 양보의 의미가 있으므로 빈칸에는 Although가 들어가는 것이 가장 적절하다.
   해석) 졸리는데도 불구하고 그는 계속 텔레비전을 보았다.
   정답) ③

2. 해설) 빈칸 뒤에 명사구가 이어졌고, 뒤에 주절이 있으므로 빈칸에는 전치사가 들어가 문장을 수식하는 부사구가 되어야 한다. 문맥상 양보의 의미가 있으므로 빈칸에는 Despite가 들어가는 것이 가장 적절하다.
   해석) 이러한 지적, 신체적 장애들에도 불구하고 그는 달리기를 무척 좋아한다.
   정답) ①

3. 해설) Although 뒤에 명사구가 이어졌고, 뒤에 주절이 있으므로 빈칸에는 전치사가 와서 문장을 수식하는 부사구가 되어야 한다. 문맥상 양보의 의미가 있으므로 Although는 Despite나 In spite of로 고쳐야 한다.
   어휘) job opening 일자리  suitable 적당한
   해석) 가능한 모든 일자리를 알아보는 것을 우리가 도왔음에도 불구하고, 그는 적당한 일자리를 찾지 못했다.
   정답) Although → Despite/In spite of

4. 해설) while은 접속사이므로 뒤에 주어와 동사의 절이 와야 한다. While 뒤에 명사구인 the youth만 왔으므로 같은 의미가 있는 전치사 During으로 고쳐야 한다.
   어휘) development 성장
   해석) 젊을 때는, 정신과 육체의 성장을 즐기는 것이 좋다.
   정답) While → During

5. 어휘) width 넓이  rough 거친  tide 조수
   해석) 이스트강의 매우 넓은 강폭과 거친 조수 때문에 그 위에 무언가를 세우는 것이 어려울 것이다
   분석) Because of the East River's great width and rough tides, // it would be difficult to build anything on it.
   (가S  V  C  진S)

6. 어휘) heirloom 가보  do one's best 최선을 다하다  get rid of ~을 제거하다
   해석) 세상의 문제들은 인간 가족의 가보가 되어서는 안 되기 때문에 우리는 그것들을 제거하기 위해 우리의 최선을 다해야 한다.
   분석) Because the world's problems shouldn't be the human family's heirloom, // we should do our best to get rid of them.
   (S' V' C' // S V O)

Chapter 06 접속사

# 출제유형 083

**POINT 42 주요 양보구문**

## 복합관계사 양보구문

**밑줄 친 부분에 들어갈 말로 가장 적절한 것은?**

> However _____ in order to distance himself from negative thoughts, he still felt their influence.

① he tried desperately  ② desperately he tried
③ he tried desperate   ④ desperate he tried

### 유형 분석 & 전략

복합관계사가 사용된 문장이 보이면 복합관계사에 동그라미, 뒤에 위치한 주어와 동사에 각각 밑줄을 그어 올바른 어순과 형태를 확인합니다. 특히, however가 사용되는 경우 수식하는 형용사나 부사가 함께 있어야 하므로 「however+형용사/부사」를 함께 동그라미 표시합니다.

### 포인트 분석

However desperately he tried in order to distance himself from negative thoughts,

---

복합관계사(= No matter 의문사) + S + V
'~하더라도'/'아무리 ~해도'

**Whatever** you may say, I will not believe you.
네가 무슨 말을 해도, 나는 너를 믿지 않을 것이다.
= No matter what you may say, I will not believe you.

#### Check!

**However**(= No matter how)+형용사/부사+S+V
복합의문부사인 However는 '얼마나'를 의미하여 다른 형용사나 부사를 수식할 수 있다.

**However poor** he may be, I will marry him.
그가 아무리 가난하다고 해도 나는 그와 결혼할 거야.

1. However와 수식받는 형용사/부사는 붙여 쓴다.
   However he may be poor, I will marry him. (×)

2. However가 수식하는 요소가 형용사인지 부사인지 구분한다.
   However poorly he may be, I will marry him. (×)

### 해설

**문법포인트** 주요 양보구문 However는 부사로서 뒤에 수식받는 형용사나 부사가 함께 나와야 하므로 「However desperately+주어+동사」의 형태가 올바르다. 또한 동사 tried를 수식하는 부사여야 하므로 부사인 desperately가 필요하다.

### 어휘

distance 거리를 두다  negative 부정적인  influence 영향력
desperately 필사적으로

### 해석

부정적인 생각들로부터 거리를 두기 위해서 아무리 필사적으로 노력해도 그는 그것들의 영향력을 여전히 느꼈다.

**정답** ②

### 구문분석 공식

**공식 37** 「복합관계사+주어+동사」 '~가 …한다 할지라도'

However + 형용사   S    V
**However difficult the task may be,** // she never gives up.
그 일이 아무리 어려울지라도  // 그녀는 절대 포기하지 않는다.

**해석** 그 일이 아무리 어려울지라도 그녀는 절대 포기하지 않는다.

# Exercises

※ 빈칸에 들어갈 알맞은 말을 고르시오.

1. _____, you must do the project.

   ① How weary you may be
   ② How you may be weary
   ③ However weary you may be
   ④ However you may be weary

2. _____, the result never seemed good enough.

   ① No matter what hard you tried
   ② No matter how hard you tried
   ③ No matter hard what you tried
   ④ No matter how you tried hard

※ 밑줄 친 부분이 틀리면 바르게 고치시오.

3. <u>Whatever</u> she went, they followed.

4. However <u>highly</u> the price is, I will buy the apartment.

※ 다음 문장을 해석하고 구문분석하시오.

5. Don't open your door to a stranger, whatever he says.

6. No matter how satisfying our work is, it is a mistake to rely on work as our only source of satisfaction.

---

1. **해설** 뒤에 주절이 있으므로 부사절 종속접속사가 이끄는 절이 들어가야 한다. How는 부사절 종속접속사로 쓰이지 않으므로 however를 사용한 양보의 구문으로 구성해야 한다. 따라서 빈칸에는 However weary you may be가 들어가야 한다.
   **어휘** weary 피곤한
   **해설** 아무리 피곤하더라도 당신은 그 프로젝트를 해야 한다.
   **정답** ③

2. **해설** 「no matter+의문사」를 이용한 양보구문으로 try가 자동사로 쓰였으므로 명사를 나타내는 what을 사용해서 표현할 수 없다. 부사인 no matter how로 양보구문을 써야 하며, hard를 수식하는 것이므로 no matter how hard you tried가 빈칸에 들어가야 한다.
   **해설** 네가 아무리 열심히 노력했어도 그 결과는 결코 충분히 좋아 보이지 않았다.
   **정답** ②

3. **해설** 완전자동사 go는 목적어나 보어를 취하지 않으므로 명사 역할을 하는 Whatever는 부사인 Wherever로 고쳐야 한다.
   **해설** 그들은 그녀가 이끄는 대로 어디나 따라다녔다.
   **정답** Whatever → Wherever

4. **해설** highly는 is의 보어에 해당하는데 부사는 보어로 쓸 수 없으므로 형용사인 high로 고쳐야 한다.
   **어휘** highly 매우
   **해설** 가격이 아무리 높다 해도, 난 그 아파트를 살 것이다.
   **정답** highly → high

5. **어휘** stranger 낯선 사람
   **해설** 그가 무슨 말을 해도 낯선 사람에게는 문을 열어 주지 마라.
   **분석** Don't open your door to a stranger, // whatever he says.

6. **어휘** satisfying 만족스러운  rely on 의존하다
   satisfaction 만족
   **해설** 우리의 일이 아무리 만족스럽더라도 만족의 유일한 원천으로 일에 의존하는 것은 잘못이다.
   **분석** No matter how satisfying our work is, // it is a mistake to rely on work as our only source (of satisfaction).

# 출제유형 084

**POINT 42 주요 양보구문**

## 접속사 as/though 양보구문

**밑줄 친 부분에 들어갈 말로 가장 적절한 것은?**

_____, he refused to give up.

① Fierce as the competition was
② As fierce the competition was
③ Fiercely as the competition was
④ As fiercely the competition was

### 유형 분석 & 전략

문두에 위치한 종속절이 명사(무관사)/형용사/부사로 시작하면 밑줄을 긋고, 바로 뒤에 나온 양보의 접속사 as/though에 동그라미를 그린 다음, 뒤에 위치한 주어와 동사에 각각 밑줄 그으세요.
어순이 올바른지, 앞에 위치한 명사(무관사)/형용사/부사의 품사가 적합한지 확인해야 합니다.

### 포인트 분석

Fierce (as) the competition was, he refused to give up.
형용사          S          V

### 해설

**문법포인트** 주요 양보구문 / 형용사 vs. 부사 문맥상 양보구문으로 「(As)+형용사/부사+as/though+S+V」의 형태로 사용해야 한다. 동사가 was이고 was의 보어가 문장 맨 앞으로 나온 것이므로 보어로 사용할 수 있는 형용사 Fierce가 와야 한다.

### 어휘

refuse 거부하다    give up 포기하다    fierce 치열한    competition 경쟁
fiercely 치열하게

### 해석

비록 경쟁이 치열했지만, 그는 포기하기를 거부했다.

**정답** ①

---

(As) [명사(무관사)/형용사/분사/부사] + [as / though] + S + V
'비록 ~이지만'

**Child as he is**, he is very courageous.
비록 그는 어린이지만 매우 용감하다.

**Brave as he was**, he had no chance of winning.
비록 그는 용감했지만, 이길 가능성이 없었다.

**Bravely as he fought**, he had no chance of winning.
비록 그는 용감하게 싸웠지만, 이길 가능성이 없었다.

### 구문분석 공식

**공식 38** 「(As) 명사(무관사)/형용사/부사/분사+as/though+주어+동사」 '비록 ~이지만'

형용사+as+S+V (비록 ~이지만)
**Rich as you may be,** // you can't buy sincere friends.

비록 부자일지라도    //    진실한 친구는 살 수는 없다.

**해석** 비록 부자일지라도 진실한 친구는 살 수는 없다.

**어휘** sincere 진실한

# Exercises

※ 빈칸에 들어갈 알맞은 말을 고르시오.

1. Talented _____ she may be, she still faces challenges in her career.

   ① even if        ② as if
   ③ as             ④ although

2. _____, Linda did her best to complete it.

   ① It was as difficult a task as
   ② As difficult the task was
   ③ As difficult a task as it was
   ④ As difficult a task although it was

※ 밑줄 친 부분이 틀리면 바르게 고치시오.

3. Eloquent although she was, she could not persuade him.

4. As impressive as their elaborately decorated temples did, their efficient water systems were masterpieces in engineering.

※ 다음 문장을 해석하고 구문분석하시오.

5. Perfecting those relationships — important though it is — is not the ultimate goal of their efforts.

6. The space sciences, arcane and specialized though they have become, continue to have a profound and wide influence on the whole community's thinking.

---

1. **해설** 문맥상 양보구문으로 접속사 as를 이용한 양보구문은 「형용사+as/though+주어+동사」의 어순으로 쓴다. 이런 양보구문에는 접속사를 as나 though를 써야 하므로 빈칸에는 as가 들어가야 한다.
   **해석** 재능이 있을지라도 그녀는 여전히 자신의 직업에서 어려움을 겪는다.
   **정답** ③

2. **해설** 뒤에 주절이 나와 있으므로, 빈칸에는 부사절이 들어가야 하는데 형태상으로나 문맥상 「(As)+형용사/부사+as/though+S+V」의 양보구문이 적합하다. 양보구문에서는 as나 though를 쓰므로 빈칸에는 As difficult a task as it was가 들어가야 한다. 한편 As 뒤에 형용사와 명사가 나올 때 「As+형+a(n)+명」 어순으로 쓴다.
   **해석** 비록 그것이 어려운 일이었지만, Linda는 그것을 완료하기 위해 최선을 다했다.
   **정답** ③

3. **해설** 「(As)+형용사/부사+as/though+S+V」의 양보구문이다. 양보구문의 접속사로는 as나 though를 쓰므로 although는 as나 though로 고쳐야 한다.
   **어휘** eloquent 달변의    persuade 설득하다
   **해석** 그녀가 달변이긴 했지만 그를 설득할 수는 없었다.
   **정답** although → as/though

4. **해설** 「(As)+형용사/부사+as/though+S+V」의 주요 양보구문으로 이 「As ~ as」 사이에 있는 형용사 impressive가 동사의 보어 역할을 한다. 따라서 did는 보어를 취할 수 있는 were로 고쳐야 한다.
   **어휘** impressive 인상적인   elaborately 정교하게
   masterpiece 걸작   engineering 공학
   **해석** 그들의 정교하게 장식된 사원들이 인상적이었지만, 그들의 효율적인 수도 체계는 공학적인 면에서 걸작이었다.
   **정답** did → were

5. **해설** 그러한 관계를 완벽하게 하는 것이 — 중요하기는 하지만 — 그들 노력의 궁극적인 목표는 아니다.
   **분석** Perfecting those relationships / (— important though it is —) / is not the ultimate goal (of their efforts).

6. **어휘** arcane 난해한   thinking 사고
   **해석** 우주 과학이 비록 난해하고 전문화되었지만, 전체 공동체의 사고에 계속 심오하고 폭넓은 영향을 끼치고 있다.
   **분석** The space sciences, (arcane and specialized though they have become), continue to have a profound and wide influence (on the whole community's thinking).

# 출제유형 085

**POINT 43 관계대명사의 선택**

## who/whose/whom, which/of which[whose] 선택

**밑줄 친 부분에 들어갈 말로 가장 적절한 것은?**

> Children who don't have a successful experience, or _____ experience is disappointing, stop participating in the learning process.

① who  ② which
③ whose  ④ where

### 유형 분석 & 전략

관계대명사가 보이면 밑줄을 긋고 수식하는 선행사는 동그라미, 관계절은 괄호로 표시한 후, 관계절의 구성을 확인하여 관계사가 옳게 쓰였는지 확인해야 합니다.
형용사절이 아닌 명사절인지, 관계대명사가 아닌 관계부사인지를 주로 비교하세요.

### 포인트 분석

Children (who don't have a successful experience), / or
     S   V   C
(whose experience was disappointing,) stop participating in the learning process.

### 해설

**문법포인트** 관계대명사의 선택 관계대명사 뒤에 이어지는 절에는 주어나 목적어가 빠져 있어야 하는데 빈칸 뒤에 주어와 보어가 있는 완전한 절이 왔다. or 이후 절에서 experience가 주어이고 선행사인 Children과 의미상 소유의 관계이므로 소유격 관계대명사 whose가 들어가야 한다.

**어휘**
disappointing 실망스러운  participate in ~에 참가하다

**해석**
성공적인 경험을 해본 적이 없거나 자신의 경험이 실망스러웠던 아이는 학습 과정에 참가하는 것을 그만둔다.

**정답** ③

---

관계대명사는 선행사(사람, 사물 등)와 관계절에서 관계대명사의 역할(주격, 목적격, 소유격)에 따라 결정된다.

| 선행사 | 관계대명사절의 빠진 요소 | 관계대명사 선택 |
| --- | --- | --- |
| 사람 | 주어 | who(주격) |
| | 목적어 | who(m)(목적격) |
| | 빠진 것 없음 | whose(소유격) |
| 사물 | 주어/목적어 | which(주격/목적격) |
| | 빠진 것 없음 | of which/whose(소유격) |
| 구(phrase)나 앞 문장 전체 | 주어/목적어 | which |

The person who planned this trip was Chris.
이 여행을 계획한 사람은 Chris였다.

He submitted his assignment which he finished last night.
그는 어젯밤에 끝낸 그의 과제를 제출했다.

The building whose roof(= the roof of which / of which the roof) is red is the hospital.
지붕이 빨간 그 건물이 병원이다.

I said nothing, which made him angry.
나는 아무 말도 안 했고, 그것이 그를 화나게 만들었다.

### Check!

**삽입절이 있는 경우 관계대명사의 선택**
관계대명사 뒤에 삽입절이 있는 경우 관계대명사의 선택에 주의해야 한다.
He is a man who we think is reliable.
그는 우리가 생각하기에는 믿을 수 있는 사람이다.
➡ we think를 삽입된 것으로 보면 관계절에서 빠진 요소 찾기가 한결 수월해진다.

### 구문분석 공식

**공식 39** 관계대명사/관계부사로 시작하는 관계절은 '~한, ~하는'의 의미로 앞선 명사를 수식한다.

        선행사↓
The list shows all articles (which belong to the owner).

**해석** 그 목록은 (그 소유자에 속한) 모든 물품을 보여준다.

**어휘** article 물품

# Exercises

※ 빈칸에 들어갈 알맞은 말을 고르시오.

1. I will employ the young man _____ they say is a fluent speaker of English.

   ① whose  ② who
   ③ which  ④ whom

2. Look at the beautiful mountain _____ top is covered with snow all the year round.

   ① whose  ② that
   ③ which  ④ of which

※ 밑줄 친 부분이 틀리면 바르게 고치시오.

3. The dancer that I told you about her is coming to town.

4. Memorization can enable use of direct eye contact with an audience who is more convincing than reference to the score.

※ 다음 문장을 해석하고 구문분석하시오.

5. Other types of organisms like molds and fungi could also be present, some of which can cause serious health problems.

6. They prefer to store such information on their cell phones or computers rather than use their heads, which leads to a condition known as digital dementia.

---

1. **해설** 앞뒤에 절이 있으므로 연결어가 들어가야 한다. 뒤에 절에서 they say는 삽입절이므로 is의 주어가 없다. 따라서 빈칸에는 the young man을 꾸며주는 주격 관계대명사인 who가 가장 적절하다.

   **어휘** employ 고용하다  fluent 유창한

   **해석** 나는 유창한 영어를 구사한다고 그들이 말하는 그 젊은 남자를 고용할 것이다.

   **정답** ②

2. **해설** 두 개의 절이 이어져야 하므로 연결어가 들어가야 한다. 문맥상 뒤의 절이 mountain을 수식하므로 관계대명사가 들어가야 하는데 뒤에 주어와 수동태 동사의 완전한 절이 왔다. 주어가 무관사로 왔으므로 소유격 관계대명사 whose를 넣어주는 것이 가장 적절하다.

   **어휘** all the year round 일 년 내내

   **해석** 일 년 내내 정상이 눈으로 덮여있는 저 아름다운 산을 보아라.

   **정답** ①

3. **해설** 선행사인 the dancer를 수식하는 목적격 관계대명사 that으로 시작하는 관계절에서 전치사 about의 목적어는 바로 목적격 관계대명사인 that이다. 목적어인 her가 중복되므로 her를 제거해야 한다.

   **해석** 내가 이야기했던 그 무용수가 마을에 올 것이다.

   **정답** about her → about

4. **해설** 관계대명사 who의 선행사는 의미상 direct eye contact이다. who는 사람을 선행사로 하므로 사물을 선행사로 하는 that 또는 which로 고쳐야 한다.

   **어휘** memorization 암기  audience 청중
   convincing 설득력 있는  reference 참고  score 악보

   **해석** 암기는 악보를 참고하는 것보다 더 설득력 있는 청중과의 눈 맞춤을 가능하게 한다.

   **정답** who → which/that

5. **어휘** organism 유기체  mold 곰팡이  fungus (pl. fungi) 균
   present 존재하는

   **해석** 곰팡이와 균류 같은 다른 형태의 유기체 또한 존재할 수 있으며, 그중 일부는 심각한 건강상의 문제를 일으킬 수 있다.

   **분석** Other types of organisms (like molds and fungi) / could also be present, (some of which can cause serious health problems).

6. **어휘** store 저장하다  digital 디지털의  dementia 치매

   **해석** 그들은 그러한 정보를, 머리를 쓰기보다는 휴대 전화나 컴퓨터에 저장하는 것을 더 좋아하는데, 이는 디지털 치매로 알려진 질환으로 이어진다.

   **분석** They prefer to store such information / on their cell phones or computers rather than use their heads, // which leads to a condition (known as digital dementia).

# 출제유형 086

**POINT 43 관계대명사의 선택**

## 관계대명사 that

### 다음 밑줄 친 부분 중 어법상 옳지 않은 것은?

> The study, ① that is about monkeys hanging on trees, suggests ② that arm muscles are more intricate than you think and ③ that our conception of ④ what constitutes muscular strength is narrow.

#### 유형 분석 & 전략

관계대명사 that에 밑줄을 긋고, 선행사를 찾아 동그라미, 관계절을 괄호로 표시합니다.
이후 관계대명사 that 앞에 콤마가 있으면 that에 X합니다.

#### 포인트 분석

The study, (① that is about monkeys hanging on trees),
         → which
suggests that arm muscles are more intricate than you think and that our conception of what constitutes muscular strength is narrow.

#### 해설

① **문법포인트** 관계대명사의 선택 that은 선행사인 The study를 수식하는 관계대명사이다. 관계대명사 that은 계속적 용법으로 사용하지 못하므로 which로 고쳐야 한다. (that → which)
② **문법포인트** 명사절 접속사의 선택 that이 suggests의 목적어 역할을 하는 명사절 접속사로 바르게 쓰였다.
④ **문법포인트** 명사절 접속사의 선택 / 등위접속사의 병렬 구조 앞의 that절과 병렬 구조를 이루는 명사절 접속사로 suggests의 목적어절을 이끈다.
⑤ **문법포인트** 명사절 접속사의 선택 what ~ strength가 전치사 of의 목적어 역할을 한다. 명사절 접속사 what이 바르게 사용되었다.

#### 어휘

intricate 복잡한   conception 개념   constitute 구성하다

#### 해석

나무에 매달리는 원숭이에 관한 그 연구는 팔 근육이 당신이 생각하는 것보다 더 복잡하고 근력을 구성하는 것에 관한 우리의 개념이 편협하다는 것을 시사한다.

정답 ①

---

관계대명사 that은 소유격을 제외한 다른 관계대명사(who, whom, which)를 대신하여 쓸 수 있다.
또한 다음과 같은 특수한 선행사일 때 관계대명사 that을 주로 사용한다.

| 선행사 | 관계대명사절의 빠진 요소 | 관계대명사 선택 |
|---|---|---|
| 사람+사물<br>의문사(who/what)<br>the only/very/same<br>최상급/서수/all + 명사 | 주어<br>or<br>목적어 | that<br>(주격/<br>목적격) |

**Who** that has a family to support would waste so much money?
부양할 가족을 가진 사람으로서 누가 그렇게 많은 돈을 낭비할까?

Man is **the only animal** that can speak.
인간은 말할 수 있는 유일한 동물이다.

**All** that glitters is not gold.
반짝이는 것이 모두 금은 아니다.

#### Check!

**관계대명사 that의 주의할 점**

1. 계속적 용법 불가
I said nothing, that made him angry. (×)
                  → which
나는 아무 말도 안 했고, 그것이 그를 화나게 만들었다.

2. 「전치사+that」 불가
Plants must be fitted for the places in that they live. (×)
                                        → in which
식물은 그들이 사는 장소와 잘 맞아야 한다.

### 구문분석 공식

**공식 ④⓪ 목적격 관계대명사는 자주 생략되어 쓰인다.**

= The massive ice tongue (which) scientists studied
The massive ice tongue (scientists studied) / is nearly 50 miles long.
(과학자들이 연구한) 그 거대한 빙설은 / 길이가 거의 50마일이다.

**해석** (과학자들이 연구한) 그 거대한 빙설은 길이가 거의 50마일이다.

**어휘** massive 거대한   ice tongue 빙설

# Exercises

※ 빈칸에 들어갈 알맞은 말을 고르시오.

1. The press, _____ lays no claim to scientific accuracy, is not easily forgiven its errors.

   ① which       ② that
   ③ whose       ④ in which

2. The sport _____ I am most interested is soccer.

   ① in that     ② in which
   ③ at that     ④ at which

※ 밑줄 친 부분이 틀리면 바르게 고치시오.

3. In the broadest sense, myths are stories, that can be true or partly true as well as false.

4. This is the man with that I traveled around the world last year.

※ 다음 문장을 해석하고 구문분석하시오.

5. The people, processes, and environments that embody fashion are also calling for new sustainable directions.

6. Everything we say and do determines what's going to happen to us in the future.

---

1. **해설** 빈칸 뒤의 절이 주어가 없는 불완전한 절이고 문맥상 문장의 주어인 The press가 선행사이므로 관계대명사가 들어가야 한다. that은 앞에 콤마가 오는 관계대명사의 계속적 용법으로 쓸 수 없으므로 which가 들어가야 한다.

   **어휘** lay a claim to ~을 주장하다   accuracy 정확성
   forgive 용서하다

   **해석** 언론은 과학적 정확성을 주장하지 않는데, 그것의 실수에 대해 쉽사리 용서받지 못한다.

   **정답** ①

2. **해설** The sport를 수식하는 관계대명사절이 와야 한다. 'be interested in'은 '~에 관심이 있다'라는 의미로 쓰이므로 빈칸에는 「전치사 in + 관계대명사」가 와야 함을 알 수 있다. 관계대명사 that은 전치사의 목적어로 쓸 수 없으므로 빈칸에는 in which가 들어가야 한다.

   **해석** 내가 가장 관심이 있는 스포츠는 축구다.

   **정답** ②

3. **해설** that은 관계대명사로 관계사절의 주어 역할을 한다. 그러나 that은 계속적 용법으로 쓸 수 없으므로 계속적 용법이 가능한 which로 고쳐야 한다.

   **어휘** broad 광범위한   myth 신화

   **해석** 가장 광범위한 의미에서 신화는 이야기들인데, 그것들은 거짓임과 동시에 진실일 수 있고 또는 부분적으로 진실일 수 있다.

   **정답** that → which

4. **해설** 관계대명사 that은 사람을 선행사로 할 수는 있지만 전치사의 목적어는 될 수 없다. 따라서 that은 사람을 선행사로 하고 전치사의 목적어가 될 수 있는 whom으로 고쳐야 한다.

   **해석** 이 사람은 지난해 나와 함께 세계를 여행한 남자이다.

   **정답** that → whom

5. **어휘** process 과정   embody 구체화하다   call for 요구하다
   sustainable 지속 가능한

   **해석** 패션을 구체화하는 사람, 과정, 환경은 또한 새로운 지속 가능한 방향을 요구하고 있다.

   **분석** The people, processes, and environments (that embody fashion) are also calling / for new sustainable directions.

6. **어휘** determine 결정하다

   **해석** 우리가 말하고 행하는 모든 것은 미래에 우리에게 무슨 일이 일어날지를 결정한다.

   **분석** Everything ((that 생략) we say and do) / determines // what's going to happen to us in the future.

# 출제유형 087

**POINT 43 관계대명사의 선택**

## 관계대명사 vs. what

**밑줄 친 부분 중 어법상 옳지 않은 것은?**

> She has worked as my secretary ① for the last three years. She meets all the requirements ② mentioned in your job description. I have no reason ③ to doubt her capability. I strongly recommend her for the post ④ what you advertise.

### 유형 분석 & 전략

접속사(which, that, what)에 밑줄을 긋고, 선행사를 찾아 동그라미, 관계절을 괄호로 표시합니다.
반면 선행사가 없다면 명사절이므로 네모 괄호를 표시합니다.

### 포인트 분석

I strongly recommend her for the post (④ what you advertise).
V(타)  → that/which
S

---

what절은 형용사절이 아니라 명사절이므로 선행사를 가지지 않는다. 반면 관계대명사는 선행사, 즉 앞선 명사를 수식하는 형용사절이다.
이러한 what과 다른 관계대명사를 구분하는 문제가 시험에 자주 출제된다.

| 선행사 | 접속사 | 관계절의 형태 |
|---|---|---|
| 있음 | 관계대명사<br>that / which<br>/ who / whom | S+V+∅/∁<br>∅+V+O/C<br>(주어 또는 목적어가 없는 불완전한 절) |
| 없음 | what | |

She didn't believe what I said.
그녀는 내가 말한 것을 믿지 않았다.

She didn't believe the truth that I told.
그녀는 내가 말한 진실을 믿지 않았다.

---

### 해설

④ **문법포인트** 관계대명사의 선택 what절은 명사절이므로 선행사를 가질 수 없다. 사물인 선행사 the post를 지칭할 수 있는 관계대명사 that이나 which로 바꿔야 한다. (what → that/which)

① **문법포인트** 완료시제 '지난 3년간'이라는 기간을 나타내는 전치사구가 현재완료 시제와 호응하여 바르게 쓰였다.

② **문법포인트** 현재분사 vs. 과거분사 수식받는 명사 requirements와 의미상 수동의 관계이므로 과거분사가 바르게 쓰였다.

③ **문법포인트** to부정사의 역할 to부정사의 형용사적 용법으로 명사 reason을 뒤에서 바르게 수식하고 있다.

### 어휘

requirement 자격   mention 언급하다   job description 직무 요강

### 해석

그녀는 지난 3년 동안 제 비서로 일했습니다. 그녀는 귀사의 직무 요강에 언급된 모든 자격을 충족합니다. 저는 그녀의 능력을 의심할 이유가 전혀 없습니다. 저는 귀사가 광고를 낸 자리에 그녀를 강력히 추천합니다.

**정답** ④

# Exercises

※ 빈칸에 들어갈 알맞은 말을 고르시오.

1. Most of us have a great deal of control over _____ we're looking at.

   ① that      ② which
   ③ what      ④ who

2. She easily believes _____ others say.

   ① that      ② which
   ③ what      ④ who

※ 밑줄 친 부분이 틀리면 바르게 고치시오.

3. It rises and falls with our passion and commitment to which we are doing at the time.

4. Contrary to which many believe, urban agriculture is found in every city, where it is sometimes hidden, sometimes obvious.

※ 다음 문장을 해석하고 구문분석하시오.

5. It is quite clear that people's view of what English should do has been strongly influenced by what Latin does.

6. We hear only what we choose and attempt to ignore different opinions.

---

1. **해설** 전치사 over의 목적어가 필요하므로 빈칸에는 명사절을 이끄는 what이 적합하다. 관계대명사 that, which, who는 선행사가 없어 들어갈 수 없다.
   **어휘** have control over ~을 통제하다
   **해석** 우리 대부분은 우리가 보고 있는 것에 대해 상당 부분 통제할 수 있다.
   **정답** ③

2. **해설** 빈칸에는 동사 believe의 목적어가 될 수 있는 명사절 접속사가 들어가야 한다. 빈칸 뒤에 불완전한 절이 오므로 명사절 접속사 that은 올 수 없고, 명사절을 이끄는 what이 들어가야 한다. 형용사절을 만드는 관계대명사 that, which, who는 선행사가 없어 들어갈 수 없다.
   **해석** 그녀는 남들이 말하는 것을 쉽게 믿는다.
   **정답** ③

3. **해설** which는 선행사를 수식하는 관계대명사절이므로 반드시 선행사가 있어야 한다. 앞에는 전치사 to만 있고 문맥상 선행사가 될 수 있는 명사가 없다. 따라서 전치사 to의 목적어 역할을 하며 명사절을 이끌 수 있는 what으로 고쳐야 한다.
   **어휘** passion 열정   commitment 헌신
   **해석** 그것은 그 당시에 우리가 하고 있는 것에 대한 우리의 열정과 헌신에 의해 상승하고 하강한다.
   **정답** which → what

4. **해설** which는 선행사를 수식하는 관계대명사절이므로 반드시 선행사가 있어야 한다. 앞에는 전치사 to만 있고 선행사가 될 수 있는 명사가 없다. 따라서 전치사 to의 목적어 역할을 하며 명사절을 이끌 수 있는 what으로 고쳐야 한다.
   **어휘** contrary to ~와는 반대로   urban agriculture 도시 농업   obvious 분명한
   **해석** 많은 사람들이 믿는 것과는 반대로, 도시 농업은 모든 도시에서 발견되는데, 그곳에서 이것이 때로는 숨겨져 있고, 때로는 눈에 잘 보인다.
   **정답** which → what

5. **어휘** influence 영향을 주다
   **해석** 영어가 해야 할 것에 대한 사람들의 생각이 라틴어가 하는 것에 강하게 영향을 받고 있다는 것은 아주 분명하다.
   **분석** It is quite clear // that people's view (of what English should do) / has been strongly influenced / by what Latin does.
   (가S V C 진S)

6. **어휘** attempt 시도하다   ignore 무시하다
   **해석** 우리는 우리가 선택한 것만 듣고 다른 의견들을 무시하려고 시도한다.
   **분석** We hear only what we choose // and attempt to ignore different opinions.
   (S V1 O1 V2 O2)

Chapter 06 접속사

# 출제유형 088

**POINT 43 관계대명사의 선택**

## 전치사 + 관계대명사

**밑줄 친 부분 중 어법상 옳지 않은 것은?** 인사혁신처 2차 예시

> It seems to me that any international organization ① designed to keep the peace must have the power not merely to talk ② but also to act. Indeed, I see this ③ as the central theme of any progress towards an international community ④ which war is avoided not by chance but by design.

### 유형 분석 & 전략

「전치사 + 관계대명사」가 보이면 밑줄을 긋고, 선행사를 찾아 동그라미, 관계절을 괄호로 표시합니다.
이후 ① 괄호 안이 완전한 절인지, ② 전치사는 올바른지 확인해야 합니다.

### 포인트 분석

I see this as the central theme of any progress towards an international community ④ (which war is avoided not by chance but by design).
S' V'(be p.p.)
→ in which

### 해설

④ **문법포인트** 관계대명사의 선택 which 뒤에 「주어 + 수동태 동사」의 완전한 절이 왔고 내용상 which는 an international community라는 장소를 지칭한다. 그 장소 안에서라는 의미가 되어야 하므로 which 앞에 in을 써줘야 한다. (which → in which)

① **문법포인트** 현재분사 vs. 과거분사 수식받는 명사 any international organization과 의미상 수동의 관계이므로 과거분사가 바르게 쓰였다.

② **문법포인트** 등위접속사의 병렬 구조 등위상관접속사 「not merely(only) A but also B」의 구조에서 A와 B는 문법적으로 같은 구조이어야 하므로 to talk에 호응하여 to act가 바르게 쓰였다.

③ **문법포인트** 불완전타동사의 목적격보어 불완전타동사 see가 목적격보어로 전치사구인 as the central them을 취하고 있다. 이때 see는 지각 동사가 아니라 간주 동사로서 consider, think of와 같은 용법으로 사용된다.

### 어휘

progress 진전   by chance 우연히   by design 계획적으로

### 해석

내가 보기에는 평화를 유지하기 위해 설계된 어떤 국제기구든 단지 말하는 것뿐만 아니라 행동할 수 있는 권한을 가져야 한다. 실제로 이것은 전쟁이 우연이 아니라 계획적으로 회피되는 국제사회로 나아가기 위한 모든 진전의 핵심 주제라고 나는 본다.

**정답** ④

---

관계대명사가 관계절에 있는 전치사의 목적어로 사용되는 경우, 전치사는 관계절 안에 놓이거나 「전치사 + 관계대명사」 형태로 관계절의 앞부분에 위치할 수도 있다.

She is the person. + I can depend on the person.
She is the person whom I can depend on.
= She is the person on whom I can depend.
그녀는 내가 의지할 수 있는 사람이다.

This is the house in which the teacher lives.
이곳은 그 선생님이 살고 계신 집이다.

### Check!

「전치사 + 관계대명사」의 구조에서 올바른 전치사 찾기
The information to which we can rely is limited. (×)
관계대명사절의 끝인 rely 뒤에 '~에 의존하다'를 의미하는 동사구인 rely on을 구성하려면 전치사 to를 on으로 바꿔야 한다.

→ The information on which we can rely is limited.
우리가 의존할 수 있는 정보는 제한적이다.

# Exercises

※ 빈칸에 들어갈 알맞은 말을 고르시오.

1. *Blue Planet II* left viewers heartbroken after showing the extent _____ plastic affects the ocean.

   ① in which   ② with which
   ③ to which   ④ by which

2. It will be very useful to have a person _____ you can count.

   ① to whom   ② on whom
   ③ with whom   ④ for whom

※ 밑줄 친 부분이 틀리면 바르게 고치시오.

3. I enjoyed teaching because I taught in the method <u>in which</u> I learn best.

4. Our first impression sets the mold <u>which</u> later information we gather about this person is viewed as relevant.

※ 다음 문장을 해석하고 구문분석하시오.

5. He described an experiment in which two groups of office workers were exposed to distracting background noises.

6. Many undocumented workers have a legitimate Individual Taxpayer Identification Number with which they pay income taxes.

---

1. **해설** 빈칸 이하의 절이 완전하므로 앞 절과 연결할 때 관계대명사가 단독으로 올 수는 없고 「전치사+관계대명사」가 와야 한다. which는 extent를 선행사로 하고 정도, 범위를 나타내는 전치사 to와 함께 쓰므로 빈칸에는 to which가 들어가야 한다.
   **해석** <Blue Planet II>는 플라스틱이 대양에 영향을 주는 정도를 보여 준 후에 시청자들로 하여금 비탄에 잠기게 했다.
   **정답** ③

2. **해설** 「전치사+관계대명사」의 구조에서 전치사는 동사와 함께 쓰이는 전치사가 와야 한다. 동사 count는 count on으로 '~를 믿다'라는 뜻이므로 빈칸에는 on whom이 들어가야 한다.
   **어휘** useful 유용한  count on ~를 믿다
   **해석** 당신이 믿을 수 있는 사람을 가지는 것은 매우 유용할 것이다.
   **정답** ②

3. **해설** which의 선행사는 앞의 the method이며, 뒤에는 완전한 절이 왔다. 완전한 절이 오면 관계대명사 단독으로는 쓰지 못하고 「전치사+관계대명사」의 형태로 와야 한다. 의미상 the method로 잘 배웠다는 뜻이 되어야 하므로 in which가 바르게 쓰였다.
   **어휘** enjoy 즐기다  method 방식
   **해석** 나는 내가 가장 잘 배우는 방식으로 가르쳤기 때문에 가르치는 것을 즐겼다.
   **정답** 틀린 부분 없음

4. **해설** which 이하의 문장이 완전하므로 관계대명사가 단독으로 올 수 없다. which의 선행사는 the mold이고 문맥상 mold(틀)에 의해서 이후의 정보가 합당하게 여겨지는 것이므로 도구의 전치사 by를 써서 by which로 고쳐야 한다.
   **어휘** mold 틀  relevant 의미 있는
   **해석** 우리의 첫인상은 그것에 의해 우리가 이 사람에 대해 수집한 이후의 정보들이 의미 있다고 여겨지는 틀을 설정한다.
   **정답** which → by which

5. **어휘** describe 묘사하다  experiment 실험  distracting 산만한
   **해석** 그는 두 그룹의 직장인들이 산만한 배경 소음에 노출되는 실험을 묘사했다.
   **분석** He described / an experiment (in which two groups of office workers were exposed / to distracting background noises).
   S        V              O

6. **해석** 많은 미등록 노동자들은 합법적인 개인 납세자 식별번호를 가지고 있고 이것으로 소득세를 낸다.
   **분석** Many undocumented workers have a legitimate Individual Taxpayer Identification Number (with which they pay income taxes).
   S                                V     O

# 출제유형 089

**POINT 44 관계부사**

## 관계대명사 vs. 관계부사

**밑줄 친 부분에 들어갈 말로 가장 적절한 것은?**

> It comes from the sea, _____ all the waters come.

① which  ② when
③ where  ④ how

### 유형 분석 & 전략

관계부사가 보이면 밑줄을 긋고, 수식하는 선행사는 동그라미, 관계절은 괄호로 표시한 후, 관계절의 구성을 확인하여 완전한 절을 갖춘 관계부사가 맞는지, 불완전한 절의 앞에서 주어/목적어 역할을 하는 관계대명사인지 구분해야 합니다.

### 포인트 분석

It comes from (the sea), (where all the waters come).
　　　　　　　　　　　　　　　 S　　　　V(자동사)

### 1. 관계부사

관계부사는 선행사에 따라 4가지가 있다.

| 선행사 | 관계부사 |
| --- | --- |
| 시간 (the time, the day, the year 등) | when |
| 장소 (the place, the region, the house 등) | where |
| 이유 (the reason) | why |
| 방법 (the way) | how |

I'll never forget the day when I met her.
나는 그녀를 만난 날을 결코 잊지 않을 것이다.

I don't know the reason why he is angry.
난 그가 왜 화나 있는지 이유를 모르겠다.

I don't know the way / how he could make a fortune.
나는 그가 어떻게 재산을 모았는지 모른다.
◐ the way와 how는 같이 쓰지 못하고 둘 중 하나만 써야 한다.

### 2. 관계대명사 vs. 관계부사

| 선행사 | 관계사 | 관계절의 형태 |
| --- | --- | --- |
| 있음 | 관계대명사<br>that / which<br>who / whom | S+V+O/C<br>S+V+Ø/C<br>주어나 목적어(또는 보어)가 없는 불완전한 절 |
| 있음 | 관계부사<br>when / where<br>why / how | S+V+O/C<br>주어, 동사, 목적어(또는 보어)가 모두 있는 완전한 절 |

He wants to buy the house which he saw last month.
그는 지난달에 봤던 그 집을 구입하고 싶어 한다.

He wants to buy the house where he saw last month. (×)

He wants to buy the house where he will live.
그는 살 집을 구입하고 싶어 한다.

He wants to buy the house which he will live. (×)

---

**[해설]**

**문법포인트** 관계부사 빈칸 이후의 절이 완전하므로 관계대명사가 아닌 관계부사를 써야 한다. 선행사가 장소를 나타내는 the sea이므로 빈칸에는 관계부사 where가 들어가야 한다.

**[해석]**
이것은 모든 물이 모이는 바다로부터 온다.

정답 ③

---

### 구문분석 공식

**공식 41** 관계부사절이 앞에 위치한 시간, 장소, 이유, 방법의 명사를 수식하며, 이때 관계부사가 생략될 수 있다.

the house (where) I lived
I want to buy the house (I lived when I was young).

**해석** (나는 어렸을 때 살았던) 그 집을 사고 싶다.

# Exercises

※ 빈칸에 들어갈 알맞은 말을 고르시오.

1. She didn't explained the reason _____ she was late this morning.

   ① how　　　　　② when
   ③ why　　　　　④ where

2. Today is the day _____ we have a first meeting with new boss.

   ① which　　　　② what
   ③ where　　　　④ when

※ 밑줄 친 부분이 틀리면 바르게 고치시오.

3. The house which they have lived for 10 years was badly damaged by the storm.

4. Around about the time which we are two, our brains will have individual patterns.

※ 다음 문장을 해석하고 구문분석하시오.

5. Lasers are possible because of the way light interacts with electrons.

6. This fact is the reason why people are required to sign checks, wills, and contracts.

---

1. **해설** 빈칸 뒤에 완전한 절이 왔고 빈칸 앞에 이유를 나타내는 the reason이 선행사로 사용되었으므로 빈칸에는 관계부사인 why가 들어가야 한다.
   **해석** 그녀는 오늘 아침에 늦은 이유를 설명하지 않았다.
   **정답** ③

2. **해설** 빈칸 뒤 절의 형태는 완전하므로 관계대명사는 들어갈 수 없다. 선행사가 the day로 시간이며, 완전한 절이 이어지므로 빈칸에는 관계부사인 when이 들어가야 한다.
   **해석** 오늘은 신임 사장과 첫 번째 회의를 갖는 날이다.
   **정답** ④

3. **해설** 선행사인 house를 수식하는 관계절이 완전한 절의 형식을 취하고 있으므로 관계대명사 which가 아닌 장소의 선행사를 수식하는 관계부사 where가 와야 한다. 또는 in which가 올 수 있다.
   **어휘** damage 손상시키다
   **해석** 그들이 10년간 살았던 집이 폭풍에 심하게 손상되었다.
   **정답** which → where/in which

4. **해설** which 이하의 절이 완전하므로 관계대명사는 쓸 수 없다. the time이 시간을 의미하므로 관계부사인 when이 들어가야 한다. 참고로 선행사가 time, day, place, reason 등의 명확한 단어인 경우 관계부사를 생략해서 쓸 수 있다.
   **어휘** individual 개인적인　pattern 양식
   **해석** 우리가 두 살 정도 되는 때쯤이면, 우리의 뇌는 개인적인 양식(패턴)을 가지게 될 것이다.
   **정답** which → when

5. **어휘** interact 상호작용하다　electron 전자
   **해석** 레이저는 빛이 전자와 상호작용하는 방식으로 인해 발생할 수 있다.
   **분석** Lasers are possible / because of the way (light interacts with electrons).
   　　　　S　V　　C

6. **어휘** require 요구하다　check 수표　will 유언장　contract 계약서
   **해석** 이 사실이 사람들이 수표, 유언장, 그리고 계약서에 서명하도록 요구되는 이유이다.
   **분석** This fact is the reason (why people are required / to sign checks, wills, and contracts).
   　　　　S　V　C　　　　　　　S'　　V'

# 출제유형 090

**POINT 45 복합관계사**

## whoever vs. whomever

---

**밑줄 친 부분에 들어갈 말로 가장 적절한 것은?**

> A prize of one hundred dollars will be given to _____ solves the crossword puzzle the fastest.

① who  ② whom
③ whoever  ④ whomever

### 유형 분석 & 전략

복합관계대명사인 whoever/whomever가 보이면 밑줄을 긋고 이 명사절에 네모 괄호를 표시한 후, 이 명사절 안에서 주어/목적어 중 빠진 성분에 따라 주격 whoever/목적격 whomever를 구분해야 합니다.

### 포인트 분석

A prize of one hundred dollars will be given to [whoever solves the crossword puzzle the fastest].
  V'  O'

### 해설

**문법포인트** 복합관계사 to의 뒤에는 전치사의 목적어 역할을 하는 명사절이 와야 한다. 빈칸 뒤에 주어가 없으므로 주어 역할을 할 수 있는 복합관계대명사 whoever를 써야 한다.

### 해석

십자말풀이를 가장 빨리 푸는 누구에게나 백 달러의 상금이 걸린 상이 주어질 것이다.

**정답** ③

---

### 1. 복합관계대명사

복합관계대명사는 관계대명사(who, whom, which)에 –ever를 붙여 만든 형태로, 명사절(주어, 목적어, 보어)과 양보의 부사절 역할을 한다.

**Whoever** borrows the money should return it within thirty days.
  명사절(주어)
돈을 빌리는 어떤 사람이든 30일 내로 돌려줘야 한다.

**Whoever** may say so, I can't believe it.
  양보의 부사절
누가 그렇게 말하더라도, 나는 그것을 믿을 수 없다.

#### Check!

**whoever vs. whomever**
관계대명사의 선택처럼 관계절 내에서 빠진 요소를 찾아 선택한다.

I'll give this ticket to **whomever** you like.
나는 이 표를 네가 좋아하는 사람이면 누구에게나 줄 것이다.

I'll give this ticket to **whoever** wants it.
나는 이 표를 원하는 누구에게나 줄 것이다.

### 2. 복합관계부사

복합관계부사는 관계부사(how, when, where)에 –ever를 붙여 만든 형태로 '~하더라도'를 의미하는 양보의 부사절 역할을 한다.

You can come **whenever** you want to.
  양보의 부사절
네가 원할 때 언제라도 와도 된다.

---

### 구문분석 공식

**공식 42** whoever는 '~하는 누구든' / whatever는 '~하는 무엇이든'

복합관계대명사절
**Whatever you do** / is fine with me.
당신이 하는 무엇이든 / 나에게는 괜찮다.
**해석** 당신이 하는 무엇이든 나에게는 괜찮다.

He always welcomes / **whoever wants to visit him**.
그는 항상 환영한다 / 그를 방문하기를 원하는 누구나.
**해석** 그는 그를 방문하기를 원하는 누구나 항상 환영한다.

**어휘** fine 좋은  welcome 환영하다  visit 방문하다

# Exercises

※ 빈칸에 들어갈 알맞은 말을 고르시오.

1. A gift card will be given to _____ completes the questionnaire.

   ① whatever    ② whoever
   ③ whomever    ④ wherever

2. I'll wear _____ you want me to wear.

   ① whatever    ② whenever
   ③ wherever    ④ however

※ 밑줄 친 부분이 틀리면 바르게 고치시오.

3. <u>Whatever</u> he leaves the house, he always takes an umbrella.

4. A wise and experienced administration will assign a job to <u>whomever</u> is best qualified.

※ 다음 문장을 해석하고 구문분석하시오.

5. The supervisor was advised to give the assignment to whoever he believed had a strong sense of responsibility.

6. Middle Easterners prefer to be no more than 2 feet from whomever they are communicating with so that they can observe their eyes.

---

1. **해설** 전치사 뒤에는 목적어가 필요하다. 빈칸 뒤의 절이 주어가 없으므로 주격인 whoever가 들어가야 한다.
   **어휘** complete 완성하다  questionnaire 설문지
   **해석** 설문지를 완성하는 누구에게나 선물카드가 주어질 예정이다.
   **정답** ②

2. **해설** 빈칸 뒤의 문장이 to wear의 목적어가 없는 불완전한 문장이므로 빈칸에는 목적어 역할을 할 수 있는 whatever가 들어가야 한다. whichever는 제한적이라서 들어갈 수 없다.
   **해석** 나는 당신이 내가 입기를 원하는 무엇이든 입을 것이다.
   **정답** ①

3. **해설** Whatever는 복합관계대명사로서 대명사의 기능을 하므로 그 뒤의 절에는 명사의 요소가 빠져야 한다. 그런데 완전한 절이 왔으므로 복합관계대명사를 복합관계부사로 바꿔야 하며, 의미가 '~할 때마다'이므로 Whenever가 가장 적합함을 알 수 있다.
   **해석** 그는 집을 나설 때면 언제나 우산을 가져간다.
   **정답** Whatever → Whenever

4. **해설** 전치사 to의 목적어로 whomever가 이끄는 복합관계대명사절이 왔다. 이 절에 주어가 없으므로 whomever는 주격인 whoever로 고쳐야 한다.
   **어휘** experienced 경험 있는  administration 관리책임자들  assign 할당하다  qualified 자격을 갖춘
   **해석** 현명하고 경험 있는 관리책임자들은 가장 자격을 갖춘 사람은 누구에게나 일을 할당할 것이다.
   **정답** whomever → whoever

5. **어휘** supervisor 관리자  advise 조언하다  assignment 과제  responsibility 책임감
   **해석** 그 관리자는 그가 믿기에 강한 책임감을 가진 누구에게라도 그 과제를 맡기라고 조언받았다.
   **분석** The supervisor(S) was advised(V) to give the assignment(C) / to [whoever(S') (he believed) had(V') a strong sense of responsibility(O')].

6. **어휘** Middle Easterner 중동지역 사람  communicate 대화를 나누다  observe 바라보다
   **해석** 중동지역 사람들은 누구와 대화를 나누든지 간에, 상대방의 눈을 바라볼 수 있도록 2피트가 넘지 않는 거리를 갖는 것을 선호한다.
   **분석** Middle Easterners(S) prefer(V) to be no more than 2 feet(O) / from [whomever(O') they(S') are communicating(V') with] // so that they can observe their eyes.

# Chapter 07
## 특수구문

| POINT 46 | **기본 가정법** |
|---|---|
| | 출제 유형 091 가정법 동사 시제 주의 |

| POINT 47 | **기타 가정법** |
|---|---|
| | 출제 유형 092 I wish 가정법 |
| | 출제 유형 093 '~이 없다면' 가정법 |

| POINT 48 | **전치사의 목적어** |
|---|---|
| | 출제 유형 094 전치사 to+동명사 |
| | 출제 유형 095 주요 전치사의 용법 |

| POINT 49 | **강조** |
|---|---|
| | 출제 유형 096 It ~ that … 강조구문 |
| | 출제 유형 097 부정어 강조 |

| POINT 50 | **도치** |
|---|---|
| | 출제 유형 098 1형식, 2형식 문장의 도치 (수 일치 주의) |
| | 출제 유형 099 부사구 강조에 의한 도치 (도치 형태 주의) |
| | 출제 유형 100 도치와 동사 종류 일치 주의 |

## 동기쌤의 문법OT

### 가정법

**어디까지 알고 있니?**  ○ 기본 가정법    ○ 기타 가정법

### 가정법

전달하는 내용에 대한 말하는 이의 심정이나 분위기를 법(Mood)이라고 하며 직설법, 명령법, 가정법으로 분류할 수 있다.
가정법은 실제 발생하지 않은 일에 대한 가정을 표현할 때 사용하는 방법이다. 기본적인 가정법의 구조는 실제의 사실과는 다른 가정을 하는 if절과 글의 주된 내용인 주절로 구성된다.

### 1 기본 가정법

if로 시작되는 부사절과 주절로 구성되는 가정법 문장은 현재나 과거 사실과는 반대되는 사실을 가정할 때 쓰인다. if로 시작되는 일반적인 단순 조건절은 확실하지 않은 일에 대한 단순한 조건을 의미하지만, 가정법의 경우 그것이 확실히 일어나지 않으리라는 확신이 포함된다.

➡ 단순한 사실을 가정한 단순 조건절이다.

**If it is cold outside**, parents will make their children stay home.
바깥 날씨가 춥다면, 부모들은 아이들이 집에 있도록 할 것이다.

➡ 현재 날씨가 춥지 않아 부모들이 아이들을 집에 있으라 하지 않았다는 의미가 내포되어 있다. 즉 현재 사실과는 반대되는, 일어날 수 없는 상황을 가정하는 것이다.

**If it were cold outside**, parents would make their children stay home.
바깥 날씨가 춥다면, 부모들은 아이들이 집에 있도록 할 텐데.

이러한 가정법은 조건절과 마찬가지로 if의 부사절과 주절로 구성된다. 의미는 다음과 같다.

| 형태 | 의미 |
| --- | --- |
| if절 + 주절 | 만약 ~라면(if절), …일 텐데(주절)<br>만약 ~였다면(if절), …였을 텐데(주절) |

If I had a lot of money, I would buy the car.  내가 만일 돈이 많다면, 그 차를 살 텐데.
If I were you, I would study hard.  내가 너라면, 열심히 공부할 텐데.
If I had been rich, I could have helped him.  내가 만일 부자였더라면, 그를 도울 수 있었을 텐데.

## 2 기타 가정법

if 가정법 외에도 다른 형태의 가정법들이 존재하나 모두 현재/과거의 사실과 반대되는 있을 수 없는 상황에 대한 가정이라는 점에서 일맥상통한다. 기타 가정법에는 다음과 같은 것들이 있다.

| 형태 | 의미 |
| --- | --- |
| I wish 가정법 | ~라면 좋을/좋았을 텐데 |
| without 가정법 | ~이 없다면 |
| as if/as though 가정법 | 마치 ~처럼 |
| It is high time 가정법 과거 | ~할 시간이다(그러나 하지 않았다) |

I wish I were a millionaire. 내가 백만장자라면 좋을 텐데.
Without air, we could not breathe. 공기가 없다면, 우리는 숨을 쉴 수 없을 텐데.
He speaks as if he were an American. 그는 마치 미국인인 것처럼 말한다.
It is high time that you went to bed. 네가 자러 갈 시간이다.(그러나 아직 가지 않았다.)

### Check up!

[ 01-05 ] 다음 문장을 가정법의 의미에 맞게 해석하시오.

01  If I were a horse, I could run.

02  If you had invited me to the party, I would have been happy.

03  I wish we could fly.

04  Without water, we could not survive.

05  It is high time that you forgot her.

**정답**
01 내가 말이라면, 나는 달릴 수 있을 텐데.
02 네가 나를 파티에 초대했더라면, 나는 기뻤을 텐데.
03 우리가 날 수 있으면 좋을 텐데.
04 물이 없다면, 우리는 생존할 수 없을 것이다.
05 너는 그녀를 잊어야 할 시간이다.

**해설**
01 내가 말이 되는 것은 절대로 일어날 수 없는 일이므로 가정법이 사용되었다.
02 초대를 하지 않았으므로 속상했다는 의미를 담기 위해 가정법이 사용되었다. 이미 초대하지 않았으므로 초대가 절대로 일어날 수 없다는 의미가 내포되어 있다.
03 날게 되는 것은 절대로 일어날 수 없는 일이므로 가정법이 사용되었다.
04 물이 있으므로 우리가 현재 생존해 있다는 의미가 가정법에 담겨져 있다.
05 네가 그녀를 잊을 시간이기는 하지만 아직도 잊지 못했다는 의미가 포함되어 있다. 즉 잊는다는 것은 확실하게 일어나지 않은 일이다.

## 동기쌤의 문법OT

 **전치사**

**어디까지 알고 있니?**   ○ 전치사구    ○ 전치사구의 역할    ○ 주요 전치사의 기본 용법

### 전치사

전치사란 뒤에 명사나 대명사 등의 목적어를 취해 전치사구를 이루어, 새로운 역할과 의미를 갖게 만들어 주는 품사이다.

### 3 전치사구

전치사구란 전치사 뒤에 온 명사나 대명사, 즉 「전치사+명사(구)」 또는 「전치사+대명사」의 묶음을 말한다.

He put the book **on the desk**. 그는 책상 위에 책을 놓았다.
　　　　　　　　전치사구

I have taught English **for ten years**. 나는 10년 동안 영어를 가르쳐 왔다.
　　　　　　　　　　　전치사구

### 4 전치사구의 역할

#### (1) 형용사구 역할

전치사구는 형용사구로서 명사를 뒤에서 수식하는 역할과 주어나 목적어를 보충 설명하는 보어의 역할을 한다.

| | |
|---|---|
| 명사 수식 | He is a man **of ability**. 그는 능력 있는 남자다.<br>The team consisted of people **with different ideas**.<br>그 팀은 다른 생각을 가진 사람들로 구성되었다. |
| 보어(서술) | The tool is **of use**. 그 도구는 유용하다.<br>　　　　　　보어(형용사구)<br>She found him **at work**. 그녀는 그가 근무 중임을 알게 되었다.<br>　　　　　　　　보어(형용사구) |

> • of+추상명사=형용사
>
> of kindness = kind 친절한　　　　of importance = important 중요한
> of use = useful 유용한　　　　　　of no use = useless 쓸모없는
> of value = valuable 귀중한　　　　of no value = valueless 가치 없는

In some parts of Africa, women are objects **of value**.
아프리카의 어떤 지역들에서 여성은 귀중한 물건이다.

### (2) 부사구 역할

전치사구는 또한 부사구로서 동사, 형용사, 부사 그리고 문장 전체를 수식하는 역할을 한다.

He lived in the small town. 그는 그 작은 마을에 살았다.

She will not work on this condition. 그녀는 이 조건으로는 일하지 않을 것이다.

- with/in/on/by + 추상명사 = 부사

| | |
|---|---|
| with ease = easily 쉽게 | with kindness = kindly 친절하게 |
| with safety = safely 안전하게 | with care = carefully 조심스럽게 |
| in haste = hastily 급하게 | in reality = really 사실 |
| on purpose = purposely 고의로 | on occasion = occasionally 때때로 |
| by accident = accidently 우연히 | |

Thanks to your help, we were able to fix the problem with ease.
당신의 도움 덕분에 우리는 그 문제를 쉽게 해결할 수 있었습니다.

## 5 주요 전치사의 기본 용법

| | | |
|---|---|---|
| in | 시간<br>~에(세기, 년, 월)<br>~ 내에, ~ 안에, ~이 지나서 | My daddy promised me to come back home in three years.<br>나의 아빠는 나에게 3년 안에 집으로 돌아오겠다고 약속했다. |
| | 장소(~에서, ~ 안에서) | She has lived in Seoul for three years.<br>그녀는 3년 동안 서울에서 살고 있다. |
| | in -ing(~할 때) | In drinking water, he makes noise.<br>물을 마실 때 그는 거슬리는 소리를 낸다. |
| on | 시간(~에(날짜)) | We went to church on Sunday.<br>우리는 일요일에 교회에 갔다. |
| | 장소(~ 위에) | I forgot putting the books on the table.<br>나는 탁자 위에 책을 놓은 것을 잊었다. |
| | on -ing(~하자마자) | On coming back, he hurried to his room.<br>돌아오자마자 그는 그의 방으로 급히 갔다. |
| with | 소유(~을 가진, ~이 있는) | He introduced a man with brains.<br>그는 지혜가 있는 사람(지혜로운 사람)을 소개했다. |
| | 시간(~을 한 채, ~하면서) | He stood with his eyes closed.<br>그는 눈을 감은 채 서 있었다. |
| | 결합(~와 함께, ~와, ~에) | I want to get along with you.<br>나는 너와 친하게 지내기를 바란다. |
| for | 방향(~을 향해, ~로) | He left for Incheon this morning.<br>그는 오늘 아침 인천으로 떠났다. |
| | 목적(~을 위해) | I read books only for pleasure.<br>나는 오직 재미를 위해 책을 읽는다. |

## 동기쌤의 문법 OT

| | | |
|---|---|---|
| at | 시간(~에(시각)) | We were supposed to meet at five o'clock.<br>우리는 정각 5시에 만날 예정이었다. |
| | 장소(~에) | He will arrive at the station by noon.<br>그는 12시까지 역에 도착할 것이다. |
| to | 방향(~로, ~를 향해) | She went to the bookstore. 그녀는 서점으로 갔다. |
| | 부속(~에) | This computer belongs to her.<br>이 컴퓨터는 그녀에게 속해 있다(그녀의 것이다). |
| from | 출발점(~로부터, ~에서) | From now on I will be nicer to you.<br>지금부터 나는 너에게 더 친절할 것이다. |
| | 분리(~로부터) | She differs from him in opinion.<br>그녀는 그와 의견이 다르다. |
| by | 수단(~로, ~에 의해) | You can get there by bus.<br>너는 버스로 그곳에 갈 수 있다. |
| | 동작의 주체(~에 의해) | This book is written by my English teacher.<br>이 책은 나의 영어 선생님에 의해 쓰였다. |
| of | 소유, 부분(~의) | She is the owner of this company.<br>그녀는 이 회사의 주인이다. |
| | 포함, 선택(~ 중에서) | Only two of them will go into the final.<br>그들 중에서 단지 두 명만 결승에 진출할 것이다. |
| through | 시간(~ 동안 내내) | He worked through the night.<br>그는 밤새도록 일했다. |
| | 방향(~을 뚫고, ~을 지나서) | We've passed through several tunnels.<br>우리는 몇 개의 터널을 지나서 통과했다. |
| | 방법, 수단(~을 통해) | He could get a lot of information through diverse media.<br>그는 다양한 매체를 통해 많은 정보를 얻을 수 있었다. |
| about | 주제(~에 관하여, ~에 대하여) | He spoke his opinion about the issue.<br>그는 그 쟁점에 대한 그의 의견을 말했다. |
| | 장소(~ 주위에, ~ 주변에) | She stood about the window.<br>그녀는 창문 주위에 서 있었다. |
| into | 방향(~로, ~ 안으로) | We went into the classroom.<br>우리는 교실로 들어왔다. |
| under | 위치(~ 아래) | They hid themselves under the table.<br>그들은 탁자 아래 숨었다. |
| | 상태(~ 중인, ~의 상태인) | The building was still under the renovation.<br>그 건물은 여전히 보수 중이었다. |

### Check up!

[ 01-05 ] 다음 문장에서 전치사구를 찾고, 형용사구/부사구 중 어떤 역할을 하는지 쓰시오.

01  This equipment is of no use.

02  I met him in the park last night.

03  He is a man of kindness.

04  I didn't do it on purpose.

05  The cat on the desk is sleeping.

**정답)** 01 of no use: 형용사구  02 in the park: 부사구  03 of kindness: 형용사구  04 on purpose: 부사구  05 on the desk: 형용사구

**해석)** 01 이 도구는 쓸모가 없다.
02 나는 어젯밤 공원에서 그를 만났다.
03 그는 친절한 사람이다.
04 나는 그것을 고의로 하지 않았다.
05 책상 위에 있는 고양이가 자고 있다.

**해설)** 01 of no use는 「of+추상명사」의 형태로 형용사 역할을 하고, useless의 의미를 갖는다.
02 장소를 나타내는 부사구이다.
03 of kindness는 「of+추상명사」의 형태로 형용사 역할을 한다. a man을 수식하는 형용사 역할이다.
04 purposely의 의미를 갖는 부사구이다.
05 앞에 나온 The cat을 수식하는 형용사구의 역할을 한다.

## 동기쌤의 문법OT

 **특수구문**

**어디까지 알고 있니?**  ○ 강조    ○ 도치    ○ 생략

**특수구문**
앞에서 계속하여 학습해 온 영어의 일반적 어순이나 문장 구조가 아니라 특수한 어순 또는 문장 구조를 사용하여 특정한 의미를 전달하는 구문을 특수구문이라 한다.
특수구문에는 대표적으로 강조, 도치, 생략 구문이 있다.

### 6 강조
문장에서 특정한 내용이나 요소를 강조하기 위해 다양한 방법이 사용된다.

**(1) 동사 강조**

I do hope you will pass the exam.  나는 네가 시험에 통과하기를 정말로 바란다.
➡ 동사를 강조하기 위해 동사 앞에 do를 넣어 강조한다.
We did have a great time.  우리는 정말 즐거운 시간을 보냈다.
➡ 동사를 강조하기 위해 동사 앞에 did를 넣어 강조한다. 수와 시제 모두 do동사에 적용시킨다.

**(2) It ~ that 강조**

It was I that saw Chris yesterday.  어제 Chris를 본 것은 나였다.
➡ It ~ that 강조구문을 사용하여 I를 강조하였다.
It was Chris that I saw yesterday.  어제 내가 본 사람은 Chris였다.
➡ It ~ that 강조구문을 사용하여 Chris를 강조하였다.
It was yesterday that I saw Chris.  내가 Chris를 본 것은 어제였다.
➡ It ~ that 강조구문을 사용하여 yesterday를 강조하였다.

### 7 도치
영어는 「주어+동사」의 어순이 일반적인데 특수한 경우 주어와 동사의 자리가 바뀐다.

On the hill stood a tall boy.  언덕 위에 키가 큰 한 소년이 서 있었다.
             동사    주어
➡ 장소의 부사구인 On the hill이 문장 앞으로 나가면서 동사인 stood와 주어인 a tall boy가 도치되었다.

         동사
Never did I see such a beautiful girl.  그런 아름다운 소녀는 난생처음 본다.
         주어
➡ 부정어 Never가 문두에 쓰여 주어와 동사가 도치되었다.

## 8 생략

영어에서는 중복되거나 의미 없는 단어나 표현은 생략된다.

### (1) 반복어구 생략

We checked the information of the car but not the price.
우리는 그 차에 대한 정보는 확인했지만 가격은 확인하지 못했다.
➡ 원래 but we did not check the price of the car에서 반복된 we did와 check, of the car가 생략되었다.

### (2) 「접속사+S+be동사/do 대동사」에서 「S+be동사/do 대동사」 생략

종속절의 주어가 주절의 주어와 같고 종속절의 동사가 별 의미 없는 be동사이거나 대동사 do일 경우, 접속사 뒤의 주어와 동사가 함께 자주 생략된다.

Though timid, he is no coward. 소심하지만, 그는 겁쟁이는 아니다.
➡ Though he is timid에서 주절의 주어와 같은 he, 특별한 의미가 없는 is가 생략되었다.

This book, if read carefully, will give you much information about the area.
이 책은, 주의해서 읽으면, 너에게 그 지역에 대한 많은 정보를 줄 것이다.
➡ if it is read carefully에서 it is가 생략되었다.

---

### Check up!

[01-04] 다음 특수구문(강조, 도치, 생략)의 종류를 쓰고 해석하시오.

01 It was on the 4th street that I had a car accident.

02 Between her and me exists a close friendship.

03 Beyond the mountain lay the school where we studied.

04 This book, though written in haste, has no errors.

**정답** 01 강조  02 도치  03 도치  04 생략

**해석** 01 내가 자동차 사고를 당한 것은 4번가였다.
02 그녀와 나 사이에는 친근한 우정이 있다.
03 산 너머에 우리가 공부하던 학교가 있었다.
04 급하게 쓰여졌지만 이 책은 오류가 없다.

**해설** 01 it ~ that 강조구문으로 on the 4th street가 강조된 문장이다.
02 장소의 부사구 도치 구문이다. 주어가 a close friendship이며 동사는 exists인데 도치된 문장이다.
03 장소의 부사구 도치 구문이다. 주어가 the school where we studied이며 동사가 lay인데 주어와 동사가 도치된 문장이다.
04 though the book was written in haste의 문장인데, 주어가 주절의 주어와 같고 동사가 be동사이면 주어와 be동사는 생략될 수 있다. the book was가 생략된 문장이다.

# 출제유형 091

**POINT 46 기본 가정법**

## 가정법 동사 시제 주의

---

**밑줄 친 부분에 들어갈 말로 가장 적절한 것은?**

> It had been long since I had last seen her, so if someone had not mentioned her name I _____ her.

① would recognized
② would have recognized
③ wouldn't recognized
④ wouldn't have recognized

### 유형 분석 & 전략

접속사 if로 시작하는 부사절, 그리고 조동사의 과거형이 있는 주절이 보이면 if와 조동사의 과거형에 동그라미, if 부사절과 주절의 동사에 각각 밑줄을 그어 동사의 시제가 정확한지 확인해야 합니다.
if가 생략된 가정법을 해결하기 위해서는 if가 생략된 조건절의 형태를 암기해야 합니다.

### 포인트 분석

if someone had not mentioned her name I wouldn't have recognized her.

### 해설

**문법포인트** 기본 가정법 if절에서 과거의 사실이 아닌 것을 가정하고 있으므로, 가정법 과거완료에 맞게 주절의 동사는 「조동사(과거형)+have+p.p.」가 되어야 한다. 또한, 조건절의 문맥으로 보아 주절 역시 부정문이 되어야 적절하다.

### 어휘

mention 언급하다   recognize 알아보다

### 해석

내가 그녀를 마지막으로 만난 지 오랜 시간이 지났으므로, 만약 누군가 그녀의 이름을 언급하지 않았더라면 나는 그녀를 알아보지 못했을 것이다.

**정답** ④

---

## 1. 기본 가정법

※ 조동사(과거형) - would, should, could, might

| 가정법 | If+주어+동사 ~ , (시제) | 주어+조동사+동사 (과거형) (시제) |
|---|---|---|
| 과거 | 과거 | 동사원형 |
| 과거완료 | had p.p. | have p.p. |
| 혼합시제 | had p.p. | 동사원형+시간 부사 (now/today) |
| 미래 | should 동사원형 were to 동사원형 | 동사원형 / 직설법 / 명령법 |

If I had wings, I could fly. 날개가 있다면 나는 날 수 있을 텐데.
If weather had been nice, you could have seen the building.
날씨가 좋았었다면, 너는 그 건물을 볼 수 있었을 텐데.
If he had gone to war, he might not be alive now.
그가 전쟁에 갔다면, 그는 지금 살아 있지 않을 텐데.
If I should find your wallet, I will call you.
혹시라도 네 지갑을 찾게 되면, 전화할게.

## 2. if 생략 가정법

| 가정법 | If 생략된 형태 | 주어+조동사+동사 (과거형) (시제) |
|---|---|---|
| 과거 | Were+주어 ~, | 동사원형 |
| 과거완료 | Had+주어+p.p. ~, | have p.p. |
| 미래 | Should+주어+동사원형 Were+주어+to 동사원형 | 동사원형 / 직설법/명령법 |

Were she a boy, she wouldn't be discriminated.
만일 그녀가 소년이라면, 차별받지 않을 텐데.
Had your mother come here, she would have stayed with you.
만일 너의 엄마가 여기 오셨다면, 너와 함께 머무르셨을 텐데.
Should the rumor prove true, I would be glad.
그 소문이 사실로 판명된다면, 기쁠 텐데.

### 구문분석 공식

**공식 43** 부사절에 If, 주절에 조동사 과거형이 있다면 사실에 대한 반대를 가정하는 가정법이다.

If I had had money, // I would have lent it to you.

**해석** 돈이 있었더라면, // 나는 그것을 너에게 빌려주었을 텐데.

**공식 43-1** 가정법에서 접속사인 if가 생략되어 사용되는 경우가 많다.

= If I had had the book
Had I had the book, // I could have lent it to you.

**해석** 그 책이 있었다면, // 너에게 그것을 빌려줄 수 있었을 텐데.

# Exercises

※ 빈칸에 들어갈 알맞은 말을 고르시오.

1. _____ he taken more money out of the bank, he could have bought the shoes.

   ① Would          ② Should
   ③ Were           ④ Had

2. If I had asked for a vacation last month, I _____ now.

   ① are in Hawaii
   ② were in Hawaii
   ③ would be in Hawaii
   ④ would have been in Hawaii

※ 밑줄 친 부분이 틀리면 바르게 고치시오.

3. Everything would have been OK if I <u>haven't</u> lost my keys.

4. If I were you, I <u>would have applied</u> for the position just for the experience.

※ 다음 문장을 해석하고 구문분석하시오.

5. Should understanding not occur, you will find yourself soon becoming drowsy.

6. If she wanted to return to her old job, she would no longer be qualified, since the company now requires computer skills.

---

1. **해설** 주절의 시제가 가정법 과거완료이므로 조건절의 시제도 가정법 과거완료의 시제가 적절하다. 가정법 조건절에서 had, should, were 동사가 오면 if를 생략하고 도치시킬 수 있다. 가정법 과거완료의 조건절이 도치된 것이므로 빈칸에는 Had가 들어가야 한다.

   **해석** 그가 은행에서 더 많은 돈을 찾았더라면, 그 신발을 살 수 있었을 텐데.

   **정답** ④

2. **해설** If절이 가정법 과거완료와 시간의 부사인 last month가 오고 주절에 now를 통해 가정법 혼합시제임을 알 수 있다. 조건절이 과거의 의미인 가정법 과거완료로 쓰였고 주절은 now로 가정법 과거를 써야 하므로 빈칸에는 would be in Hawaii가 들어가야 한다.

   **어휘** ask for 요청하다   vacation 휴가

   **해석** 지난달 내가 휴가를 요청했더라면 지금 하와이에 있을 텐데.

   **정답** ③

3. **해설** 과거의 사실에 대한 가정을 나타내므로 가정법 과거완료를 써야 한다. 가정법 과거완료는 「If + 주어 + had p.p. ~, 주어 + 조동사의 과거형 + have p.p. ~」이다. 따라서 if절의 haven't는 hadn't가 되어야 한다.

   **해석** 내가 열쇠를 잃어버리지 않았더라면 모든 것이 괜찮았을 텐데.

   **정답** haven't → hadn't

4. **해설** 조건절이 가정법 과거인 were가 쓰였으므로 주절도 가정법 과거 동사가 되어야 한다. would have applied는 가정법 과거완료이므로 가정법 과거인 would apply로 고쳐야 한다.

   **어휘** apply 지원하다   position 자리

   **해석** 내가 너라면 나는 그냥 경험 삼아서 그 자리에 지원할 텐데.

   **정답** would have applied → would apply

5. **어휘** drowsy 졸린

   **해석** 이해가 되지 않는다면 곧 졸게 되는 자신을 발견하게 될 것이다.

   **분석** Should understanding not occur, // you will find yourself soon becoming drowsy.
   (V' S' V' S V O OC)

6. **어휘** qualify 자격을 갖추다

   **해석** 만약 그녀가 예전 직장으로 돌아가고 싶어 한다면, 그 회사가 이제 컴퓨터 기술을 요구하기 때문에, 그녀는 더 이상 자격이 되지 못할 것이다.

   **분석** If she wanted to return / to her old job, // she would no longer be qualified, // since the company now requires computer skills.
   (S' V' O' S V S" V" O")

Chapter 07 특수구문

# 출제유형 092

### POINT 47 기타 가정법
## I wish 가정법

**밑줄 친 부분에 들어갈 말로 가장 적절한 것은?**

> I wish I _____ harder while I was young.

① study  ② have studied
③ would study  ④ had studied

#### 유형 분석 & 전략

I wish는 가정법 표현이므로 이어지는 절의 동사가 가정법 과거 또는 가정법 과거완료의 주절의 동사 형식을 가져야 합니다.
I wish가 보이면 I wish에 동그라미하고 동사에 밑줄을 긋고 시제를 나타내는 부사(구, 절)에 동그라미를 친 뒤에 동사의 시제를 확인해야 합니다.

#### 포인트 분석

I wish I had studied harder while I was young.

현재 이루지 못하고 있거나 과거에 이루지 못했던 것에 대한 아쉬움을 표현

**1. I wish + 가정법 과거**

| I wish + S + 과거 동사 | 현재 사실에 대한 아쉬움<br>'~하면 좋을 텐데'<br>'~하면 얼마나 좋을까?' |
|---|---|

I wish I had a true friend.
진정한 친구가 있다면 좋을 텐데.

**2. I wish + 가정법 과거완료**

| I wish + S + had p.p. | 과거 사실에 대한 아쉬움<br>'~했다면 좋을 텐데'<br>'~했다면 얼마나 좋을까?' |
|---|---|

I wish she had passed the test.
그녀가 시험에 통과했었다면 좋을 텐데.

#### 해설

**문법포인트** 기타 가정법 while I was young으로 보아 과거의 일임을 알 수 있으므로 과거 사실에 대한 아쉬움을 표현하는 가정법 과거완료로 써야 한다.

#### 해석

내가 어렸을 때 공부를 더 열심히 했더라면 좋을 텐데.

**정답** ④

### 구문분석 공식

**공식 44** I wish 가정법은 아쉬움이나 후회를 표현한다.

I wish  과거동사
I wish // we had a new car.

얼마나 좋을까 // 우리에게 새 차가 있다면.

**해석** 우리에게 새 차가 있다면 얼마나 좋을까.

# Exercises

※ 빈칸에 들어갈 알맞은 말을 고르시오.

1. I wish I _____ my imagination earlier.

   ① use　　　　　② will use
   ③ have used　　④ had used

2. I wish we _____ the apartment last year.

   ① will purchase　　② purchase
   ③ had purchased　 ④ have purchased

※ 밑줄 친 부분이 틀리면 바르게 고치시오.

3. I wish I <u>was not</u> idle when young.

4. I wish our teacher <u>have let</u> us play outside after class every day.

※ 다음 문장을 해석하고 구문분석하시오.

5. I wish the Korean government boosted the economy by encouraging corporate investment.

6. I wish I could just quit my job and just travel for the rest of my life.

---

1. **해설** earlier로 미루어 볼 때 과거에 일어난 일임을 알 수 있다. 과거 사실에 대한 아쉬움을 표현하는 I wish 가정법은 가정법 과거완료로 써야 하므로 빈칸에는 had used가 들어가야 한다.
   **어휘** imagination 상상력
   **해석** 내가 내 상상력을 좀 더 일찍 썼더라면 좋을 텐데.
   **정답** ④

2. **해설** last year로 미루어 볼 때 과거에 일어난 일임을 알 수 있다. 과거 사실에 대한 아쉬움을 표현하는 I wish 가정법은 가정법 과거완료로 써야 하므로 빈칸에는 had purchased가 들어가야 한다.
   **어휘** purchase 구입하다
   **해석** 우리가 작년에 그 아파트를 구입했었더라면 얼마나 좋을까.
   **정답** ③

3. **해설** I wish 다음에는 가정법 조건절의 동사가 와야 한다. 또 현재의 일을 의미하면 가정법 과거 동사가, 과거의 일을 의미하면 가정법 과거완료 동사가 와야 한다. when young으로 보아 과거의 일이므로 was not은 had not been으로 고쳐야 한다.
   **어휘** idle 게으른
   **해석** 내가 어렸을 때 게으르지 않았으면 좋을 텐데.
   **정답** was not → had not been

4. **해설** every day로 보아 현재의 일을 의미하기 때문에 동사는 가정법 과거의 시제가 와야 한다. 따라서 have let은 let으로 고쳐야 한다. 동사 let은 과거형도 let이다.
   **해석** 우리 선생님도 매일 방과 후에 밖에서 놀게 해 주시면 좋을 텐데.
   **정답** have let → let

5. **어휘** boost 활성화시키다  encourage 장려하다  corporate 기업의
   **해석** 한국 정부가 기업 투자를 장려하여 경제를 활성화하면 좋을 텐데.
   **분석** I wish // the Korean government boosted the economy / by encouraging corporate investment.

6. **해석** 그냥 일을 그만두고 평생 여행이나 하면 좋을 텐데.
   **분석** I wish // I could just quit my job // and just travel for the rest of my life.

# 출제유형 093

**POINT 47 기타 가정법**
## '~이 없다면' 가정법

**밑줄 친 부분에 들어갈 말로 가장 적절한 것은?**

> _____ this unexpected gift, their marriage would have been delayed.

① Should it not be
② Were it not to be
③ Were it not for
④ Had it not been for

### 유형 분석 & 전략

Were it not for/Had it not been for가 나오면 without 가정법이므로, 동그라미 후 주절의 동사에 밑줄을 긋고 Were it not for는 가정법 과거 시제가, Had it not been for는 가정법 과거완료 시제가 바르게 쓰였는지 확인해야 합니다.

### 포인트 분석

Had it not been for this unexpected gift, their marriage would have been delayed.

### 해설

**문법포인트** 기타 가정법 주절이 가정법 과거완료의 시제로 표현되었으므로 if절 역시 가정법 과거완료가 되어야 한다. Had it not been for ~는 If it had not been for ~, But for ~, Without ~으로 표현할 수도 있다.

### 어휘

unexpected 예상하지 못한   delay 연기하다

### 해석

이 예상하지 못한 선물이 없었다면, 그들의 결혼은 연기되었을 텐데.

**정답** ④

| ~이 없다면(가정법 과거) | ~이 없었다면(가정법 과거완료) |
|---|---|
| If it were not for ~<br>= Were it not for ~<br>= But for ~<br>= Without ~ | If it had not been for ~<br>= Had it not been for ~<br>= But for ~<br>= Without ~ |

물이 없다면, 어떤 생명체도 살 수 없을 텐데.

If it were not for water, no living things could live.
= Were it not for water
= But for water
= Without water

나의 가난이 없었다면(내가 가난하지 않았다면), 나는 그 집을 살 수 있었을 텐데.

If it had not been for my poverty, I could have bought the house.
= Had it not been for my poverty
= But for my poverty
= Without my poverty

### 구문분석 공식

**공식 45** without이 '~이 없다면/없었다면'을 의미하는 가정법 조건절을 표현할 수 있다.

가정법 과거
If it were not for hope, // the heart would break.
희망이 없다면, // 마음이 아플 것이다.

**해석** 희망이 없다면, 마음이 아플 것이다.

# Exercises

※ 빈칸에 들어갈 알맞은 말을 고르시오.

1. _____, all living creatures on earth would be extinct.

   ① But it not for air
   ② Were it not for air
   ③ Had it not been for air
   ④ Without it not for air

2. _____, she would have failed.

   ① But it not for your help
   ② Were it not for your help
   ③ Had it not been for your help
   ④ Without it not for your help

※ 밑줄 친 부분이 틀리면 바르게 고치시오.

3. <u>If it were not for Newton</u>, the law of gravitation would not have been discovered.

4. <u>If it had not been for the sun</u>, we could not live at all.

※ 다음 문장을 해석하고 구문분석하시오.

5. It would be difficult to imagine life on Earth without the beauty and richness of forests.

6. Jeff Woolf has been involved in a serious crash — one that might have killed him had it not been for his helmet.

---

1. (해설) 「If it were not for ~」 또는 If를 생략한 「Were it not for ~」는 현재에 존재하는 것을 존재하지 않는 경우로 가정하는 가정법 과거로 '~이 없다면'을 의미한다. 주절에도 「would be ~」가 쓰여 가정법 과거이므로 빈칸에는 Were it not for air가 들어가야 한다.

   (어휘) all living creatures 모든 생물   extinct 멸종한

   (해석) 공기가 없다면 지구상의 모든 생물은 멸종될 것이다.

   (정답) ②

2. (해설) 주절의 시제가 과거인 가정법 과거완료의 시제가 쓰였으므로 종속절의 도움도 과거의 일임을 알 수 있다. 따라서 빈칸에는 Had it not been for your help가 들어가야 한다.

   (해석) 너의 도움이 없었다면 그녀는 실패했을 것이다.

   (정답) ③

3. (해설) 주절이 「would have p.p.」로 가정법 과거완료이고 Newton 자체도 과거의 사람이므로 현재를 의미하는 가정법 과거인 If it were not for Newton은 가정법 과거완료인 If it had not been for Newton으로 고쳐야 한다.

   (어휘) the law of gravitation 중력법칙

   (해석) 뉴턴이 없었다면 중력법칙은 발견되지 않았을 것이다.

   (정답) If it were not for Newton → If it had not been for Newton

4. (해설) If it had not been for the sun은 과거의 일을 의미하는 가정법 과거완료이다. 이는 현재에도 적용되는 사실이므로 현재 사실을 의미하는 가정법 과거로 고쳐야 한다.

   (해석) 만약 태양이 없다면, 우리는 전혀 살 수가 없을 것이다

   (정답) If it had not been for the sun → If it were not for the sun

5. (어휘) richness 풍성함   forest 숲

   (해석) 숲의 아름다움과 풍성함이 없다면 지구에서 삶을 상상하기는 어려울 것이다.

   (분석) It would be difficult to imagine life (on earth) // without the beauty and richness of forests.

6. (어휘) be involved in ~에 휘말리다   crash 충돌 사고

   (해석) Jeff Woolf는 심각한 충돌 사고에 휘말렸다 — 만일 그의 헬멧이 없었다면 그를 죽게 했을지도 모를 그런 것이었다.

   (분석) Jeff Woolf has been involved / in a serious crash / — one (that might have killed him // had it not been for his helmet).

# 출제유형 094

**POINT 48 전치사의 목적어**

## 전치사 to + 동명사

### 밑줄 친 부분 중 어법상 옳지 않은 것은?
인사혁신처 1차 예시

> Beyond the cars and traffic jams, she said it took a while to ① get used to have so many people in one place, ② all of whom were moving so fast. "There are only 18 million people in Australia ③ spread out over an entire country," she said, "compared to more than six million people in ④ the state of Massachusetts alone."

**유형 분석 & 전략**

전치사의 뒤에 밑줄이 그어진 문제가 나오면 전치사에 동그라미한 뒤 이어지는 목적어에 밑줄을 긋고 그 목적어의 형태(동명사/대명사의 목적격)가 올바른지 확인해야 합니다.
특히, to의 경우 전치사 to와 to부정사인지 구분하고 이에 따라 뒤따르는 형태가 동명사인지 동사원형인지 확인해야 합니다.

**포인트 분석**

> she said it took a while to ① get used to have so many people in one place,
> → having

**해설**

① **문법포인트** 전치사의 목적어 / 준동사 주요 표현 '~하는 것에 익숙해지다'라는 뜻은 「be/get used to + (동)명사」로 표현한다. 이때 to는 전치사이므로 명사나 동명사가 연결되어야 한다. 따라서 have를 having으로 고쳐야 한다. 참고로, 「be used to + 동사원형」은 '~하기 위해 사용되다'라는 뜻이다. (have → having)

② **문법포인트** 관계대명사의 선택 선행사 many people에 대한 관계대명사이면서 관계대명사절에서는 「all of + 목적격」의 형태로 주어 역할을 해야 한다. 선행사가 사람명사이면서 목적격이어야 하므로 whom이 바르게 쓰였다.

③ **문법포인트** 현재분사 vs. 과거분사 동사 are가 앞에 있으므로 spread가 다시 동사로 쓰일 수는 없다. spread는 people을 수식하는 분사가 되어야 한다. people과 타동사 spread가 '사람들이 펴져 있는'이라는 수동 관계에 있으므로 과거분사 spread가 바르게 쓰였다.

④ **문법포인트** 전치사의 목적어 전치사 in 뒤에 목적어로 명사구 the state of Massachusetts가 바르게 쓰였다. 또한 alone은 명사와 대명사 뒤에서 특정한 그것 하나만을 나타낼 때 쓰인다. the state of Massachusetts 뒤에서 '매사추세츠주 하나에서만'이란 의미로 바르게 쓰였다.

**어휘**

while 잠시   spread out 펼치다   entire 전체의   alone ~하나만으로도

**해석**

차들과 교통 체증을 넘어서, 그녀는 그렇게 많은 사람들이 한 장소에 있는데, 그들 모두는 매우 빠르게 움직이고 있는 것에 익숙해지는 데 시간이 잠시 걸렸다고 말했다. "매사추세츠주에만 6백만 명 이상의 사람들이 있는 것과 비교하면, 호주에는 겨우 1천 8백만 명의 사람들이 전국에 퍼져 있지요."라고 그녀는 말했다.

**정답** ①

---

### 1. 전치사의 목적어

전치사 + 목적어
 ① 명사(구, 절)
 ② 목적격 대명사
 ③ 동명사

I will visit my grandparents **during** this summer vacation.
                               명사구
나는 이번 여름 방학 동안 나의 조부모님을 방문할 것이다.

Everyone attended the meeting **but** the managers and me.
                              명사구        목적격 대명사
매니저들과 나를 제외한 모든 사람들이 회의에 참석했다.

Everyone attended the meeting but the managers and I. (×)
I'm tired **of** waiting for her.  나는 그녀를 기다리는 게 지겹다.

### 2. to + 동사원형 vs. to -ing

to는 부정사로 사용될 때 동사원형을 취하고, 전치사로 사용될 때 동명사를 취하므로 주의해야 한다.

| | |
|---|---|
| look forward to -ing | ~을 학수고대하다 |
| object to -ing | ~에 반대하다 |
| be(get) used to -ing accustomed | ~에 익숙하다(해지다) |
| devote oneself to -ing contribute to -ing | ~에 헌신하다 ~에 기여하다 |
| be addicted to -ing | ~에 중독되다 |
| be exposed to -ing | ~에 노출되다 |

I look forward to see you soon. (×)
➡ I look forward **to** seeing you soon. (O)
              동명사
나는 당신을 곧 만나기를 학수고대한다.

Now he is used to having brunch.
이제 그는 아침 겸 점심을 먹는 데 익숙하다.

They objected to paying extra bills.
그들은 추가로 돈을 지불하는 데 반대했다.

She devoted herself to helping the poor.
그녀는 가난한 사람들을 돕는 데 헌신했다.

# Exercises

※ 빈칸에 들어갈 알맞은 말을 고르시오.

1. Upon _____, he took full advantage of the new environment.

   ① arrive　　　　② arrived
   ③ arriving　　　④ to arrive

2. The speaker was not good at _____ his ideas across to the audience.

   ① gets　　　　　② gotten
   ③ getting　　　　④ to get

※ 밑줄 친 부분이 틀리면 바르게 고치시오.

3. Between she and her husband there have been nothing but arguments.

4. I look forward to receive your reply as soon as possible.

※ 다음 문장을 해석하고 구문분석하시오.

5. Having things to look forward to can make it easier to get through tough times.

6. The producers did not have the funds to hire many actors, so Mel Blanc resorted to creating different voices and personas for the show as needed.

---

1. **해설** 전치사의 목적어로는 명사(구, 절), 목적격 대명사, 동명사가 올 수 있다. 따라서 빈칸에는 arriving이 들어가야 한다.
   **어휘** arrive 도착하다　take advantage of ~을 이용하다
   **해석** 도착하자마자, 그는 새로운 환경을 철저히 이용했다.
   **정답** ③

2. **해설** 전치사의 목적어로 명사(구, 절), 목적격 대명사, 동명사가 올 수 있다. 따라서 빈칸에는 getting이 들어가야 한다.
   **어휘** be good at ~에 능숙하다
   get A across to B A를 B에 이해시키다
   **해석** 그 연사는 자기 생각을 청중에게 이해시키는 데 능숙하지 않았다.
   **정답** ③

3. **해설** between은 전치사이므로 뒤에 목적어가 와야 한다. she는 주격으로, 전치사의 목적어가 될 수 없으므로 목적격인 her로 바뀌어야 한다.
   **어휘** nothing but 단지　argument 언쟁
   **해석** 그녀와 그녀의 남편 사이에 언쟁 외에는 어떤 것도 없었다.
   **정답** she → her

4. **해설** '~하기를 고대하다'를 의미하는 표현은 「look forward to -ing」를 써야 한다. 이때 to는 전치사이므로 목적어로 동명사가 와야 하므로 receive를 receiving으로 고쳐야 한다.
   **어휘** look forward to ~을 고대하다　reply 답장
   **해석** 나는 당신의 답장을 가능한 한 빨리 받기를 고대한다.
   **정답** receive → receiving

5. **어휘** get through 헤쳐나가다　tough 힘든
   **해석** 고대하는 것들을 가지고 있는 것은 힘든 시기를 더 쉽게 헤쳐 나갈 수 있게 할 수 있다.
   **분석** Having things (to look forward to) / can make it easier to get through tough times.

6. **어휘** fund 자금　hire 고용하다　resort to ~에 의존하다
   **해석** 제작자들은 많은 배우들을 고용할 자금을 가지고 있지 못해서 Mel Blanc이 필요한 만큼 그 쇼를 위해 다양한 목소리와 등장인물을 만들어내는 것에 의존했다.
   **분석** The producers did not have the funds (to hire many actors), // so Mel Blanc resorted to creating different voices and personas / for the show as needed.

Chapter 07 특수구문　273

# 출제유형 095

**POINT 48** 전치사의 목적어

## 주요 전치사의 용법

**밑줄 친 부분에 들어갈 말로 가장 적절한 것은?**

> The team has to be on schedule in order to finish the work _____ the end of this month.

① until   ② by
③ for     ④ on

### 유형 분석 & 전략

until/by, for/during이 나오면 밑줄 긋고 동사의 의미[문맥]와 전치사의 목적어를 통해 둘 중 올바른 전치사가 어느 것인지 확인해야 합니다.

### 포인트 분석

The team has be on schedule in order to finish the work by the end of this month.

### 시험 빈출 전치사

| | | |
|---|---|---|
| in | 방법(~로, ~으로) | in the same way 똑같은 방법으로 |
| | 성질(~의) | the change in the situation 상황의 변화 |
| | 상태(~한, ~된) | People were in despair. 그 도시의 사람들은 절망 속에 있었다. |
| to | 도달점(~까지) | The ears of a fox can grow to about 20 cm. 여우의 귀는 약 20센티미터까지 자랄 수 있다. |
| | 정도·범위(~까지) | to the extent that we are concerned about his health 우리가 그의 건강을 걱정할 정도로 |
| | 정도(~하게도) | To my surprise 놀랍게도 |
| at | 가격·속도·수준(~에) | He drove at 100 km/h. 그는 시속 100km로 차를 몰았다. |
| | 원인(~에) | We were surprised at the news. 우리는 그 소식에 놀랐다. |
| of | 주체, 행위자 (~의, ~이/가) | It was cruel of you to say so. 당신이 그렇게 말한 것은 잔인했다. |
| | 제거(~을) | He promised to get rid of his bad habits. 그는 그의 나쁜 버릇을 없애겠다고 약속했다. |
| for | 원인(~ 때문에) | for several reasons 몇 가지 이유 때문에 |
| | 기간+숫자 (~ 동안) | for three days 삼일 동안 |
| during | 기간+명사 (사건) (~ 동안) | during the vacation 방학 동안 |
| on | 상태 (~ 중인, ~ 상태인) | I was on my way home. 나는 집으로 가는 중이었다. |
| from | 원인(~ 때문에, ~로) | He has suffered from a cold. 그는 감기로 고통받았다. |
| into | 변화(~으로) | He wanted to change bills into coins. 그는 지폐를 동전으로 바꾸고 싶어 했다. |
| until | 지속(~까지) | Wait until tomorrow. 내일까지 기다려. |
| by | 완료(~까지) | You have to submit the assignment by tomorrow. 넌 그 과제를 내일까지 제출해야 한다. |
| | 차이(~만큼) | The price of the car went up by 10 percent. 그 차의 가격이 10% 인상되었다. |

### 해설

**문법포인트** 전치사의 목적어 until과 by는 우리말로 모두 '~까지'라고 해석되어 용법을 혼동할 수 있다. 그러나 until은 어떤 상황이 '~까지 지속된다'는 지속의 의미가 있으며, by는 어떤 상황이 '~까지 완료된다'는 완료의 의미가 있다. 어떤 상황을 '이번 달 말'까지 완료한다'라는 완료의 의미가 있으므로 until이 아니라 by가 와야 한다.

### 어휘

be on schedule 일정을 지키다

### 해석

그 팀은 이번 달 말까지 그 일을 끝내기 위해서는 일정을 지켜야 한다.

**정답** ②

### 구문분석 공식

**공식 46** 명사 뒤에 오는 전치사구는 앞선 명사를 수식해주는 형용사구이다.

This novel is about the vexed parents (of an unruly teenager).  ← 전치사구(형용사 역할)

**해석** 이 소설은 (제멋대로인 십 대의) 화가 난 부모에 관한 것이다.

**어휘** vexed 화가 난   unruly 제멋대로인

# Exercises

※ 빈칸에 들어갈 알맞은 말을 고르시오.

1. My father was in the hospital _____ six weeks.

   ① for          ② until
   ③ during       ④ by

2. I am tired because I couldn't fall asleep _____ 4 a.m.

   ① for          ② until
   ③ during       ④ by

※ 밑줄 친 부분이 틀리면 바르게 고치시오.

3. All the applicants are expected to submit their resume <u>until</u> the end of next month.

4. Any part of your body that gets damaged by the sun or heat heals itself <u>for</u> your sleep.

※ 다음 문장을 해석하고 구문분석하시오.

5. The role of school food service as a replacement for what was once a family function has been expanded.

6. The same people who went hungry during bad harvests overate significantly during the good years.

---

1. **해설** during과 for는 모두 전치사로 '~동안'이라는 의미로 사용된다. 그러나 구체적인 용법에 있어서는 차이가 있는데 for의 경우, 대부분 숫자와 함께 쓰여 기간을 나타내는 반면 during은 뒤에 특정 기간을 나타내는 명사와 함께 쓰인다는 차이가 있다. 이 문장에서는 6주라는 시간이 구체적으로 언급되었으므로 for가 들어가야 한다.
   **해석** 아버지는 6주 동안 병원에 계셨다.
   **정답** ①

2. **해설** 문맥상 오전 4시까지 계속 잠들지 못했다는 계속의 의미이므로 빈칸에는 until이 들어가야 한다. by도 '~까지'를 의미하지만 지속성이 아닌 완료를 의미해서 들어갈 수 없다.
   **어휘** fall asleep 잠들다
   **해석** 나는 오전 4시까지 잠이 들지 않아서 지금 피곤하다.
   **정답** ②

3. **해설** until은 '~까지'를 의미하지만 지속성을 의미하므로 맞지 않다. 문맥상 완료를 의미하는 by로 고쳐야 한다.
   **어휘** applicant 지원자    submit 제출하다
   **해석** 모든 지원자들은 다음 달 말까지 자신의 이력서를 제출해야 한다.
   **정답** until → by

4. **해설** during과 for는 모두 전치사로 '~동안'이라는 의미로 사용된다. 그러나 for의 경우, 대부분 숫자와 함께 쓰여 기간을 나타내는 반면, during은 뒤에 특정 기간을 나타내는 명사와 함께 쓰인다. your sleep은 기간을 의미하는 명사이므로 for는 during으로 고쳐야 한다.
   **해석** 태양이나 열에 의해 손상된 신체의 일부분은 수면 중에 스스로 치유된다.
   **정답** for → during

5. **어휘** replacement 대체물    expand 확대하다
   **해석** 한때 가족의 기능이었던 것에 대한 대체물로서의 학교 급식 서비스의 역할이 확대되어 왔다.
   **분석** The role (of school food service as a replacement (for what was once a family function)) / has been expanded.
   [S]         [V]

6. **어휘** harvest 수확    overeat 과식하다
   **해석** 수확이 형편없는 동안에 굶주렸던 동일한 사람들은 수확이 잘된 기간에는 상당히 과식했다.
   **분석** The same people (who went hungry / during bad harvests) overate significantly / during the good years.

## 출제유형 096

**POINT 49 강조**

### It ~ that … 강조구문

---

**밑줄 친 부분에 들어갈 말로 가장 적절한 것은?**

> It was when I got support across the board politically, from Republicans as well as Democrats, _____ I knew I had done the right thing.

① who   ② whom
③ whose   ④ that

#### 유형 분석 & 전략

it과 that에 세모를 표시한 후, it ~ that 사이에 명사(구)나 부사(구, 절)가 있으면 강조용법이므로 강조 부분에 밑줄을 긋고 그 형태가 올바른지 확인해야 합니다.

#### 포인트 분석

> It was when I got support across the board politically, from Republicans as well as Democrats, that I knew I had done the right thing.

#### 해설

**문법포인트** 강조 빈칸 뒤에 완전한 절이 오고, It ~ that 사이에 부사절이 들어와 있는 것으로 보아 「It was+when절(시간 부사절)+that절」로 이루어진 it ~ that 강조구문임을 알 수 있다. 즉, 시간 부사절인 when절을 강조하는 문장이므로 that이 쓰여야 한다.

**어휘**
across the board 전면적으로   Republican 공화당원
Democrat 민주당원

**해석**
내가 옳은 일을 했다는 것을 알게 되었을 때는 바로 민주당원은 물론 공화 당원들에게도 정치적으로 전면적으로 지지를 받을 때였다.

**정답** ④

---

주어 It과 that 관계절 사이에 강조 대상(명사[구/절], 부사[구/절])을 넣어 강조한다.

> It + 강조 대상 + that + 나머지

**It** is you that I love.
내가 사랑하는 사람은 바로 당신입니다.

**It** was yesterday that I told you to do it.
내가 너에게 그것을 하라고 말한 것은 바로 어제였다.

#### Check!

**It ~ that … 강조구문의 주의 사항**

1. 강조 대상이 It과 that 사이에 들어갈 때, 격을 주의해야 한다.
   It was he that gave me the book.
   나에게 그 책을 줬던 분은 바로 그 사람이었다.
   It was him that gave me the book. (×)

2. It과 that 사이에 들어가는 강조 대상과 that 이후의 나머지 문장을 합치면 완전한 절의 형태를 갖춰야 한다.
   It is I that am to blame.
   책임이 있는 것은 바로 나다.
   It is I that is to blame. (×)

#### 쌤's TIP

that은 관계사이므로 that 대신 다른 관계대명사 또는 관계부사를 사용할 수 있다.

It is you whom[that] I love.
내가 사랑하는 사람은 바로 당신입니다.

It was yesterday when[that] I met him in the park.
내가 공원에서 그를 만난 것은 바로 어제였다.

---

### 구문분석 공식

**공식 47** 「It ~ that..」 강조용법이 사용되었다면 강조 대상을 정확히 파악하라.

> It was **Franco** that had asked Germany to bomb Guernica.
> (강조 대상: Franco)

**해석** 독일에 게르니카를 폭격해 달라고 요청한 사람은 프랑코였다.

**어휘** bomb 폭격하다

# Exercises

※ 빈칸에 들어갈 알맞은 말을 고르시오.

1. It is not talent but passion _____ leads you to success.

   ① that  ② what
   ③ who  ④ when

2. It was Peter _____ met her in Paris last year.

   ① who  ② whom
   ③ when  ④ where

※ 밑줄 친 부분이 틀리면 바르게 고치시오.

3. It was not until he was fifty <u>that</u> he started to write.

4. It was in 1826 <u>which</u> the Zoological Society was founded in London.

※ 다음 문장을 해석하고 구문분석하시오.

5. It is our labor that is the source of the value, or the added value, of the land.

6. Any carper can find the faults in a great work; it is only the enlightened who can discover all its merits.

---

1. **해설** 「It ~ that …」 강조구문으로 주어인 not talent but passion을 강조하는 형태이다. 따라서 빈칸에는 that이 들어가야 한다.
   **어휘** talent 재능  passion 열정
   **해석** 당신을 성공으로 이끄는 것은 재능이 아니라 열정이다.
   **정답** ①

2. **해설** 「It ~ that …」 강조구문으로 주어인 Peter를 강조하는 형태이다. 이때 수식하는 단어에 따라 that을 who, which 등으로 바꿔쓸 수 있다. Peter가 사람이므로 빈칸에는 who가 들어갈 수 있다.
   **해석** 작년에 파리에서 그녀를 만난 것은 Peter였다.
   **정답** ①

3. **해설** 「It ~ that …」 강조구문으로 부사절인 until he was fifty를 강조하는 형태이다. 따라서 접속사 that이 올바르다.
   **해석** 나이 쉰이 되어서야 비로소 그는 글을 쓰기 시작했다.
   **정답** 틀린 부분 없음

4. **해설** 「It ~ that …」 강조구문으로 부사구인 in 1826이 강조하는 형태이다. 따라서 which는 that으로 고쳐야 한다.
   **어휘** zoological 동물학의  society 협회  found 설립하다
   **해석** 동물학회가 런던에 설립된 것은 바로 1826년이다.
   **정답** which → that

5. **어휘** labor 노동력  source 원천  value 가치
   **해석** 토지의 가치, 혹은 부가 가치의 원천은 바로 우리의 노동력이다.
   **분석** It is our labor / that is the source of the value, or the added value, (of the land).

6. **어휘** carper 트집쟁이  fault 흠  enlightened 깨달은  merit 장점
   **해석** 트집쟁이는 어떤 위대한 작품에서도 흠을 찾을 수 있다; 모든 장점을 발견할 수 있는 것은 깨달은 사람뿐이다.
   **분석** Any carper can find the faults / in a great work; /// it is only the enlightened / who can discover all its merits.

# 출제유형 097

**POINT 49 강조**

## 부정어 강조

---

**다음 밑줄 친 부분 중 어법상 옳지 않은 것은?**

> ① A great deal of information ② mentioned above ③ are the result of his work with some companies and ④ by no means reflects the view of the entire team.

### 유형 분석 & 전략

by no means가 보이면 밑줄을 긋고, '결코 ~가 아닌'이라는 의미를 가진 부정의 강조 표현이므로 문맥이 적합한지 확인하면 됩니다.

### 포인트 분석

A great deal of information mentioned above are the result of his work with some companies and ④ by no means reflects the view of the entire team.

### 1. 부정어의 뒤에 특정한 표현들을 추가하여 부정어를 강조할 수 있다.

이러한 표현들이 부정어와 함께 쓰이면 '절대 ~ 아닌' 또는 '결코 ~ 아닌'의 의미를 가지게 된다.

> 부정어 + a bit, at all, in the least, in the slightest

It wasn't funny at all.
그것은 결코 재미있지 않았다.

I don't understand in the least what you mean.
나는 네가 무엇을 의미하는지 전혀 이해가 안 된다.

### 2. by no means는 '결코 ~가 아니다'라는 의미의 부정 강조 표현이다.

It is by no means easy to satisfy everyone.
모든 사람을 만족시키기는 결코 쉽지 않다.

---

### 해설

③ **문법포인트** 주어 - 동사 수 일치 주어인 information이 셀 수 없는 명사, 즉 단수 명사이므로 동사 역시 단수 형태가 되어야 한다. (are → is)

① **문법포인트** 명사의 이해 information이 셀 수 없는 명사이므로 양 형용사인 a great deal of가 바르게 수식하고 있다.

② **문법포인트** 현재분사 vs. 과거분사 수식받는 명사 information과 의미상 수동의 관계이므로 과거분사가 바르게 쓰였다.

④ **문법포인트** 강조 by no means는 '결코 ~가 아닌'이라는 의미의 부정 강조 표현이다.

### 어휘

mention 언급하다   reflect 반영하다

### 해석

위에 언급된 엄청난 정보는 그가 일부 회사와 일한 결과이며 팀 전체의 의견을 결코 반영하지 않는다.

**정답** ③

---

### 구문분석 공식

**공식 48** 「not ~ at all, not ~ a bit」은 부정의 강조 표현이다.

When you pay an arm and a leg for something, //
  S              V
it is not cheap at all.

당신이 무언가에 막대한 경비를 지출한다면, //
그것은 전혀 싼 것이 아니다.

**해석** 당신이 무언가에 막대한 경비를 지출한다면, 그것은 전혀 싼 것이 아니다.

**어휘** pay an arm and a leg 막대한 경비를 지출하다   cheap 싼

# Exercises

※ 다음 문장을 해석하고 구문분석하시오.

1. It is by no means easy for us to learn English in a short time.

2. They were by no means the only people to bring slaves into their communities.

3. The word was being used outside of horse racing to mean "with no trouble at all."

4. You will find that the mind of a four-year-old is not naive in the slightest.

5. The riots were extremely localized and the government was not in the least powerless.

6. His ability and popularity have not waned a bit, keeping the viewership at high level.

---

1. **어휘** by no means 결코
   **해석** 우리가 영어를 단시간에 배우는 것은 결코 쉬운 일이 아니다.
   **분석** It is by no means easy for us to learn English / in a short time.
   (가S V C 진S)

2. **어휘** slave 노예   community 사회
   **해석** 그들은 노예들을 자신들의 사회로 데려온 유일한 사람들이 결코 아니었다.
   **분석** They were by no means the only people (to bring slaves into their communities).
   (S V C)

3. **어휘** horse racing 경마   trouble 수고
   **해석** 이 말은 경마 이외의 장소에서 "전혀 수고 없이"라는 의미로 사용되고 있었다.
   **분석** The word was being used outside of horse racing / to mean "with no trouble at all."
   (S V)

4. **어휘** naive 순진한   in the slightest 조금도
   **해석** 네 살짜리 아이의 마음은 조금도 순진하지 않다는 것을 알게 될 것이다.
   **분석** You will find // that the mind (of a four-year-old) is not naive in the slightest.
   (S V S' V' C')

5. **어휘** localized 국지적인   powerless 무력한   in the least 조금도
   **해석** 폭동은 극도로 국지적이었고 정부는 조금도 무력하지 않았다.
   **분석** The riots were extremely localized // and the government was not in the least powerless.
   (S1 V1 C1 S2 V2 C2)

6. **어휘** popularity 인기   wane 줄어들다   viewership 시청률
   **해석** 그의 능력과 인기는 전혀 줄지 않아 시청률은 계속 높은 상태를 유지하고 있었다.
   **분석** His ability and popularity have not waned a bit, // keeping the viewership at high level.
   (S V)

Chapter 07 특수구문 279

# 출제유형 098

**POINT 50 도치**

## 1형식, 2형식 문장의 도치 (수 일치 주의)

### 다음 밑줄 친 부분 중 어법상 옳지 않은 것은?

*Romola* ① written by George Eliot, a female novelist, became a transitional work between the first and second periods of ② her writing. Eliot created not only self-sacrificing heroines ③ but selfish traitors. Among other famous novels ④ are *Adam Bede*.

#### 유형 분석 & 전략

1형식의 도치와 2형식의 도치인 경우 도치뿐만 아니라 수 일치가 자주 출제됩니다.
문장의 앞에 위치한 There/위치 부사구/보어에 괄호 표시 후, 동사에 밑줄을 긋고 주어에 동그라미 표시하여 어순과 주어 – 동사의 수 일치를 확인하세요.

#### 포인트 분석

(Among other famous novels) ④ are *Adam Bede*.
　　　　　　　　　　　　　　　→ is
　　　　　　　　　　　　　　V　　S

#### 해설

④ **문법포인트** 도치 부사구가 문장의 맨 앞으로 강조되어 나와서 주어와 동사가 도치되었다. Adam Bede는 고유명사로 단수이므로 동사 역시 단수가 되어야 한다. (are → is)

① **문법포인트** 현재분사 vs. 과거분사 수식받는 명사 Romola와 의미상 수동의 관계이므로 과거분사가 바르게 쓰였다.

② **문법포인트** 인칭대명사 her는 문맥상 앞에 나온 George Eliot, a female novelist를 지칭한다.

③ **문법포인트** 등위접속사의 병렬 구조 등위상관접속사인 「not only A but (also) B」의 구문이며, A와 B는 모두 명사구로 올바른 병렬 구조를 이루고 있다.

#### 어휘

transitional 과도기적인　self-sacrificing 자기희생적인
heroine 여주인공　traitor 배반자

#### 해석

여성 소설가인 조지 엘리엇이 쓴 <로몰라>는 그녀의 첫 번째 창작 시기와 두 번째 창작 시기 사이의 과도기적 작품이 되었다. 엘리엇은 자기희생적인 여주인공뿐 아니라 이기적인 배반자도 창조해냈다. 다른 유명한 소설들에는 <아담 비드>가 있다.

정답 ④

## 1. 1형식 문장의 도치

부사가 문장의 맨 앞으로 강조되어 나오는 경우 도치가 발생한다.
1형식 문장의 도치구문이다.

(1) There/Here + 동사 + 주어

There is a big tree on the hill.
언덕 위에는 큰 나무가 하나 있다.

(2) 장소/방향/위치 부사(구) + 동사 + 주어

On the hill stood a tall boy.
언덕 위에 키가 큰 한 소년이 서 있었다.

Among the first animals to land on our planet were the insects.
곤충은 우리 행성에 상륙한 첫 동물 중 하나였다.

#### 쌤's TIP

주어가 명사인 경우만 도치하고 대명사인 경우는 도치하지 않는 것을 원칙으로 한다.

## 2. 2형식 문장의 도치(보어 강조에 의한 도치)

보어가 문장의 맨 앞으로 강조되어 나오는 경우 도치가 발생한다.
2형식 문장의 도치구문이다.

보어
[ 형용사 / 분사 ] + 동사 + 주어

Really nice was our meeting.
우리의 회의는 정말 훌륭했다.

Pleased with the result were the participants.
그 참가자들은 그 결과에 대해 기뻐했다.

### 구문분석 공식

**공식 49** 문장의 앞에 도치의 신호가 보이면 동사 뒤에 위치한 주어를 먼저 파악한다.

　장소 부사구　　V　　　　　　S
On this ship / was a captain (who was shortsighted).
　이 배에　 /　　　　(근시인) 선장이 있었다.

해석 이 배에 (근시인) 선장이 있었다.

어휘 captain 선장　shortsighted 근시안의

# Exercises

※ 빈칸에 들어갈 알맞은 말을 고르시오.

1. At the top of the building _____ several birds nests a few years ago.

   ① is   ② are
   ③ was  ④ were

2. Nestled in the atmosphere _____ clouds composed of water and ice crystals.

   ① be   ② is
   ③ are  ④ was

※ 밑줄 친 부분이 틀리면 바르게 고치시오.

3. From the new members <u>come</u> this kind of serious problem.

4. There <u>was</u> a lot of people in the theater yesterday.

※ 다음 문장을 해석하고 구문분석하시오.

5. Lurking beneath New Zealand is a long-hidden continent called Zealandia.

6. Among the advantages of making an artwork in this way is that numerous "impressions" can be made.

---

1. **해설** At the top of the building은 장소의 부사구이므로 주어와 동사가 도치되어야 한다. 주어가 several birds nests로 복수이고 a few years ago로 과거이므로 빈칸에는 were가 들어가야 한다.
   **어휘** nest 둥지
   **해석** 몇 년 전에는 그 빌딩의 꼭대기에 몇몇 새 둥지들이 있었다.
   **정답** ④

2. **해설** Nestled in the atmosphere는 보어로 앞으로 나와 강조되어 주어와 동사가 도치되어야 한다. 주어는 clouds composed of water and ice crystals로 복수이므로 빈칸에는 복수를 의미하는 동사인 are가 들어가야 한다.
   **어휘** nestle 자리 잡다   atmosphere 대기
   be compose of ~로 이루어지다   crystal 결정
   **해석** 물과 얼음 결정으로 이루어진 구름들이 대기 안에 자리잡고 있다.
   **정답** ③

3. **해설** From the new members가 방향의 부사구가 강조되어 주어와 동사가 도치되었다. come의 주어는 this kind of serious problem으로 단수이므로 단수인 comes로 고쳐야 한다.
   **어휘** serious 심각한
   **해석** 이런 종류의 심각한 문제는 새로운 회원들로부터 나온다.
   **정답** come → comes

4. **해설** was의 주어는 뒤의 a lot of people로 복수이다. 따라서 동사도 복수인 were로 고쳐야 한다.
   **어휘** theater 극장
   **해석** 어제 극장에는 많은 사람들이 있었다.
   **정답** was → were

5. **어휘** lurk 숨어 있다   beneath ~ 아래에   continent 대륙
   **해석** Zealandia라고 불리는 오랜 기간 감추어져 있던 대륙이 뉴질랜드 아래에 숨어 있다.
   **분석** <u>Lurking beneath New Zealand</u> <u>is</u> <u>a long-hidden continent called Zealandia</u>.
   (S / V / C)

6. **어휘** among ~ 중의 하나로   advantage 장점
   artwork 예술작품   numerous 수많은
   impression 인쇄물
   **해석** 수많은 '인쇄물'들이 만들어질 수 있다는 점이 이러한 방식으로 예술작품을 만드는 것의 장점 중 하나이다.
   **분석** Among the advantages (of making an artwork in this way) / is that numerous "impressions" can be made.
   (V / S)

Chapter 07 특수구문 281

# 출제유형 099

**POINT 50 도치**

## 부사구 강조에 의한 도치 (도치 형태 주의)

**밑줄 친 부분에 들어갈 말로 가장 적절한 것은?**

> Never _____ that one small book could be so impactful, life-changing and indeed lifesaving.

① I dreamed
② did I dream
③ dreamed I
④ I had dreamed

### 유형 분석 & 전략

부정부사나 Such/So+형용사/부사를 강조하는 도치의 경우 동사를 둘로 쪼개어 도치하는 형태에 주의해야 합니다.

문장의 앞에 위치한 부정부사/Such/So+형/부에 괄호 표시 후, 동사 1에 밑줄, 주어에 동그라미, 동사 2에 밑줄 표시하여 어순을 확인 후 주어 – 동사의 수 일치도 확인하는 것이 좋습니다.

### 포인트 분석

(Never) did I dream that one small book could be so impactful, life changing and indeed lifesaving.
(V1 S V2)

### 해설

**문법포인트** 도치 부정부사인 Never가 문두로 나왔고 선택지에 일반동사가 나왔으므로 「부정부사+조동사+주어+동사원형」 또는 「부정부사+has/have/had+주어+p.p.」의 어순이 되어야 한다.

### 어휘

impactful 영향력이 강한   life-changing 인생을 바꿀만한

### 해석

나는 작은 책 한 권이 그토록 영향력이 강하고 인생을 바꿀만하며 실제로 목숨을 살릴 수 있으리라고는 결코 꿈도 꾸지 못했다.

**정답** ②

---

부정부사와 So, Such를 강조하는 구문의 경우 주어가 대명사인 경우라도 주어와 동사를 도치한다. 이때 동사의 종류에 따라 각각 도치의 형태가 달라진다.

조동사, be동사, 완료의 have, has, had는 바로 도치하지만, 일반동사인 경우 조동사 do를 사용하여 도치가 발생한다는 점을 주의해야 한다.

### 1. 부정부사+동사+주어

| 부정부사 | |
|---|---|
| never, little, hardly, seldom, scarcely, rarely, nowhere, not only, not until, no sooner, only+부사, on no account, under no circumstances, in no way | + be동사+주어<br>조동사+주어+동사원형<br>have/has/had+주어+p.p.<br>do/does/did+주어+동사원형 |

Never did I meet him again.
나는 그를 결코 다시 만나지 않았다.
= I never met him again.

Little did I dream that he was a professor.
그가 교수라고는 거의 꿈도 꾸지 못했다.

Little dreamed I that he was a professor. (×)

Only once was he late for the class.
단지 한 번 그는 수업에 늦었다.

Not until they lose it do people know the blessing of health.
그들이 그것을 잃기 전까지 사람들은 건강의 축복을 모른다.

### 2. So, Such 강조

| So+형용사/부사 | +동사+주어+that+주어'+동사' |
|---|---|
| Such | '너무 ~해서 …하다' |

So good did the cake look that he ordered one piece of it.
그 케이크가 매우 맛있어 보여서 그는 한 조각을 주문했다.

Such is the influence of online media that it can make a person famous overnight.
온라인 매체의 영향력이 너무 강해서 그것은 하룻밤 사이 한 사람을 유명하게 만들 수 있다.

# Exercises

※ 빈칸에 들어갈 알맞은 말을 고르시오.

1. _____ that they decide to reconsider his case.

   ① So vigorously protests he
   ② So vigorously do he protest
   ③ So vigorously does he protest
   ④ So vigorously protest he

2. Never in my life _____ such a beautiful woman.

   ① I have seen        ② did I have seen
   ③ have seen I        ④ have I seen

※ 밑줄 친 부분이 틀리면 바르게 고치시오.

3. Under no circumstances you should leave here.

4. Only after the meeting he recognized the seriousness of the financial crisis.

※ 다음 문장을 해석하고 구문분석하시오.

5. Not only are people spending money they don't have, they're also using it to buy things they don't need.

6. So desperate are we that we surrender to foolish ideas presented by others simply to show how open-minded we really are.

---

1. **해설** 「so ~ that …」 구문에서 「so + 형용사/부사」가 문장의 앞으로 강조되어 나올 때 주어와 동사는 도치된다. So vigorously가 문장의 앞에 강조되어 주어와 동사가 도치되어야 하는데 he는 3인칭 단수이고 protest가 일반동사이므로 빈칸에는 So vigorously does he protest가 들어가야 한다.
   **어휘** reconsider 재고하다   case 사건   vigorously 격렬하게   protest 항의하다
   **해석** 그가 너무나도 격렬하게 항의하고 있어 그들은 그의 사건을 재고하기로 결정한다.
   **정답** ③

2. **해설** 부정어 Never가 문두에 왔으므로 주어와 동사가 도치되어야 한다. have seen은 현재완료로 have가 조동사이다. 도치에서 조동사는 그대로 앞으로 나가므로 빈칸에는 조동사 have가 주어 I 앞으로 온 have I seen이 들어가야 한다.
   **해석** 내 생애에서 그와 같이 아름다운 여인은 본 적이 없다.
   **정답** ④

3. **해설** Under no circumstances는 '어떤 상황에서도 ~ 아닌'을 의미하는 부정의 부사구로서 강조를 위해 문장의 앞에 위치하면 뒤의 주어와 동사는 도치해야 한다. 따라서 you should not leave는 should you leave로 고쳐야 한다.
   **해석** 어떤 상황에서도 너는 이곳을 떠나면 안 된다.
   **정답** you should leave → should you leave

4. **해설** 부정부사인 only가 문두에 오면 주어와 동사가 도치가 되어야 한다. 동사가 일반동사인 recognized이므로 조동사 do를 써서 도치해야 한다. 따라서 he recognized는 did he recognize로 고쳐야 한다.
   **어휘** recognize 알아차리다   seriousness 심각성   financial 금융의   crisis 위기
   **해석** 그 회의 후에야 그는 금융 위기의 심각성을 알아차렸다.
   **정답** he recognized → did he recognize

5. **해석** 사람들은 수중에 없는 돈을 쓰고 있을 뿐만 아니라, 그들이 필요로 하지도 않는 것을 구매하는 데 그 돈을 쓰고 있다.
   **분석** Not only are people spending money (they don't have), // they're also using it / to buy things (they don't need).

6. **어휘** desperate 자포자기하는   surrender 굴복하다   present 내다, 제시하다
   **해석** 우리는 너무 자포자기식이 되어 단지 우리가 정말로 열린 마음을 가지고 있다는 것을 보여주기 위해 다른 사람들이 제시한 어리석은 생각에 굴복한다.
   **분석** So desperate are we // that we surrender / to foolish ideas presented by others / simply to show how open-minded we really are.

# 출제유형 100

**POINT 50 도치**

## 도치와 동사 종류 일치 주의

---

**밑줄 친 부분에 들어갈 말로 가장 적절한 것은?**

> At my father's birthday party, all the relatives were present. So _____ my uncle, who had cut all ties with his family after a big argument.

① is  ② was
③ did  ④ had

### 유형 분석 & 전략

"또한 그러하다/그러하지 않다"를 의미하는 so/neither가 보이면 괄호 표시 후, 동사에 밑줄, 주어에 동그라미 표시하며 도치의 어순과 주어-동사 수 일치가 맞는지 확인합니다.
이어 앞에 위치한 주절에 사용된 동사에 동그라미 표시하여 같은 종류의 동사가 사용되었는지 확인해야 합니다.

### 포인트 분석

At my father's birthday party, all the relatives (were) present.
　　　　　　　　　　　　　　　　　　　　　　V
(So) was my uncle who had cut all ties with his family after
　　　 　　　S
a big argument.

### 1. 또한 그렇다/그렇지 않다

| 긍정문 | So+동사+주어 | 주어 또한 ~하다 |
|---|---|---|
| 부정문 | Neither+동사+주어 | 주어 또한 ~하지 않다 |

· He works very hard. **So** does his brother.
　그는 매우 열심히 일한다. 그의 형도 또한 열심히 일한다.
· He can't speak Korean. **Neither** can his brother.
　그는 한국말을 못한다. 그의 형도 또한 못한다.

### 2. as/than+동사+주어

'~처럼'이라는 의미를 가지는 접속사 as, '~보다'라는 의미를 가지는 접속사 than 뒤의 주어와 동사는 동사가 be동사, 조동사, do 대동사일 때 「동사+주어」의 어순으로 도치될 수 있다.
as와 than은 선택적 도치가 가능한 접속사로 의미의 강조를 원하면 도치 구문으로 사용해도 되고 도치하지 않은 어순으로 써도 된다.

| as+동사+주어 | 주어가 ~한 것처럼 |
|---|---|
| than+동사+주어 | 주어가 ~한 것보다 |

· Kevin was a Christian, **as** were most of his friends.
　Kevin은 그의 대부분의 친구들처럼 기독교 신자였다.
· He completed the work earlier **than** did his colleagues.
　그는 그의 동료들보다 그 일을 더 빨리 완료했다.

#### Check!

**동사의 종류 일치**
「so+동사+주어」, 「neither+동사+주어」, 「as+동사+주어」, 「than+동사+주어」 도치의 경우 앞선 동사와의 동사의 종류 일치에 주의해야 한다.
· He works hard, and so is his brother. (×)
　　　　　　　　　　　　　　does (O)
· He completed the work earlier than were his colleagues. (×)
　　　　　　　　　　　　　　　　　　　　→ did

---

### 해설

**문법포인트** 도치 문맥상 '또한 그렇다/그렇지 않다'를 의미하는 문장을 완성해야 한다. 앞 문장에 be동사의 과거형이 쓰였고 주어가 3인칭 단수이므로 빈칸에는 was가 들어가야 한다.

**어휘** relative 친척  ties 인연  argument 말다툼

**해석** 아버지의 생일파티에, 모든 친척이 참석했다. 크게 말다툼을 한 뒤로 가족과 모든 인연을 끊었던 삼촌도 참석했다.

**정답** ②

### 구문분석 공식

**공식 50** 「So+동사+주어」 '주어도 또한 그러하다'

Cindy loved playing the piano, // and **so did her son**.
　　　　　　　　　　　　　　　　　　　　so 동사 주어
Cindy는 피아노 치는 것을 좋아했고, // 그녀의 아들도 또한 그러했다.

**해석** Cindy는 피아노 치는 것을 좋아했고, 그녀의 아들도 또한 그러했다.

# Exercises

※ 빈칸에 들어갈 알맞은 말을 고르시오.

1. He has been good with rules, and _____.

   ① so his son is         ② so is his son
   ③ so does his son    ④ so has his son

2. They didn't believe his story, and _____.

   ① neither I didn't      ② neither didn't I
   ③ neither did I         ④ neither was I

※ 밑줄 친 부분이 틀리면 바르게 고치시오.

3. The sea has its currents, as <u>are</u> the river and the lake.

4. He is more handsome than <u>do</u> his elder brothers.

※ 다음 문장을 해석하고 구문분석하시오.

5. Teens in such traditional cultures also experience fewer mood swings and instances of risky behavior than do teens in industrialized countries.

6. Unfortunately, the teacher-in-space program was indefinitely put on hold. So were NASA's plans to send musicians, journalists, and artists to space.

---

1. **해설** '~ 또한 그러하다'는 의미의 so 뒤에서는 도치가 발생한다. 주어가 3인칭 단수인 his son이고 현재완료가 사용되었으므로 has를 써야 한다. 따라서 빈칸에는 so has his son이 들어가야 한다.
   **해석** 그는 규칙을 잘 지켜왔고, 그의 아들도 그랬다.
   **정답** ④

2. **해설** 부정문 뒤에 등위접속사 and로 연결된 절에서 '또한 그렇지 않다'를 의미할 때 「neither+동사+주어」의 형태를 쓴다. believe가 일반동사이고 과거형이므로 빈칸에는 neither did I이 들어가야 한다.
   **해석** 그들은 그의 이야기를 믿지 않았으며, 나 또한 믿지 않았다.
   **정답** ③

3. **해설** '~처럼'을 의미하는 접속사인 as가 사용될 때 선택적 도치가 가능하다. 앞 절의 동사가 일반동사인 has이고 주어가 the river and the lake로 복수이므로 are는 do로 고쳐야 한다.
   **어휘** current 흐름   lake 호수
   **해석** 강과 호수가 그런 것처럼 바다도 그 흐름을 가지고 있다.
   **정답** are → do

4. **해설** '~보다 더'를 의미하는 접속사 than 뒤에는 도치가 발생한다. 앞 절의 동사가 be동사이고 주어가 elder brothers로 복수이므로 do는 are로 고쳐야 한다.
   **어휘** handsome 매력적인   elder 나이가 더 많은
   **해석** 그는 형들보다 더 매력적이다.
   **정답** do → are

5. **어휘** traditional 전통의   experience 경험하다   mood 감정   swing 변화   instance 사례   risky 위험한   industrialized 산업화된
   **해석** 전통문화권의 십 대들은 또한 산업화된 국가들의 십 대들보다 더 적은 감정 변화와 (더 적은) 위험한 행동의 사례를 경험한다.
   **분석** Teens (in such traditional cultures) also experience [S1] [V1] fewer mood swings and instances of risky behavior [O1] [O2] // than do teens (in industrialized countries). [V2] [S2]

6. **어휘** indefinitely 무기한   put ~ on hold ~을 보류하다
   **해석** 불행하게도, 우주 선생님 프로그램은 무기한 보류되었다. 음악가, 기자, 예술가들을 우주로 보내려는 NASA의 계획들도 역시 마찬가지였다.
   **분석** Unfortunately, / the teacher-in-space program was [S] [V] indefinitely put on hold. So were NASA's plans (to [V] [S] send musicians, journalists, and artists to space).

# memo

# memo

memo